100
PHILOSOPHES

100
PHILOSOPHES

GUIDE DES PLUS GRANDS

PENSEURS DE L'HUMANITÉ

PETER J. KING

100 PHILOSOPHES

Copyright © 2005, Hurtubise HMH ltée
pour l'édition en langue française au Canada

Titre original de cet ouvrage :
One Hundred Philosophers

Direction éditoriale : Piers Spence
Direction artistique : Moira Clinch
Chargé de projet : Paula McMahon
Rédactrice : Carol Baker
Conception artistique : Penny Cobb
Maquettiste : Julie Francis
Recherche iconographique : Claudia Tate
Photographies : Paul Forester
Illustrations : Kuo Kang Chen, Coral Mula
Traduction : Christian Molinier, avec la collaboration
         de Véronique Chalmet
Couverture : Nathalie Tassé

Édition originale produite et réalisée par :
Quarto Publishing plc
The Old Brewery, 6 Blundell Street
Londres N7 9BH, Royaume-Uni

Copyright © 2004, Quarto Publishing plc
Copyright © 2005, éditions Le Pré aux clercs
pour la traduction française

ISBN 2-89428-798-4

Dépôt légal : 3ᵉ trimestre 2005
Bibliothèque nationale du Québec
Bibliothèque nationale du Canada

Éditions Hurtubise HMH ltée
1815, avenue De Lorimier
Montréal (Québec) H2K 3W6

Imprimé en Chine

www.hurtubisehmh.com

TABLE

DES MATIÈRES

INTRODUCTION

Le mot «philosophie» vient du grec et signifie «amour de la sagesse». Mais, comme c'est généralement le cas, l'étymologie ne nous conduit pas bien loin. Même en laissant de côté la délicate question de savoir ce que signifie la «sagesse», le simple fait de l'aimer ne nous aide pas beaucoup et ne semble pas non plus correspondre à la pratique réelle des philosophes. Nous pourrions plutôt l'interpréter comme la tentative pour atteindre la connaissance et la compréhension. Mais en quoi la philosophie diffère-t-elle des autres activités qui se donnent le même but?

Cette question est compliquée par le fait que le domaine de la philosophie s'est modifié au cours des siècles. Durant une très longue période, il incluait presque tout effort intellectuel, de la théologie à la physique et de la psychologie à la logique. Cela dura jusqu'à la fin du Moyen Âge. Ensuite, ce domaine commença à se fragmenter. Il y eut d'abord une séparation entre philosophie et théologie. Bien qu'il ait été précédé par nombre d'auteurs qui en avaient posé les bases, Descartes représente le début de cette nouvelle époque. Il se sert de la notion de Dieu, et il donne même deux arguments en faveur de son existence, mais il le fait dans le cadre de sa tentative d'assurer des fondements sûrs à la connaissance humaine. La seconde séparation s'effectue entre les connaissances empiriques et celles qui ne le sont pas. Ce que nous appelons maintenant les sciences physiques prirent graduellement leur indépendance en devenant la physique, la chimie et la biologie. Des disciplines comme la psychologie et la sociologie se séparèrent plus tard de la philosophie, souvent dans le but délibéré de rejoindre le camp des sciences empiriques.

La difficulté de définir la philosophie résulte donc en partie de ce qu'elle porte sur tout ce qui reste et, bien évidemment, il est impossible de donner une définition précise qui inclut et exclut tout ce qui doit l'être. Le mieux est d'examiner ce qui se passe en philosophie à partir de quelques exemples. Nous pouvons commencer par nous demander quelle différence il y a entre la philosophie des religions et la psychologie ou la sociologie des religions. Ce qui intéresse le psychologue, c'est le rôle que jouent la croyance et les pratiques religieuses dans la psyché individuelle, aussi bien que le rôle joué par les phénomènes psychologiques dans la nature et le développement de la religion. De la même façon, le sociologue s'intéresse au rôle de la religion et de ses pratiques dans la société ainsi qu'aux structures sociales qui caractérisent les religions. Ni l'un ni l'autre ne se soucient de la *vérité* des religions. Ils ne se demandent pas non plus si les croyances et les pratiques religieuses sont raisonnables. Cela concerne la philosophie.

Cette distinction éclaire un peu la nature de la philosophie, mais il faut aller plus avant. Prenons une question de philosophie des religions, par exemple : quelle relation y a-t-il entre morale et divinité? Dans *Euthyphron*, Platon soumet à un croyant un problème qui n'a cessé depuis d'être débattu par les philosophes et les théologiens, problème connu comme le dilemme d'Euthyphron : la piété est-elle pieuse parce que les dieux l'aiment, ou bien les dieux l'aiment-ils parce qu'elle est pieuse? On peut soulever un dilemme semblable à propos de la

On présente souvent Alexandrie comme le premier grand centre intellectuel. Sa bibliothèque contenait les œuvres des plus grands penseurs de l'Antiquité. C'est dans cette bibliothèque que les lois de la géométrie furent découvertes par Euclide, que Ptolémée écrivit son Almageste, qu'Ératosthène mesura le diamètre de la Terre et qu'Archimède inventa la pompe à hélice toujours en usage aujourd'hui. Les œuvres de Platon et de beaucoup d'autres furent brûlées dans l'incendie qui la détruisit complètement.

Tout au long de son histoire, la philosophie a cherché à évaluer et à expliquer des concepts fondamentaux comme ceux de moralité et de divinité, et à analyser les relations qu'ils entretiennent.

morale dans un cadre mono-théiste : les actions morales sont-elles bonnes parce qu'elles sont ordonnées par Dieu, ou bien Dieu les ordonne-t-il parce qu'elles sont bonnes ?

Aucun des choix de ce dilemme n'est satisfaisant pour le croyant. Si ce sont les commandements de Dieu qui ont créé la morale (ce qu'on appelle la théorie du comman-dement divin), alors il aurait pu donner des commandements très différents – par exemple que le meurtre est bon et la cha-rité mauvaise – et nos valeurs morales auraient été inversées. Mais si Dieu a ordonné de ne pas tuer parce que le meurtre est mauvais, alors la morale est indépendante de la volonté de Dieu. Il n'a donc pas créé toutes choses et il est soumis à la morale comme nous tous. Certaines réponses cherchent à accepter ou à minimiser les problèmes liés à l'un ou l'autre choix du dilemme et prônent une approche mixte dans laquelle certaines valeurs morales sont créées et d'autres pas, et rejet-tent l'idée d'un lien entre morale et divinité.

Nous ne nous intéressons pas ici aux affirmations des dif-férentes religions sur ce qui est moral et ce qui ne l'est pas, sur les commandements de Dieu, et sur les relations de celui-ci avec la morale. Nous nous plaçons à un niveau d'abstraction plus élevé en examinant les concepts fondamentaux de la morale et du divin, puis en analysant et en évaluant leurs relations. La philosophie est l'un des moyens de conduire cette sorte d'exa-men d'une manière rigoureuse, désintéressée et dépassionnée.

De même que la science consiste en un effort pour sur-monter la subjectivité humaine dans l'étude des données empi-riques du monde, la philosophie est un effort pour faire la même chose dans l'étude du domaine non empirique. Elle s'applique à nos concepts, à nos méthodes, à nos hypothèses, de sorte qu'elle n'enquête pas seulement sur son domaine propre, sur la nature de l'esprit et de la conscience, sur la morale, sur la logique et ainsi de suite, mais aussi sur des disciplines telles que les sciences, l'histoire, les mathématiques et bien d'autres.

LES PARTIES PRINCIPALES

Traditionnellement, la philosophie a été divisée en un petit nombre de parties. Cela n'a pas vraiment changé au cours des siècles, bien que les questions et les façons de les traiter aient souvent changé. Les quatre parties fondamentales sont com-munes à toute la tradition philosophique, même si certaines époques ont insisté sur les unes et négligé les autres.

La **métaphysique** est le terme le plus difficile à expliquer, notamment à cause de son origine. Dans la classification tradi-tionnelle des œuvres d'**Aristote**, la *Métaphysique* était le livre qui venait après la *Physique*, «méta ta phusika». C'est ainsi que la métaphysique traite les sujets abordés dans l'ouvrage d'Aristote – principalement la nature de l'être, la substance, la cause et l'existence de Dieu. Aristote lui-même considère que ces questions fondamentales appartiennent à la *philosophie pre-mière*. La principale partie de la métaphysique est l'*ontologie* ; elle traite des entités fondamentales : corps matériels, esprit, nombres, etc. Parmi les autres questions métaphysiques, on trouve la nature de la causalité, de la possibilité et de la néces-sité, ainsi que la nature de l'espace et du temps.

Le XXᵉ siècle a vu apparaître des courants de pensée hostiles à la métaphysique, tel le positivisme logique, mais tous com-portaient des présupposés métaphysiques, comme l'idée que tout ce qui existe est observable. Néanmoins, certains auteurs – **Strawson**, **Kripke**, **Lewis** – ont ramené la métaphysique au cœur du domaine philosophique.

Certains font un usage erroné du mot métaphysique pour parler des fantômes, de la magie et autres. Cela n'a aucun sens. La «substance matérielle» est tout autant une notion

Christian Huyghens et Salomon Coster admirent leur première pendule. La science prend ses racines dans la philosophie. De nombreux philosophes se sont engagés dans une recherche à la fois philosophique et scientifique dans leur tentative pour expliquer le monde. En réalité, c'est Mersenne qui suggéra à Huyghens l'utilisation du pendule comme instrument de mesure du temps.

métaphysique que la «substance immatérielle». Dire que tout ce qui existe appartient à la physique est une proposition aussi métaphysique que de dire qu'il existe des réalités non physiques, comme l'esprit. En réalité, le concept de monde est lui-même un concept métaphysique et non pas physique.

L'épistémologie traite de la connaissance et de l'opinion, et principalement de la nature de la connaissance (en quoi, par exemple, doit-on la distinguer de la simple opinion?), de la possibilité de la connaissance en général, et de la possibilité de genres particuliers de connaissance comme la connaissance du passé, la connaissance par les sens et la connaissance par raisonnement inductif.

L'un des principaux débats a opposé ce qu'on appelle les *rationalistes* et les *empiristes*. Dans leur forme extrême, ces deux positions considèrent que la connaissance véritable (opposée à la simple opinion vraie) ne peut provenir que de l'usage de la raison et non pas des sens (Platon expose cette thèse dans le *Ménon* et dans *La République)* ou au contraire que la connaissance ne vient que de notre usage des sens (le positivisme logique, tel celui du premier Carnap et du premier Ayer, se rapproche le plus de cette thèse). En réalité, dans leur majorité, les philosophes se situent quelque part entre ces deux extrêmes.

La **logique** est la science du raisonnement et de l'argumentation justes. Elle traite des relations entre les propositions, les idées ou les opinions. Le premier grand logicien fut Aristote.

Pour qu'une *déduction* soit valable, il faut que les prémisses et la conclusion soient telles que l'affirmation des premières et la négation de la dernière entraînent une contradiction. Dans une *induction* (où l'on part de prémisses particulières pour aboutir à une conclusion générale), ce n'est pas le cas. Savoir ce que nous faisons en employant ces raisonnements est une question importante pour la philosophie des sciences, l'épistémologie et la logique. Dans les deux cas, pour que l'argumentation soit valable, il faut que les prémisses soient vraies. Dans la logique *formelle* (ou *mathématique*, ou *symbolique*), dont le grand initiateur fut **Frege** (à partir des travaux des mathématiciens George Boole et Augustus de Morgan), les structures logiques sont représentées par des formes symboliques, ce qui étend considérablement le champ de la logique.

La logique philosophique (ou philosophie de la logique) commença par une enquête sur les concepts, les termes et les méthodes de la logique, mais elle étendit son domaine au cours du XXᵉ siècle, en partie à cause de l'élaboration de la logique formelle, mais aussi pour combler le vide laissé par une métaphysique momentanément tombée en discrédit. La question de l'existence constitue un bon exemple de cette situation. En métaphysique, on pourrait se demander si l'existence est vraiment une propriété, tandis qu'en logique on se demanderait si «existe» est un prédicat.

La **morale** est, pour beaucoup de non-philosophes, la préoccupation centrale de la philosophie – et il est exact que la recherche sur la nature de la moralité et sur la façon dont il faudrait vivre a été un souci majeur des philosophes de toute tradition. Cependant, on l'a également considérée comme une réflexion périphérique parce qu'elle dépend de théories plus fondamentales d'ordre métaphysique et épistémologique. Les deux parties principales de la morale (consulter la vue générale p. **181** pour plus de détails) sont la métaéthique et l'éthique normative.

La métaéthique traite des questions fondamentales de la morale : les valeurs morales sont-elles objectives? Les jugements moraux peuvent-ils être vrais ou faux? Quelle relation y a-t-il entre la morale et le libre-arbitre? L'éthique normative s'intéresse à des questions plus pratiques : l'avortement, le suicide, l'euthanasie sont-ils intrinsèquement mauvais, mauvais dans certaines circonstances, ou bien jamais mauvais? Au cours du XXᵉ siècle, des domaines spécialisés se sont constitués à propos de l'application de la pensée morale à des types particuliers d'activités – par exemple, l'éthique médicale, l'éthique des affaires, l'éthique environnementale.

L'OBJET DE CE LIVRE

Il doit maintenant être clair que la philosophie, comme la science, est une activité, non un résultat, une manière de penser et d'argumenter sur certains sujets, non un ensemble d'opinions. En fait, à proprement parler, les opinions philosophiques n'existent pas car ce qui compte, ce n'est pas le point d'arrivée mais la façon d'y parvenir. L'important, c'est de disposer, pour soutenir une opinion, d'arguments valables et de réponses aux critiques. Une personne peut prétendre que rien n'existe en dehors de la matière et de ses transformations. Elle le soutient parce qu'elle y a pensé, examiné le pour et le contre et penché (sans aucun préjugé) pour l'une des thèses en présence. Mais elle peut aussi adopter cette opinion parce qu'elle l'a entendue, ou parce que tous ses amis la partagent, ou parce que c'est celle qui paraît la plus brillante dans les discussions de cafétéria. Seul le premier cas relève de la philosophie.

Cela entraîne nombre d'implications. Voici la principale : tout au long de l'histoire, il s'est trouvé des hommes pour produire d'importants systèmes de pensée. Certains sont considérés comme des philosophes, mais ils ne nous ont pas transmis les raisonnements qui les ont conduits à leurs conclusions – Bouddha et Jésus, par exemple, entrent plus ou moins dans cette catégorie. Ce livre aborde des penseurs qui ont transmis non seulement leurs conclusions mais aussi leurs raisonnements. Parfois, nous avons fait exception pour des penseurs dont l'argumentation a été perdue mais qui ont eu une influence notable sur la tradition philosophique, ou bien pour ceux dont les successeurs ont été amenés à fournir des arguments et des contre-arguments convaincants. Cela explique

que nous ayons retenu Thalès de Milet et Laozi, par exemple.

Les philosophes sont présentés chronologiquement d'après leur année de naissance. Toutefois, la philosophie, en dépit de sa représentation populaire, n'est pas une quête solitaire. Elle progresse par le dialogue, l'échange d'idées et notamment par la réponse aux critiques. C'est dans l'accueil et le dépassement des objections que se sont produits de nombreux développements importants. C'est pourquoi nous avons mentionné la liste de ceux qui ont influencé ou qui ont subi l'influence de chaque philosophe.

Il existe de nombreux philosophes – surtout dans la période contemporaine – qui mériteraient de figurer parmi les cent choisis ici, et si ce livre avait été plus long, ou écrit par quelqu'un d'autre, ou à un autre moment, il aurait retenu tout ou partie de ceux qui suivent : Protagoras d'Abdère, Straton de Lampsaque, Philon, Abraham ben David Hallevi ibn Daud, Madhva, Lévi ben Gershom, Julien Offroy de La Mettrie, sir William Hamilton, Auguste Comte, Herbert Spencer, Henry Sidgwick, Ernst Mach, Alexius von Meinong, Henri Bergson, Pierre Duhem, Alfred North Whitehead, John McTaggart, Nishida Kitaro, Moritz Schlick, Otto Neurath, L. Susan Stebbing, C. D. Broad, Gilbert Ryle, J. L. Austin, J. L. Mackie, Philippa Foot, J. J. C. Smart, David Armstrong, Bernard Williams, Ronald Dworkin, Kwame Gyekye, Alvin Plantinga, John Searle, Robert Nozick, John McDowell et Kwame Anthony Appiah.

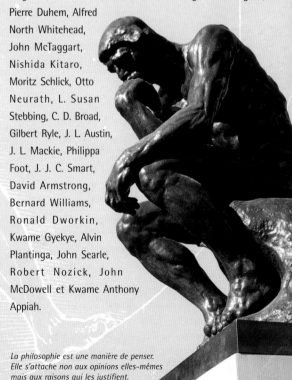

La philosophie est une manière de penser. Elle s'attache non aux opinions elles-mêmes mais aux raisons qui les justifient.

L'origine de la philosophie est difficile à dater. Elle s'est développée graduellement en un lent changement de la manière de penser. Le problème est rendu plus compliqué encore par le fait qu'il y a plusieurs façons de définir la philosophie et de la distinguer de la non-philosophie. Nous pourrions prendre pour critère le mode d'argumentation. Cependant, il nous faudrait écarter des penseurs qui, à l'évidence, ont suivi cette voie mais n'ont rédigé que leurs conclusions. Il faudrait aussi écarter des penseurs

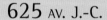

625 AV. J.-C.

551 AV. J.-C.

510 AV. J.-C.

dont l'œuvre a influencé des générations de philosophes.

570 AV. J.-C.

Thalès de Milet, par exemple, n'a laissé aucun écrit, mais il constitue une figure importante de la philosophie par sa pensée et les types d'explications qu'il considérait comme valides. Confucius, lui, nous a laissé des *Entretiens*, mais nous ignorons la structure de sa pensée ainsi que la nature des arguments dont il se servait pour parvenir à ses idées et les défendre. Ce qui le rend intéressant, ce sont ces idées elles-mêmes et l'importance qu'elles ont eue pour les générations de philosophes qui les ont commentées.

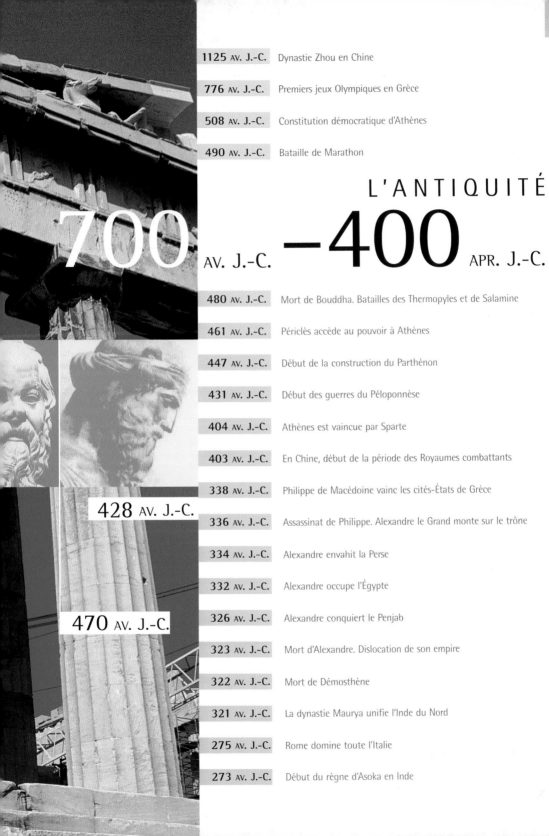

1125 AV. J.-C. Dynastie Zhou en Chine

776 AV. J.-C. Premiers jeux Olympiques en Grèce

508 AV. J.-C. Constitution démocratique d'Athènes

490 AV. J.-C. Bataille de Marathon

L'ANTIQUITÉ

700 AV. J.-C. −400 APR. J.-C.

480 AV. J.-C. Mort de Bouddha. Batailles des Thermopyles et de Salamine

461 AV. J.-C. Périclès accède au pouvoir à Athènes

447 AV. J.-C. Début de la construction du Parthénon

431 AV. J.-C. Début des guerres du Péloponnèse

404 AV. J.-C. Athènes est vaincue par Sparte

403 AV. J.-C. En Chine, début de la période des Royaumes combattants

338 AV. J.-C. Philippe de Macédoine vainc les cités-États de Grèce

428 AV. J.-C.

336 AV. J.-C. Assassinat de Philippe. Alexandre le Grand monte sur le trône

334 AV. J.-C. Alexandre envahit la Perse

332 AV. J.-C. Alexandre occupe l'Égypte

470 AV. J.-C.

326 AV. J.-C. Alexandre conquiert le Penjab

323 AV. J.-C. Mort d'Alexandre. Dislocation de son empire

322 AV. J.-C. Mort de Démosthène

321 AV. J.-C. La dynastie Maurya unifie l'Inde du Nord

275 AV. J.-C. Rome domine toute l'Italie

273 AV. J.-C. Début du règne d'Asoka en Inde

ORIENT ET OCCIDENT

Les traditions occidentales et orientales diffèrent également. De même que l'on peut affirmer en généralisant que les Chinois ne s'intéressaient pas aux sciences mais accomplirent de grands progrès techniques, nous pouvons dire que dans l'ensemble ils s'intéressaient peu à la pensée philosophique abstraite, lui préférant les domaines concrets de la politique et de l'éthique. Ce qui sépare Thalès des Babyloniens ou des Égyptiens, c'est qu'il s'est intéressé à l'astronomie et aux mathématiques pour elles-mêmes et non pas pour des raisons pratiques tenant à la réforme du calendrier ou à la construction des ziggourats et des pyramides. Le trait distinc-

371 AV. J.-C.   **334** AV. J.-C

tif de la philosophie occidentale apparut à cette période ; il s'agit de la recherche de la vérité par le questionnement et l'argumentation. Celui de la pensée orientale était quant à lui défini par la recherche de la meilleure façon de vivre, socialement et individuellement. Lorsque nous parlons de philosophie selon ces deux traditions, nous nous servons du mot dans deux acceptions différentes, ou du moins portant sur des aspects différents de ce concept.

Bien entendu, il est toujours possible de présenter les choses de façon à rapprocher les deux acceptions, ou

Alexandre le Grand, élève d'Aristote, eut une influence directe sur le développement de la philosophie occidentale. Il soumit le monde connu, depuis l'Italie jusqu'à l'Afrique du Nord, et fit du grec la langue universelle.

au contraire à les séparer. Par exemple, nous pourrions indiquer que l'intérêt des présocratiques pour la cosmologie n'était pas entièrement distinct de l'intérêt des Chinois pour l'éthique (le mot grec « cosmos » voulant aussi dire bon ordre, ce qui avait une connotation éthique), et que le goût des Grecs pour le raisonnement abstrait s'associait au désir de trouver des solutions pratiques dans les sciences, en éthique, en politique, etc. Bien plus, il est possible de trouver de nombreux parallèles entre les pensées des philosophes des deux traditions ainsi qu'entre leurs

341 av. j.-c.   280 av. j.-c.   150 apr. j.-c.   354 apr. j.-c.

conceptions de l'homme, de la société, du monde et du rôle de la philosophie. Il en est ainsi des notions de *tao* et de *logos*, ou du désir de s'interroger sur les opinions du sens commun. Toutefois, on peut être trompé par des similitudes de surface et confondre des concepts ou des doctrines qui ne sont que d'une égale obscurité.

SOCRATE

Socrate constitue un pivot dans la philosophie antique, si bien que ceux qui ont vécu avant lui sont désignés collectivement comme les présocratiques.

Ceux-ci se partagent en plusieurs groupes dont les plus importants sont les Milésiens, les pythagoriciens, les Éléates et les atomistes. Mais quand on étudie la philosophie antique, l'attention se porte principalement sur Platon et Aristote, non seulement parce que tous deux ont laissé un important corpus d'œuvres, au lieu des fragments épars de leurs prédécesseurs, mais aussi parce qu'ils sont des penseurs puissants qui ont fixé le programme de la philosophie pour les deux millénaires suivants aussi bien en ce qui concerne la méthode que les sujets d'intérêt.

THALÈS DE MILET

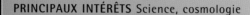

NÉ vers 625 av. J.-C. à Milet | **MORT** vers 545 av. J.-C.

PRINCIPAUX INTÉRÊTS Science, cosmologie

INFLUENCÉ PAR la géométrie égyptienne, l'astronomie mésopotamienne

A INFLUENCÉ Pythagore

Les éléments, constitués par la terre, l'air, le feu et l'eau ne signifiaient pas ce que nous entendons aujourd'hui par ces termes. Ils représentaient plutôt des types de substance. Bien plus, ces types de substance étaient conçus d'une manière qui pourrait surprendre le lecteur actuel. Ainsi l'eau comprenait les métaux (sans doute parce qu'on peut les fondre).

Thalès était originaire de la colonie grecque de Milet, sur la côte occidentale de l'Asie mineure. On considère généralement qu'il fut le premier homme de science en ceci qu'il a rendu compte du monde naturel d'une manière rationnelle, sans être influencé par la superstition. On sait peu de choses de sa vie. La seule date sûre que nous possédions est 585, car on rapporte qu'il a su prédire une éclipse le 28 mai de cette année-là.

On suppose que Thalès fut un marchand qui, par ses nombreux voyages, est entré en contact avec toutes sortes de cultures et d'idées. On pense, en particulier que c'est lui qui a introduit la géométrie en Grèce et qu'il a été le premier à prouver la bissection du cercle par son diamètre. Dans sa cosmologie, probablement influencée par les mythes d'origine des Égyptiens et des Babyloniens, il prétendait que la Terre était un cylindre ou un disque avec de l'eau au-dessus et au-dessous. Elle flottait sur l'eau et la recevait sous forme de pluie. Qui plus est, l'eau était le principe constitutif de l'Univers.

Nous n'avons guère d'autres connaissances certaines de ses idées. Aucun de ses écrits ne nous est parvenu, de sorte qu'il ne nous reste que diverses légendes et un compte rendu dans la *Métaphysique* d'Aristote, écrite quelque deux siècles après sa mort. Il est possible qu'il ait soutenu une version du panpsychisme.

Thalès fut le premier d'une importante lignée de penseurs milésiens. Parmi eux, il y eut

En bref :

On peut expliquer le monde sans faire appel aux dieux.

Anaximandre (vers 611-547), auquel on attribue une cosmologie qui dura deux mille ans, jusqu'à la révolution copernicienne : la Terre se trouve au centre de l'Univers, le Soleil, la Lune et les étoiles se déplaçant en cercle autour d'elle. Il élabora une théorie de l'évolution selon laquelle les êtres vivants, issus de l'eau élémentaire, se développaient sous l'effet du Soleil. Les animaux supérieurs venaient des plus simples, l'homme provenant des poissons. Il soutenait que le monde avait pour principe l'illimité, qui sous-tend les quatre éléments.

Anaximène (vers 550-475), de son côté, pensait que l'air était l'élément primordial. Pour chacun de ces penseurs, ce qui est important, ce n'est pas sa théorie en elle-même (bien qu'elle ne soit pas aussi naïve qu'elle le paraît), mais son approche des problèmes. Bien que les Égyptiens et les Babyloniens aient considéré l'eau comme l'élément primordial, ils firent appel à l'action divine pour expliquer la création du monde. Les Milésiens, quant à eux, ont proposé des explications naturelles. Ainsi, Thalès n'expliquait pas les tremblements de terre par l'intervention d'un dieu marin, mais en supposant une agitation de l'eau sur laquelle la Terre flotte.

PYTHAGORE DE SAMOS

NÉ vers 570 à Samos	**MORT** vers 500 à Métaponte

PRINCIPAUX INTÉRÊTS Mathématiques, sciences

INFLUENCÉ PAR Thalès, Anaximandre, Anaximène

A INFLUENCÉ Héraclite, Parménide, Socrate, Platon, Aristote

Le fait que la Terre est sphérique et non plate est connu depuis l'époque de Pythagore. Cette idée était familière aux générations de philosophes et de savants qui ont suivi. On pense généralement que jusqu'à Christophe Colomb les gens croyaient que la Terre était plate. Cela vient d'un roman allemand du XIXᵉ siècle sur Colomb, roman qui eut un grand succès en son temps mais est aujourd'hui oublié.

Pythagore naquit à Samos mais s'enfuit de son île pour se soustraire au tyran Polycrate qui y régnait. Il s'établit dans la colonie grecque de Crotone, dans le sud de l'Italie. Là, il fonda une communauté religieuse qui obéissait à des règles diététiques strictes (les adeptes, végétariens, s'abstenaient aussi de consommer certains aliments, comme les fèves) et à d'autres formes d'autodiscipline. Nous ne connaissons son enseignement que par ses élèves, dont beaucoup étaient des femmes, y compris son épouse Théanô et ses filles. Il semble avoir enseigné qu'il y avait un cycle de réincarnation et que par l'étude et par une vie droite chacun peut atteindre un état qui permet à l'âme d'échapper au cycle et de rejoindre l'âme du monde.

En mathématiques, c'est probablement lui qui démontra le théorème qui porte son nom (le fait lui-même était connu empiriquement depuis des siècles). En astronomie, on lui attribue la découverte qu'Hespérus et Phosphorus (l'étoile du matin et l'étoile du soir) étaient la même chose, connue aujourd'hui sous le nom de planète Vénus. Et, en acoustique, il établit les rapports mathématiques auxquels obéissent les intervalles dans l'échelle des sons.

Cette dernière découverte est peut-être la plus importante, car elle conduisit Pythagore à l'idée que l'Univers dans son ensemble pouvait être expliqué mathématiquement. C'était un grand progrès par rapport aux Milésiens. Au lieu de rechercher un élément premier hypothétique, que ce soit le feu, l'eau ou l'illimité, les pythagoriciens s'efforçaient d'expliquer le monde mathématiquement. Cela traça la voie de la science en général et influença toute une série de savants et de philosophes, principalement Platon puis Galilée.

Il faut bien admettre que Pythagore en vient souvent à livrer des démonstrations mathématiques tirées par les cheveux, fondées sur des présupposés mystiques plutôt que sur l'observation ou la logique. Certains de ses disciples ultérieurs allèrent encore plus loin en faisant des nombres les matériaux au moyen desquels l'Univers était construit. Il faut toutefois porter à leur crédit qu'ils furent les premiers à élaborer une cosmologie dans laquelle le monde est une sphère, tout comme la Lune et les autres corps célestes, l'ensemble étant placé en orbite autour d'un foyer central invisible, *Hestia* (malheureusement, ils placèrent aussi le Soleil en orbite autour d'Hestia). Mais là aussi leur mystique du nombre intervenait. Puisque dix est un nombre parfait, il devait y avoir dix corps célestes tournant autour d'Hestia, c'est pourquoi ils inventèrent une contre-Terre pour faire coïncider les nombres. Ainsi, les pythagoriciens apportèrent un mélange de pensées décisives, qui fondèrent la science moderne, et d'un obscur charabia d'où sortirent pour des siècles la numérologie et d'autres pseudo-sciences.

En bref :

Le monde doit être compris par les nombres.

CONFUCIUS (KONGFUZI)

NÉ en 551 av. J.-C. à Ch'ufu, Lu	MORT en 479 av. J.-C., à Lu

PRINCIPAUX INTÉRÊTS Éthique, politique

INFLUENCE Inconnue

A INFLUENCÉ Tous ceux qui sont venus après lui

ŒUVRE PRINCIPALE
Les Entretiens

«*Zigong demanda :
Existe-t-il un seul mot
qui puisse être adopté
comme précepte pour
toute une vie? Le Maître
répondit : Ce mot n'est-il
pas "sympathie"?
Ne faites pas à autrui
ce que vous ne voudriez
pas qu'on vous fît.*»

Entretiens XV, xxii

«*Si le législateur
est vertueux,
le peuple aussi
sera vertueux.*»

Entretiens, i

Confucius naquit, enfant illégitime, dans le petit royaume de Lu (province du Shantung). Son père mourut quand il avait trois ans, laissant sa famille dans l'indigence. Cependant, il reçut une excellente éducation à la fois de l'État et en étudiant par lui-même, bien qu'il ait dû travailler de bonne heure pour aider sa mère. Après la mort de sa mère, en 527, il transforma la maison familiale en école, où il enseigna l'histoire, la poésie et le *li* (les règles de bonne conduite). L'enseignement lui rapportant très peu, il dut compléter ses revenus par divers petits métiers.

Lorsqu'il voyagea pour la première fois dans les États voisins, il ne fut pas bien accueilli, sans doute à cause de sa franchise et de sa curiosité. Après une brève période d'études dans la capitale, il retourna à Lu, où il reprit son enseignement, tout en conseillant divers responsables. Confucius lui-même n'exerça pas de haute charge, mais certains de ses disciples le firent. Il existe un grand nombre d'histoires apocryphes sur ses procès et ses tribulations. Ce qui est certain, c'est qu'il eut beaucoup d'élèves, qui firent des voyages avec lui.

Vivant à une époque où la Chine connaissait une période de déclin tant sur le plan social que moral, Confucius enseigna qu'il fallait suivre le *tao* (la voie, le chemin) des anciens en insistant sur l'importance des vieilles vertus cardinales et en déclarant que la hiérarchie sociale traditionnelle reflétait l'ordre moral du monde. Mais il soulignait l'importance de la

Note :

Le suffixe «zi» est un terme honorifique, souvent traduit par «Maître», et «fu» signifie «grand» ou «vénérable».

vertu et de la sympathie à tous les niveaux de la société. Sa conception de la politique était paternaliste. Chaque membre de la société devait connaître sa place et faire son devoir au mieux de ses aptitudes dans la hiérarchie sociale et familiale. Toutefois, il ne prônait pas le simple maintien du statu quo. Si les dirigeants étaient injustes, ou échouaient à tenir le rôle qui leur incombait, le peuple avait le droit de se révolter contre eux.

La morale et l'enseignement politique de Confucius nous sont parvenus grâce à ses *Entretiens (Lun yu)*, qui sont un recueil de conversations, de propos et de faits rassemblés par deux de ses élèves. Son enseignement influa considérablement sur la pensée chinoise. Il y a eu des hauts et des bas dans l'intérêt qu'on lui a porté au cours de l'histoire, mais il n'a jamais été oublié (bien qu'il ait été parfois durement critiqué en République populaire de Chine au cours des années 1970, après une période d'apologie tout aussi forcenée dans les années 1960). Le pire se produisit au IVᵉ siècle av. J.-C. ; sa pensée avait été tellement déformée qu'il était adoré comme une divinité et que le confucianisme était devenu en Chine la religion d'État.

VUE GÉNÉRALE
LA PHILOSOPHIE CHINOISE

L'histoire de la philosophie chinoise est habituellement divisée en trois époques : l'époque classique, qui a duré du VIIᵉ au IIᵉ siècle av. J.-C. (les quatre derniers siècles de l'empire Zhou), l'époque médiévale, qui a duré jusqu'au XIᵉ siècle de notre ère (couvrant les empires Qin et Han, la période des six dynasties et le commencement de l'empire Song), et enfin l'époque moderne, qui va jusqu'à aujourd'hui (couvrant la plus grande partie de l'empire Song, les dynasties Yuan, Ming et mandchoue, ainsi que la Chine contemporaine).

L'époque classique fut un temps de troubles. L'empire Zhou était en proie à une longue, lente et souvent violente décadence. Vécurent à cette époque Confucius, Mo tseu, Mencius et Lao tseu, si toutefois il a bien existé. Ils furent à l'origine des quatre grands courants de la pensée chinoise. Confucius nous donna le système politique et moral connu sous le nom de confucianisme, et, près de deux siècles plus tard, Mencius le développa et passa sa vie à tenter d'introduire le confucianisme au cœur du gouvernement chinois. Vers la même période, la pensée plus mystique (bien qu'essentiellement naturelle, elle aussi) du système taoïste fit son apparition, attribuée à un philosophe probablement mythique, Lao tseu. En fait, le livre qui porte son nom ne fut écrit que vers 300 av. J.-C. Cette pensée fut développée et établie sur des bases plus solides par Tchouang tseu, dont le livre qui porte son nom offre un mélange d'arguments et d'anecdotes en faveur des thèses taoïstes : ce qui est naturel est meilleur et il est préférable d'avoir le moins de gouvernement possible. Il présente Confucius comme un taoïste. Pour Mo tseu, l'amour universel et l'avantage mutuel étaient la seule façon de sauvegarder la société. Il fonda une communauté moïste qui devint autosuffisante et militairement capable de combattre dans une guerre juste.

Enfin, au commencement du IVᵉ siècle av. J.-C., un nouveau système de pensée apparut. Il rejetait la perception généralement édulcorée de la nature humaine qui, de différentes façons, sous-tendait les thèses des autres écoles. C'était le *légalisme*, dont le philosophe du IIIᵉ siècle Han Feizi fut le principal représentant. Le légalisme considérait que les êtres humains étaient intrinsèquement mauvais et ne pouvaient être contenus que par un système strict de lois et de châtiments. Il en résulta une théorie politique proche du totalitarisme, qui eut pendant des siècles une grande influence sur la politique chinoise.

LA VERTU OU LA LOI

Ainsi, en simplifiant beaucoup, le confucianisme et le moïsme fondent la règle sur la vertu·(humanité et rectitude), le légalisme la fonde sur la loi et l'ordre, tandis que le taoïsme ne se soucie pas de fixer des règles et parfois même prône le retrait de la société.

Bien que la philosophie chinoise, comme ce qui précède le montre clairement, s'intéresse surtout aux problèmes sociaux, moraux et politiques, il y eut bien d'autres penseurs ayant d'autres centres d'intérêt : des logiciens (les moïstes en particulier poussèrent la logique à un haut niveau, nonobstant le désintérêt des autres philosophes pour leurs travaux) et des métaphysiciens (qui mêlaient toujours à leur réflexion une part non négligeable d'assertions semi-religieuses ou mystiques, comme le firent les pythagoriciens dans la Grèce antique).

Il faut aussi mentionner deux écoles moins connues et pourtant fort intéressantes et non dénuées d'importance. L'école Yin-Yang élabora une cosmologie et une philosophie de l'histoire à partir de la théorie des *cinq pouvoirs*, qui se référait aux cinq «éléments» ou pouvoirs constitués par l'eau, le feu, le bois, le métal et la terre, en même temps qu'à l'approche Yin-Yang que l'on trouve dans un classique chinois, le *Yi Jing*. L'autre école, appelée École des Noms, s'intéressait principalement au langage, mais peu d'écrits nous sont parvenus et elle a été généralement négligée par les autres philosophes.

Après l'époque classique, l'histoire de la philosophie en Chine consiste presque entièrement en un prolongement des grandes écoles, notamment du confucianisme, et en la reprise de systèmes étrangers plutôt que dans une réflexion originale. Ce qui ne veut pas dire que des œuvres importantes n'aient pas été réalisées. Consultez par exemple les chapitres consacrés au philosophe médiéval **Wang Chong** et aux philosophes modernes **Zhu Xi** et **Wang Fuzhi**.

LAO TSEU (LAOZI)

NÉ vers 570-490 av. J.-C. | La date de sa mort est inconnue

PRINCIPAUX INTÉRÊTS Éthique, politique, métaphysique

INFLUENCE Inconnue

A INFLUENCÉ Tous ceux qui sont venus après lui

ŒUVRE PRINCIPALE

Tao-tö king

Bien qu'il fût un système philosophique à l'origine, le taoïsme devint une religion vers l'an 440 de notre ère. Lao tseu fut traité en divinité et les taoïstes rivalisèrent avec les bouddhistes et les confucéens pour gagner la faveur de la cour.

Comme pour le barde grec Homère, nous ne savons pas qui fut Lao tseu, ni même s'il a existé. Lao tseu est un titre qui signifie «vieux maître» et qui a pu être donné à n'importe quel philosophe ou peut simplement vouloir dire «celui qui a écrit ce livre». On ne sait même pas exactement quand il vécut, différents témoignages le situant quelque part entre le XIIIe et le IVe siècle av. J.-C. Ce qui suit est simplement le plus probable.

Lao tseu naquit dans une famille paysanne du Henan vers 570 av. J.-C. Il obtint la charge d'historien impérial des archives d'État à la cour des Zhou. C'était une période d'instabilité politique et sociale, aussi Lao tseu décida-t-il de devenir ermite. Il partit pour la montagne, mais fut arrêté à la frontière. Les gardes l'autorisèrent à passer à condition qu'il laisse une preuve de sa sagesse. Monté sur son bœuf, Lao tseu rédigea un court opuscule et quitta la Chine pour toujours. Le livre, appelé le *Lao tseu* ou encore le *Tao-tö king*, est le texte fondateur du taoïsme. Il semble en réalité avoir été écrit au cours du IIIe siècle av. J.-C.

Ce livre est divisé en deux parties : le *Te Jing* (le livre de la vertu) est suivi par le *Tao Jing* (le livre de la voie). Cette classification est due à la découverte en 1973 du plus ancien exemplaire connu, le Manuscrit de Soie. La première partie traite de sujets sociaux, politiques et moraux, la seconde de métaphysique. Au cœur de la pensée taoïste, on trouve la croyance en l'unité naturelle de l'homme et du monde. Quand cette unité existe, les humains vivent

Dans le texte :

*Les humains se modèlent sur la Terre
La Terre sur le ciel
Le ciel sur la voie
Et la voie sur ce qui est naturel.*

Tao-tö king

dans la simplicité et l'harmonie ; quand cette unité est rompue, il en résulte désirs, égoïsme et compétition. On fait appel à la morale et à la politique quand l'unité manque, mais elles ne font qu'empirer les choses. Le but du taoïsme est de retrouver l'unité en rejetant les conventions sociales, la morale convenue et les désirs mondains. Tant que l'unité ne sera pas réalisée, il y aura des gouvernements. Ceux-ci devraient faire en sorte que les gens vivent selon la nature, sans leur imposer un code de conduite quel qu'il soit. Dans l'idéal, le philosophe ou le sage sera tellement empli du *de* (la vertu ou le pouvoir) du tao que les gens reconnaîtront sa valeur, le prendront pour modèle et feront de lui leur dirigeant.

La notion de *tao* dans le taoïsme n'est pas la même que dans le confucianisme. Il est éternel, immuable, à la fois transcendant et immanent ; il est la source de toute chose et cependant il est vide et n'engendre rien. Cette union des contraires appartient pleinement au taoïsme. Tout naturellement, il a versé dans le mysticisme et s'est associé à l'alchimie ainsi qu'à la recherche de l'immortalité.

HÉRACLITE D'ÉPHÈSE

NÉ vers 535 av. J.-C. à Ephèse	MORT vers 480 av. J.-C.

PRINCIPAUX INTÉRÊTS Métaphysique, cosmologie

INFLUENCÉ PAR Les Milésiens, Pythagore

A INFLUENCÉ Parménide, Socrate, Platon, Aristote, Zénon de Citium

ŒUVRE PRINCIPALE
Fragments

Telle une chose unique, unifiée, il y a en nous à la fois la vie et la mort, la veille et le sommeil, la jeunesse et le grand âge, parce que les premières ayant changé deviennent les seconds et lorsque ces seconds changent, ils deviennent les premières.

Cité dans le pseudo-Plutarque, Consolation pour Apollon

Né dans la cité grecque d'Éphèse, aujourd'hui en Turquie, Héraclite était considéré par les anciens Grecs comme l'un des philosophes les plus importants, bien qu'il apparaisse aujourd'hui comme un personnage obscur. On sait peu de choses de sa vie (les biographies anciennes étant au mieux fantaisistes), et bien qu'il ait écrit au moins un livre, *Sur la nature*, ce qui nous est parvenu provient de fragments cités dans les œuvres d'autres auteurs. À partir de ces fragments, on a reconstitué sa pensée de manière plus ou moins cohérente, bien que sur beaucoup de points des divergences importantes subsistent. Les contemporains s'accordent à dire que son style était obscur, délibérément selon certains afin de n'être compris que de l'élite cultivée. Il n'est donc pas étonnant que son œuvre soit difficile à comprendre à partir de fragments dispersés.

Il semble qu'Héraclite ait été peu disponible pour ses concitoyens. Quand on lui demanda de rédiger une constitution pour Éphèse, il refusa en disant que la cité était trop corrompue. Pour lui, les gens ordinaires manquaient d'intelligence, il ne s'intéressait pas à eux. Il adoptait une attitude semblable envers les autres philosophes, notamment ceux de la ville proche de Milet, dont il critiqua les thèses. En politique, il semble avoir été en faveur d'un régime autoritaire, en insistant sur l'importance de la loi.

Cependant, il s'intéresse surtout à la nature du monde. Au cœur de sa pensée, il y a l'idée de changement. Ce qui existe dans le monde, ou le monde lui-même en tant que tout (ses écrits fragmentaires ne permettent pas de le distinguer clairement), est dans un perpétuel état de flux, ou de devenir, et cela commande la nature de toute chose. C'est pour cette raison qu'il considérait que le feu était l'élément primordial et pensait, d'une manière qui rappelait les pythagoriciens, que le feu des âmes vertueuses irait s'unir au feu cosmique.

Ce qui compense la nature changeante du monde, c'est le *logos*. Comme la notion taoïste de *tao* (à laquelle on l'assimile parfois de manière erronée), la notion de logos est complexe et difficile à comprendre. La traduction normale, selon le contexte, pourrait être «mot», «parole», «pensée», «raison», mais chez Héraclite il a plutôt le sens d'un principe universel ou d'une loi cosmique. Le logos a pour fonction de réconcilier ou d'unifier les contraires, de créer et de maintenir un ordre. Bien qu'il imprègne tout, les gens ordinaires ne le comprennent pas. Ici, et aussi ailleurs, on peut rapprocher la pensée d'Héraclite de la théorie platonicienne des idées et de la conception de l'Un chez Plotin.

Note :

Plus tard, la notion de logos passera, via les stoïciens, dans le vocabulaire chrétien pour se référer à Dieu.

PARMÉNIDE D'ÉLÉE

NÉ vers 510 av. J.-C.

La date de sa mort est inconnue

PRINCIPAUX INTÉRÊTS Métaphysique, épistémologie

INFLUENCÉ PAR Les Milésiens, Pythagore, Héraclite, Xénophane

A INFLUENCÉ Tous ceux qui sont venus après lui

ŒUVRE PRINCIPALE
Sur la nature

L'un des plus importants dialogues de Platon consacrés à l'épistémologie, le Parménide, rapporte une rencontre entre Parménide, son élève Zénon et Socrate. Platon prend soin de faire de Parménide plus qu'un simple faire-valoir de la sagesse de Socrate.

La vie de Parménide est mal connue. L'année de sa naissance a été calculée d'après le dialogue de Platon et nous ignorons quand il mourut. Il venait de la colonie grecque d'Élée, en Italie du Sud, laquelle donna son nom à l'école dont Parménide fut la figure principale, les Éléates. Il participa à l'élaboration des lois d'Élée. Chaque année, les citoyens de la ville devaient faire le serment de préserver sa Constitution. Il nous reste de lui plus d'écrits que pour les autres présocratiques : environ une centaine de vers de son poème philosophique *Sur la nature* et des fragments du reste de cette œuvre.

Dans *Sur la nature*, Parménide expose des théories qui viennent de Pythagore et d'Héraclite. Néanmoins, son œuvre est plus nettement philosophique que celles de ses prédécesseurs : ses arguments sont plus clairs, déduits plus rigoureusement et plus abstraits. Jusqu'à l'époque actuelle ses idées n'ont cessé de modeler la pensée philosophique.

Parménide distingue le monde tel qu'il est en soi – nécessaire, immuable, intemporel – et tel qu'il nous apparaît – contingent, changeant sans cesse, temporel. Cependant, à la différence du monde nouménal et du monde phénoménal de Kant, Parménide pense que le monde tel qu'il est, la réalité, ne peut être perçu mais est connaissable (en suivant le chemin de la vérité) tandis que le monde tel qu'il apparaît peut être perçu mais n'est pas connaissable (c'est le monde de l'apparence). Certains de ses arguments préfigurent ceux de Descartes : nous ne pouvons douter que nous pensions, mais la pensée doit nécessairement

En bref :

Les sens nous trompent, mais la raison nous révèle la vérité.

avoir un objet qui existe – par conséquent, nous pouvons être sûrs que quelque chose existe. Bien plus, ce qui n'existe pas ne peut être l'objet d'une pensée cohérente et toute théorie portant sur ce qui n'existe pas est nécessairement incohérente. Tout ce qui existe peut être conçu, et ce qui ne peut être conçu ne peut exister. Et aussi (pensée qui nous semble aujourd'hui très étrange), ce qui peut être conçu existe nécessairement.

Il en tire la conclusion que le monde est immuable. Venir à l'être puis disparaître sont tous deux exclus. Nos théories empiriques sur le monde peuvent être convaincantes et bien construites, et même utiles dans la vie de tous les jours, elles sont impossibles à prouver et donc ne constituent pas une véritable connaissance. L'expérience des sens concerne le changement, l'apparition et la disparition, pourtant l'être véritable est immuable, donc l'expérience des sens nous égare. Seule la raison peut nous conduire vers la vérité.

Durant environ un siècle, Parménide domina la philosophie. Certains, tel son disciple **Zénon d'Élée**, adoptèrent ses thèses, d'autres, comme Empédocle d'Agrigente, les rejetèrent, mais personne ne pouvait les ignorer.

ZÉNON D'ÉLÉE

NÉ vers 490 av. J.-C. à Elée

MORT vers 425 av. J.-C. à Élée

PRINCIPAUX INTÉRÊTS Logique, métaphysique, épistémologie

INFLUENCÉ PAR Parménide

A INFLUENCÉ Platon, Aristote, Plotin

ŒUVRE PRINCIPALE
Fragments

La reductio ad absurdum *des paradoxes de Zénon a occupé les philosophes pendant de nombreux siècles.*

On sait peu de choses du début de la vie de Zénon, sinon qu'il fut l'élève préféré de son compatriote **Parménide**, avec lequel il fit un voyage à Athènes vers 450. Il semble que Zénon soit resté un certain temps à Athènes, où il gagna sa vie en enseignant (il eut pour élèves Périclès et Callias), avant de retourner à Élée. Dans cette ville, il s'opposa au tyran Néarchos, mais les témoignages varient beaucoup et, bien qu'il soit toujours fait mention de son courage, on ne sait s'il survécut ou s'il mourut sous la torture.

Il écrivit au moins un traité, dont il ne nous reste que quelques fragments. Nous connaissons cette œuvre par les témoignages de **Platon** et d'**Aristote**. La position philosophique de Zénon était pour l'essentiel celle de Parménide ; pour lui aussi la réalité était simple et immuable, et il considérait que la connaissance par les sens était trompeuse. Ce qui lui valut la célébrité ce sont ses arguments contre ceux qui, comme les pythagoriciens, insistaient sur le rôle des sens dans l'acquisition du savoir et décrivaient le monde en termes de pluralité, de mouvement et de changement, et aussi de structure spatiale. On retient surtout de lui ses paradoxes et sa façon de raisonner.

Parmi ses raisonnements célèbres, deux tendent à prouver que le mouvement n'existe pas, le troisième est le paradoxe du tas. Chacun de ces raisonnements constitue une *reductio ad absurdum*.

La flèche : Supposons que le temps soit une série d'instants, comme la ligne est une série de points. Si une flèche vole dans les airs, que pouvons-nous dire d'elle à chaque instant ? Est-elle en mouvement ou au repos ? Elle ne peut pas se déplacer *pendant* un instant car un instant n'a pas de durée, par conséquent elle est nécessairement au repos. Mais cela veut dire qu'elle ne bouge pas.

Achille et la tortue : Achille et une tortue font une course. Achille donne à la tortue une avance de dix mètres. Pendant le temps que met Achille à franchir ces dix mètres, la tortue avance d'une certaine distance. Mais pendant qu'Achille franchit cette distance plus courte, la tortue avance encore, et ainsi de suite à l'infini. Donc Achille ne rattrapera jamais la tortue.

Le tas : Un seul grain de blé ne forme pas un tas. C'est un non-tas. Et ce n'est pas en ajoutant un non-tas à un premier non-tas que vous formerez un tas. Si donc vous ajoutez un grain de blé à un grain de blé, encore un autre, et ainsi de suite, vous ne formerez jamais un tas de blé. Il est donc impossible de former un tas de blé en ajoutant des grains.

En bref :
Changement et mouvement, espace et temps sont dans l'esprit.

MO TSEU (MOZI)

NÉ en 479 av. J.-C. au pays de Lu	**MORT** en 381 av. J.-C.

PRINCIPAUX INTÉRÊTS Éthique, politique, épistémologie

INFLUENCÉ PAR Confucius, Lao tseu

A INFLUENCÉ Les moïstes

ŒUVRE PRINCIPALE
Mo Jing

A la fin du IIIᵉ siècle av. J.-C., Shi Huangdi, le premier empereur Qin, combattit le moïsme ainsi que les autres écoles de pensée non officielles. Comme il n'était pas aussi bien établi ni aussi populaire que les autres écoles qui, elles, survécurent aux autodafés de livres et aux assassinats de philosophes, le moïsme disparut, jusqu'à une période récente au cours de laquelle il commença à faire l'objet de recherches universitaires.

Mo tseu (ou Mozi, ou Modi) naquit dans le royaume de Lu, mais passa sa vie à voyager. Il semble qu'il ait commencé par être confucéen, en tout cas il a certainement partagé le goût de Confucius pour l'étude, notamment celle de l'histoire. Cependant, n'étant pas d'accord avec le respect confucéen des cérémonies et des rites, il élabora sa propre doctrine.

Tandis que Confucius accorde une grande valeur aux liens familiaux et à la hiérarchie sociale, Mo tseu considéra l'amour universel comme le fondement de la vie individuelle et politique. Lorsque l'amour établit des discriminations, cela conduit au désastre. Ceux qui n'aiment que leur propre foyer peuvent aisément devenir des cambrioleurs, les dirigeants qui n'aiment que leur pays et leur peuple feront la guerre d'un cœur léger. Si nous aimons les autres comme nous-mêmes, nous ne serons pas portés à leur faire du mal. Bien qu'il ait passé sa vie à voyager d'un pays à l'autre pour essayer de convaincre leurs dirigeants, il rencontra peu de succès. L'amour universel n'intéresse guère les hommes politiques, qui préfèrent susciter des émotions plus faciles à manipuler.

Alors que Confucius considérait le Ciel *(tian)* comme une entité impersonnelle, Mo tseu le personnalisa, la volonté du Ciel donnant une sorte de mesure morale qui permet de jauger les actions humaines. Il accorda une grande importance aux esprits qui, d'après lui, voyaient tout ce que faisaient les hommes, même s'ils n'agissaient qu'en secret. Il trouvait le fatalisme

Considère ceci :

Si un homme vole un cochon, on dit qu'il a tort; et quand quelqu'un vole un État, on dit qu'il est juste..

pernicieux car il affaiblit la croyance au Ciel et aux esprits, et met l'empire en danger.

Malgré cet aspect de sa pensée, Mo tseu est bien plus rationaliste que Confucius ou Lao tseu. Il ne se contentait pas de suivre la tradition, mais étayait ses thèses par une argumentation logique. Au IIIᵉ siècle av. J.-C., les moïstes tardifs développèrent la logique jusqu'à un niveau jamais atteint dans la philosophie chinoise. Ils avaient toujours un but pratique, bien dans la ligne de la pensée de leur maître : déterminer ce qui est vrai, ce qui est moralement juste, ce qui est le meilleur pour le peuple dans un État. Il n'est peut-être pas exagéré de voir dans le moïsme une préfiguration de l'utilitarisme de **J. S. Mill**.

Le plus important outil méthodologique de Mo tseu est le *san biao*, le triple critère pour juger de la vérité d'une thèse : retrouver son origine, examiner sa situation et essayer sa mise en œuvre. Le premier critère suppose l'étude de son histoire, le deuxième l'examen de l'expérience ordinaire et le troisième l'application de la thèse par la loi et les dispositions politiques afin de déterminer si elle correspond à l'intérêt du pays et du peuple.

SOCRATE

| NÉ en 470 av. J.-C. à Athènes | MORT en 399 av. J.-C. à Athènes |

PRINCIPAUX INTÉRÊTS Éthique, épistémologie

INFLUENCÉ PAR Les Milésiens, Pythagore, Héraclite, Parménide

A INFLUENCÉ Tous ceux qui sont venus après lui

En ce temps-là, Athènes accueillait un grand nombre de sophistes qui enseignaient toutes sortes de matières et de techniques, mais tout particulièrement la rhétorique et l'argumentation. Certains étaient d'authentiques philosophes, mais beaucoup ne faisaient que colporter de vieux tours politiques, impudents et malhonnêtes. Souvent, les Athéniens plaçaient Socrate dans cette catégorie. Ce qu'il contestait, comme on l'imagine.

Fils d'un sculpteur et d'une sage-femme, Socrate naquit à l'âge d'or de la république athénienne – au temps de Périclès, d'Eschyle, de Sophocle, d'Euripide et d'Aristophane. On sait peu de choses de sa jeunesse et de son éducation. Il débuta comme tailleur de pierre et sculpteur, et on dit qu'il travailla sur l'Acropole. Il épousa Xanthippe, dont le caractère acerbe et querelleur devint proverbial. Ils eurent plusieurs enfants, puis il en eut deux autres avec une seconde épouse, Myrto.

Socrate joua pleinement son rôle de citoyen d'Athènes. Il servit avec honneur comme hoplite durant la guerre du Péloponnèse et il prit part aux fonctions officielles de la cité, obtenant même en une occasion la présidence du prytanée. Toutefois, son occupation principale était d'interroger ses concitoyens d'une manière irritante pour les amener à réfléchir. En dépit de la franche opposition qu'il manifesta aux trente tyrans (soutenus par Sparte après la défaite d'Athènes), il parvint à rester en vie. Quatre ans après la révolte de 403, qui rétablit la démocratie dans la ville, il fut accusé de corrompre la jeunesse, de négliger les dieux et d'en introduire de nouveaux dans la cité (cette dernière accusation fait peut-être référence au « démon », ou voix intérieure divine, qu'il évoquait quelquefois). Socrate fut déclaré coupable et condamné à boire du poison, forme traditionnelle de la peine de mort à Athènes. Bien qu'il eût pu aisément s'enfuir, il choisit de subir sa peine, but la ciguë et mourut d'une mort lente et douloureuse.

Socrate n'écrivit rien. Ce que nous savons de lui, de ses méthodes et de ses idées vient des œuvres de ses contemporains – principalement **Platon**, mais aussi Xénophon, soldat et historien, ainsi que l'auteur comique Aristophane. Dans sa pièce de théâtre *Les Nuées*, il ridiculise Socrate. Xénophon, lui, le représente dans ses écrits avec respect comme un vieux sage qui donne des conseils et prône une morale simpliste. Dans les dialogues de Platon, nous trouvons un esprit interrogateur, précis, rigoureux, rationnel, qui s'adonne au sarcasme, fait preuve d'une extrême modestie et ne cesse de questionner les gens sur leurs opinions et leurs croyances fondamentales. C'est ce Socrate-là qui a changé la philosophie et que l'on peut considérer comme le penseur le plus innovant et le plus influent de tous les temps.

L'une de ses armes principales était la méthode de l'*elenchos*, ou contre-examen, appelée aussi « méthode socratique ». Elle consiste à poser des questions de façon à faire apparaître les confusions ou les contradictions de l'interlocuteur. Le Socrate de Platon se présente moins comme quelqu'un qui enseigne que comme celui qui, à l'instar d'une sage-femme, amène les autres à accoucher de la vérité par leurs propres efforts.

Dans le texte :

Une vie sans examen ne mérite pas d'être vécue.

Apologie de Socrate *38 A*

PLATON

NÉ en 428 av. J.-C.	**MORT** en 348 av. J.-C.

PRINCIPAUX INTÉRÊTS Épistémologie, métaphysique, éthique, politique

INFLUENCÉ PAR Pythagore, Parménide, Socrate

A INFLUENCÉ Tous ceux qui sont venus après lui

ŒUVRES PRINCIPALES
Les Dialogues

Aristote fut l'élève de Platon. Il reconnaissait le génie de son maître mais rejetait l'idée d'un monde composé de formes idéales. Platon est ici montré désignant les royaumes célestes, tandis qu'Aristote indique par son attitude que nous devons garder les pieds sur terre et fonder la philosophie sur ce que nous pouvons vraiment connaître par l'observation plutôt que de nous livrer à la spéculation pure.

Né vers la fin de l'âge d'or d'Athènes, Platon appartenait à une famille aristocratique. Il semble que son véritable nom ait été Aristoclès, Platon n'étant qu'un surnom signifiant «large d'épaules». On connaît mal ses premières années. Ayant probablement perdu son père très tôt, il fut élevé par sa mère et son beau-père. Aristote nous dit que Platon fut l'élève de Cratyle, qui lui-même avait étudié auprès d'Héraclite. Il devint l'élève de Socrate, qui demeura son ami et son maître jusqu'à son exécution (Platon avait alors une trentaine d'années). Nous ignorons s'il commença à écrire ses dialogues avant ou après la mort de Socrate. En fait, la chronologie des dialogues de Platon demeure un sujet de débats.

Après le procès et l'exécution de Socrate, Platon, révolté, quitta Athènes. Mais nous ne savons pas précisément où il se rendit. La légende veut que ce soit en Égypte. En 387, il séjourna à Mégare, en Sicile, où il rencontra les derniers pythagoriciens, et il noua des relations importantes à Syracuse. De Mégare, il retourna à Athènes et, peu de temps après, il fonda une école avec le mathématicien Théétète dans les faubourgs de la ville. Elle était située sur un terrain dont il avait hérité dans un quartier appelé l'Académie, c'est

En bref :

La philosophie est le seul chemin vers la connaissance véritable – la connaissance des formes – c'est pourquoi la cité devrait être dirigée par le philosophe..

pourquoi on lui donna ce nom. On y enseignait une grande variété de sujets, des mathématiques à la biologie, de la philosophie à l'astronomie, aussi n'est-il pas exagéré de la considérer comme la première université européenne. Désireux d'éclairer l'action politique par la pensée philosophique, Platon se rendit deux fois en Sicile pour conseiller Denys, le nouveau tyran de Syracuse, mais l'expérience tourna au désastre. Il passa le reste de sa vie à écrire et à enseigner.

Les écrits de Platon ont tous la forme d'un dialogue, à l'exception de treize lettres, dont l'authenticité est encore incertaine, et de l'*Apologie de Socrate*, composée des trois discours de Socrate devant le tribunal. Socrate est le personnage principal de la plupart des dialogues. Il est présenté en train de discuter avec toutes sortes de gens, dont beaucoup ont réellement existé, par exemple Théétète, Parménide et Zénon, ou encore les frères de Platon, Glaucon et Adimante. Ces dialogues sont d'une longueur et d'une complexité très variables, mais ils sont toujours vivants et d'un grand intérêt philosophique.

Les spécialistes divisent les dialogues en trois groupes, ceux du début, ceux du milieu et ceux de la fin. Dans la plupart des cas, il est aisé de

Dans La République, l'allégorie de la caverne illustre la conception platonicienne de la condition humaine. Nous sommes ces prisonniers enchaînés, emprisonnés dans nos propres corps, qui ne perçoivent sur le mur que des ombres déformées. Notre expérience n'est pas la réalité, mais ce qui est dans notre esprit. Le monde réel, celui des Formes parfaites et immuables, existe à l'extérieur de la caverne. Ce n'est que par la raison que nous pouvons avoir l'expérience de ce monde des formes.

situer tel dialogue dans ce schéma, mais il y a des dialogues dont la datation est incertaine. Néanmoins, ce classement donne une idée du développement de la pensée de Platon depuis les dialogues du début qui présentent une image assez fidèle de Socrate jusqu'à ceux où Platon fait de son maître le porte-parole de ses propres conceptions.

ÉPISTÉMOLOGIE

Quand on aborde la pensée de Platon, il vaut mieux commencer par sa conception de la connaissance et de l'opinion. La connaissance, dit-il, ne peut porter que sur des vérités éternelles et immuables ; des réalités quotidiennes et temporaires, nous ne pouvons avoir que des opinions vraies – qui peuvent d'ailleurs être très utiles – mais non pas de connaissance. La connaissance véritable ne vient pas de l'apprentissage mais de la réminiscence. Nos âmes traversent un cycle de réincarnations, mais la naissance est tellement traumatisante qu'elle nous fait oublier tout ce que nous savons. Aussi la tâche du maître est-elle de nous aider à retrouver cette connaissance, à la manière de Socrate, par la maïeutique, ou accouchement des âmes.

MÉTAPHYSIQUE

Ce n'est pas dans le monde tel que nous le percevons que se trouvent les objets de la connaissance, car ce monde est essentiellement changeant, relatif et impermanent. En réalité, pour comprendre ce dont nous avons l'expérience au moyen des sens, nous devons passer par une connaissance de l'éternel et de l'immuable. Par exemple, ce qui est beau varie d'une personne à l'autre, et pour chacune se modifie dans le temps. Comment pourrions-nous former et utiliser le concept de beau s'il n'y a rien que nous puissions désigner unanimement comme beau ? Pour résoudre cette difficulté, Platon fait appel à la notion de forme. Ce sont les idées parfaites et immuables dont les choses existantes ne sont que l'ombre approximative et imparfaite. Quand nous trouvons une chose belle, nous considérons qu'elle participe de la forme «beauté». On peut avoir l'expérience de ce monde des Formes ou des Idées, mais uniquement par la raison, uniquement en étant philosophe. La Forme la plus éminente est celle de Bien, de laquelle toutes les autres découlent et par laquelle nous pouvons les connaître.

POLITIQUE

Ce raisonnement conduit directement à la théorie politique de Platon. Si seul le philosophe peut accéder à l'authentique réalité, seul le philosophe est capable de diriger la cité. La description de la Constitution idéale, qu'il expose dans *La République*, introduit l'idée d'un philosophe-roi (homme ou femme, car Platon considérait que les deux sexes avaient les mêmes capacités), qui dès sa naissance est préparé à remplir sa fonction. De la même façon, les autres fonctions sont remplies par des gens qui ont été formés à leurs tâches respectives.

Les écrits de Platon constituent toujours l'une des œuvres les plus riches et les plus fascinantes de toute l'histoire de la philosophie. Sans lui, nous vivrions dans un monde très différent.

Tant que les philosophes ne deviendront pas rois dans les cités, ou que ceux que nous appelons présentement rois et dirigeants ne deviendront pas des philosophes sérieux et véritables... les maux des États ne cesseront pas, ni même ceux du genre humain, et la société idéale que nous venons de décrire ne pourra jamais se réaliser ou voir la lumière du jour.

La République 473c10

ARISTOTE

NÉ en 384 av. J.-C. en Macédoine

MORT en 322 av. J.-C. à Chalchis en Eubée

PRINCIPAUX INTÉRÊTS Métaphysique, éthique, politique, science, cosmologie

INFLUENCÉ PAR Pythagore, Héraclite, Parménide, Socrate, Platon

A INFLUENCÉ Tous ceux qui sont venus après lui

ŒUVRES PRINCIPALES
*Organon,
Physique,
Métaphysique,
Éthique
à Nicomaque,
De Anima*

Aristote, le troisième dans une succession de grands esprits, transmit son savoir à Alexandre le Grand, qui devait conquérir le monde connu, établissant un empire soumis à des centres administratifs grecs.

Aristote était le fils d'un médecin de la cour du roi Amyntas de Macédoine. Son père mourut quand il était jeune, aussi fut-il élevé et instruit par un tuteur qui l'envoya à l'âge de dix-sept ans à Athènes, centre de la vie artistique et intellectuelle. Là, il fut admis à l'Académie, où il resta une vingtaine d'années, d'abord comme élève puis comme maître.

À la mort de Platon, Aristote quitta Athènes, mais nous ne savons pas très bien pourquoi. Ce fut peut-être parce qu'un autre, Speusippe, avait pris la tête de l'Académie, ou bien à cause de divergences philosophiques avec lui ou encore à cause de ses origines macédoniennes. A l'époque, le nouveau roi de Macédoine, Philippe, étendait rapidement son royaume, et les Athéniens se sentaient menacés. Ami d'enfance de Philippe, Aristote avait conservé des liens avec la famille royale.

Quelle qu'en fût la raison, Aristote se rendit à Assos, en Asie mineure, où il vécut trois ans, se consacra à l'étude de l'anatomie et de la biologie et commença à travailler à son livre *La Politique*. Cependant, les Perses s'étant emparés d'Assos en 345 et ayant tué le roi, Aristote ainsi que les philosophes qui l'entou-

raient allèrent s'établir pendant un an à Mytilène, sur l'île de Lesbos, avant de s'installer en Macédoine, où Aristote devint le précepteur d'Alexandre, fils de Philippe.

LE LYCÉE

Lorsque Philippe mourut et qu'Alexandre lui succéda, Aristote retourna à Athènes. L'Académie était florissante sous la direction de son nouveau chef, Xénocrate. Aristote fonda sa propre école aux environs d'Athènes en un lieu appelé le Lycée. C'est là qu'il enseigna pendant treize ans, donnant des cours publics et d'autres réservés à un auditoire restreint. Le Lycée avait un programme plus vaste que l'Académie et insistait plus sur l'étude de la nature. À la mort d'Alexandre, en 323, le gouvernement d'Athènes changea et le sentiment antimacédonien devint prédominant. Aristote quitta Athènes pour aller vivre chez des amis à Chalcis, où il mourut l'année suivante.

Les écrits d'Aristote formaient un corpus énorme et varié qui comprenait des dialogues, des traités destinés au grand public et des œuvres plus profondes. La plus grande partie a été perdue, ainsi que la vaste collection d'observations scientifiques et historiques qu'il avait rassemblées soit par lui-même, soit grâce à ses correspondants. Ce qui reste se divise en deux catégories mal différenciées : des notes de cours retravaillées et publiées après sa mort, et des œuvres écrites par des membres de son école. C'est pour cette raison que l'œuvre d'Aristote telle que nous la connaissons est très différente de cette prose

Les écoles d'Athènes,
comme l'Académie et le Lycée,
formaient leurs élèves
par le débat et la discussion,
plutôt que par l'étude passive
des conceptions des maîtres.

d'or tant admirée par ses contemporains. Toutefois, le contenu vaut bien le style.

Ce qui nous reste de ses œuvres entre dans cinq grandes catégories, généralement rassemblées dans le même ordre que celui de la première grande édition, celle de l'aristotélicien Andronicus de Rhodes (Ier siècle av. J.-C.) : les six livres de logique appelés l'*Organon* (l'outil) ; les trois livres de physique, y compris celui qui porte ce nom ; le livre consacré à la « philosophie première », qui est le plus abstrait et le plus fondamental, désormais connu sous le nom de *Métaphysique* (« meta ta phusika », après la physique) ; six œuvres de politique, d'éthique et d'esthétique, comprenant la très importante *Éthique à Nicomaque* (d'après le nom de son fils, Nichomachos) ; ainsi qu'un grand nombre d'œuvres de psychologie et d'histoire naturelle comprenant le *De Anima*, ou *Traité de l'âme*.

ÉPISTÉMOLOGIE

Aristote fut le premier à classer les sujets d'étude comme nous le faisons encore, deux mille cinq cents ans après. Il fut aussi le premier à les traiter d'une manière systématique et rationnelle. La différence principale entre Platon et lui tient à leur épistémologie. Tous deux insistaient sur le rôle de la raison, mais pour Platon les vérités les plus importantes devaient être atteintes par la seule raison, alors que pour Aristote l'observation était cruciale. Il considérait que le monde et l'esprit humain étaient faits de telle façon que la compréhension était rendue possible. Son œuvre scientifique eut une importance considérable pour le progrès de nos connaissances. Son projet d'étude systématique des phénomènes naturels – notamment du monde vivant – marque la naissance des sciences empiriques.

Son souci d'observation empirique ne se limitait pas à des sciences comme la biologie ou l'astronomie, mais s'étendait à l'histoire, à la psychologie, à l'étude du langage, à l'éthique et à la science politique. Toutefois, l'ironie du sort a voulu que son influence sur la philosophie médiévale soit si grande qu'elle a quelque peu entravé la recherche empirique. On pourrait dire que nous avons vécu dans un monde aristotélicien pendant dix-neuf siècles après sa mort. Non seulement il influença profondément les philosophes arabes (et c'est en partie grâce à eux que son œuvre nous est parvenue après l'effondrement de l'Empire romain) mais, depuis la fin du XIIe siècle et surtout depuis Thomas d'Aquin et ses successeurs, les théologiens chrétiens se sont efforcés de faire concorder la doctrine chrétienne avec les théories aristotéliciennes.

Platon et Aristote jouèrent un rôle tellement central dans la théologie médiévale qu'on les appela des « chrétiens avant le Christ » et que, sur les peintures, ils furent même parfois représentés avec une auréole.

Il convient de préférer ce qui est impossible mais vraisemblable à ce qui est possible mais non convaincant.

Poétique 1460a

En bref :

L'expérience est la source de la connaissance, et la logique en donne la structure.

VUE GÉNÉRALE
LA NATURE HUMAINE

On pourrait penser que ce sont les sciences empiriques et non la philosophie qui s'intéressent à la nature humaine. Après tout, comment pouvons-nous savoir ce que sont les hommes naturellement sinon en allant les observer? La difficulté vient de ce qu'il est impossible de trouver les êtres humains naturels que cette étude requiert, car tout être humain susceptible d'être étudié vit dans une société et en est le produit, et cela inclut tous les humains sur lesquels nous disposons de sources écrites.

En elle-même, cette question pourrait soulever l'intérêt des philosophes, mais en fait ils ont habituellement une autre raison de l'aborder : la plupart des théories politiques et éthiques, peut-être toutes, s'appuient sur une conception de l'origine du bien et du mal, du chaos et de l'ordre, et cela signifie qu'elles doivent déterminer si les hommes sont naturellement bons ou mauvais, sociaux ou individuels, etc. L'histoire de la philosophie offre bien des points de vue différents sur cette question.

On peut prendre un exemple dans la tradition chinoise, où nous voyons deux disciples de Confucius – Xunzi et Mencius –

soutenir des thèses opposées. Le premier considère que les hommes sont intrinsèquement mauvais et égoïstes, qu'il faut les rendre bons par l'éducation et la contrainte sociale, tandis que le second pense au contraire que les hommes sont naturellement bons et que ce sont la mauvaise éducation et la corruption de la société qui les rendent mauvais. De la même façon, dans la tradition politique occidentale, Hobbes considère que, dans l'état de nature, les hommes livrent les uns contre les autres une guerre constante, de sorte qu'il faut un contrat social pour assurer la sécurité de chacun. Locke, de son côté, conteste que le mal soit inhérent à l'être humain et pense que le contrat social sert seulement à atténuer les «inconvénients» de l'état de nature. Ainsi, pour Hobbes, le brutal état de nature est toujours sur le point de reparaître dès que la société s'affaiblit, tandis que pour Locke, l'état de nature appartient à un passé éloigné.

Rousseau montre ce qu'il y a d'erroné dans ces deux thèses, et peut-être aussi dans celles de Xunzi et de Mencius. Comme je l'ai dit au début, nous n'avons pour point de départ de l'expérience que des êtres socialisés et non naturels. Hobbes et Locke ne nous montrent pas des hommes vraiment naturels mais des hommes modernes, des acteurs politiques que ces deux philosophes ont placés dans un état de nature. En fait, Rousseau poursuit son argumentation en soutenant que les hommes sont naturellement bons.

L'apparition de la biologie moderne – qu'il s'agisse de la théorie de l'évolution ou de la génétique – ne nous apporte aucune aide car elle ne nous fournit au mieux que des explications *ex post facto*. Elle nous explique comment nous sommes passés d'un état primitif à l'état actuel, mais tout le problème vient de ce que nous ne savons pas ce qu'est cet état primitif, ni d'ailleurs ce que signifie «actuel» dans ce contexte. Bien plus, la biologie entreprend d'expliquer les faits par des causes physiques, alors que nous nous intéressons également ici à l'aspect mental et rationnel du comportement. Autrement dit, l'aspect moral de la nature humaine est associé aux *motifs* plutôt qu'aux *causes* de nos actions.

Les hommes sont-ils naturellement bons ou méchants? C'est une question centrale pour beaucoup de philosophes. Elle a fait l'objet de nombreuses discussions tout au long de l'histoire.

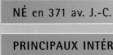

MENCIUS (MENGZI)

| NÉ en 371 av. J.-C. | MORT en 289 av. J.-C. |

PRINCIPAUX INTÉRÊTS Éthique, politique

INFLUENCÉ PAR Confucius, Mozi

A INFLUENCÉ Zhu Xi

ŒUVRE PRINCIPALE
Livre de Mencius

Le Livre de Mencius devint l'un des Quatre Livres confucéens choisis par Zhu Xi pour constituer le programme des examens impériaux.

On connaît peu la vie de Mencius, bien qu'il soit considéré comme le plus grand philosophe confucéen après Confucius lui-même. Il naquit soit à Zhou, soit à Lu, et étudia le confucianisme avec un disciple du petit-fils de Confucius. Vivant dans un temps de désordres et de divisions politiques, une fois ses idées formées, il se mit à voyager dans différents États de Chine pour essayer d'exercer une influence sur les dirigeants. On le reçut avec respect, mais il obtint peu de résultats. C'est pourquoi, s'étant retiré de la vie publique, il passa le reste de ses jours à travailler au récit de ses voyages et à l'exposé de son enseignement. Ces écrits furent ensuite mis en forme et publiés par ses disciples sous le titre *Mengzi*, ou Livre de Mencius.

Mencius pense que, par nature, les hommes sont bons et agissent moralement. Ils ressentent la compassion et sont capables de différencier ce qui est bon ou mauvais. Le mal résulte donc d'influences extérieures. Le but de tout enseignement devrait être de retrouver l'état naturel qui demeure en nous. Toutefois, ce n'est pas chose aisée et il faut aller vers la sagesse, la véritable sagesse, qui porte sur la façon dont nous vivons avec les autres et les traitons. Tout le monde ne peut devenir l'égal de **Confucius**, mais nous avons tous la capacité de devenir sages si nous y travaillons et si nous y sommes aidés par un bon enseignement. Cependant, il est important de ne pas *essayer* de devenir un sage, car alors nous échouerons certainement. Nous devons rechercher le bien pour lui-même, cultiver notre cœur et notre esprit, et la «force spirituelle suprême» nous sera donnée nécessairement.

Mencius s'opposait au gouvernement arbitraire et à la tyrannie, mais il acceptait le pouvoir souverain. Sa position s'approchait de la notion européenne de royauté de droit divin. C'est du Ciel que venait la légitimité du souverain et, si celui-ci tyrannisait son peuple, le Ciel intervenait. Si le dirigeant négligeait le peuple, le peuple se détachait de lui et, dans les cas extrêmes, il pouvait avoir le droit de se révolter. Le peuple venait en premier et le souverain en dernier car le pouvoir n'avait pour justification que d'assurer au peuple paix et bien-être. Cela était important en soi, mais aussi parce qu'il est impossible de devenir sage quand manque cette satisfaction matérielle.

Mencius est très proche de l'enseignement de **Mozi,** mais il conteste la doctrine de l'amour universel. Pour lui, il y a une hiérarchie de l'amour, selon le degré de parenté et l'ordre social. On doit aimer les choses, mais pas autant que les personnes; on doit aimer les autres, mais pas autant que les membres de sa famille.

Dans le texte :
Tous ceux qui parlent de la nature des choses ne raisonnent en fait que sur les phénomènes qu'ils perçoivent, or la valeur d'un phénomène, c'est d'être naturel.

Mengzi, Li Lau *xxvi*, 1

ZÉNON DE CITIUM

NÉ en 334 av. J.-C. à Citium, Chypre | **MORT** en 262 av. J.-C. à Athènes

PRINCIPAUX INTÉRÊTS Éthique, politique, logique, métaphysique

INFLUENCÉ PAR Héraclite, Antisthène, Platon, Aristote, Diogène

A INFLUENCÉ Chrysippe, Plotin, Cicéron, Sénèque, Marc-Aurèle, Épictète

ŒUVRE PRINCIPALE
La République
(perdue)

Zénon et Chrysippe représentent ce qu'on appelle le stoïcisme ancien, les stoïciens du IIᵉ siècle av. J.-C., le moyen stoïcisme, et ceux de l'époque romaine, le stoïcisme tardif.

Certains auteurs interprètent les thèses stoïciennes en fonction de leurs propres préférences. Cela peut aller d'un proto-christianisme jusqu'au panthéisme. Il y a sans doute un peu de vrai dans chacune de ces interprétations.

Zénon naquit à Citium (près de l'actuelle Larnaca), au sud de Chypre, mais comme il avait pour surnom le «Phénicien», il se peut qu'il ait eu du sang phénicien. Il exerça tout d'abord la profession de son père et devint marchand. Lors d'un séjour à Athènes, ayant découvert la philosophie, il devint l'élève du philosophe cynique Cratès de Thèbes. Il suivit également les cours de Xénocrate à l'Académie.

Quand il eut élaboré ses propres idées philosophiques, Zénon commença à accueillir des élèves. Il enseignait dans un lieu public, la *Stoa Poikilè*, ou «portique peint», si bien que ses élèves et lui furent appelés les «stoïciens». Il enseigna à Athènes pendant environ cinquante ans, suscitant autour de lui un mélange de mépris pour ses manières non conformistes et d'admiration pour sa droiture et sa frugalité. On lui remit les clés de la ville et il fut inhumé aux frais de la cité. Mais il ne prit jamais la citoyenneté athénienne, peut-être en partie par rejet des conventions et des restrictions sociales qu'il trouvait artificielles.

Aucun écrit de Zénon ne nous est parvenu. Mais nous savons par d'autres auteurs que son œuvre principale proposait une autre cité idéale que celle de **Platon** et s'appelait aussi *La République*. La société stoïcienne idéale était composée de citoyens aptes à la raison. On y trouvait la liberté et l'égalité sexuelle, elle n'avait ni lois ni conventions, mais la probité y régnait. Les stoïciens pensaient qu'il valait mieux vivre et travailler dans une société que s'en tenir à l'écart. Il s'agissait de réaliser l'idéal stoïcien par l'enseignement ainsi que par l'exemple.

En bref :

La structure de la logique est celle de la nature. Il faut vivre en accord avec la nature.

Les théories éthique et sociale des stoïciens s'appuient sur une représentation essentiellement matérialiste du monde tout en reprenant la notion héraclitéenne de *logos*. Cette notion complexe englobe les idées de raison, de nature, de destin du monde ; elle sert aussi à relier l'âme de l'homme à celle de l'Univers. Il nous appartient d'être en quête d'ordre et de compréhension, et de vivre ensemble à la façon des stoïciens. Cette théorie métaphysique était associée à une théorie physique où l'Univers obéissait à une évolution cyclique accompagnée de conflagrations régulières qui le régénéraient.

La partie la plus intéressante de la pensée stoïcienne est peut-être sa logique, qui préfigure des œuvres bien plus tardives, comme celle de **Frege**, et s'inscrit intégralement dans leur système de pensée complexe. Ce développement de la logique est dû en grande partie à Chrysippe (vers 280-207 av. J.-C.), qui, par ailleurs, atténua le fatalisme de Zénon avec sa théorie du libre-arbitre. Beaucoup d'auteurs romains reprirent la pensée stoïcienne et lui donnèrent un prolongement en élaborant la notion importante de loi naturelle et en insistant sur l'apaisement que l'âme peut trouver dans la soumission à la providence.

ÉPICURE DE SAMOS

NÉ en 341 av. J.-C. à Samos	**MORT** en 270 av. J.-C.

PRINCIPAUX INTÉRÊTS Éthique, logique, métaphysique

INFLUENCÉ PAR Platon, Aristote, Démocrite

A INFLUENCÉ Lucrèce, Gassendi, Bentham, J. Stuart Mill

ŒUVRE PRINCIPALE
Sur la nature
(perdue)

Les parents d'Épicure étaient des clérouques – des Athéniens pauvres à qui on avait attribué une terre sur un territoire extérieur. Son père, qui était maître d'école, l'instruisit à la maison. Plus tard, Épicure reçut l'enseignement d'un philosophe platonicien, Amphile. Alors qu'il se trouvait à Athènes pour remplir ses obligations militaires, sa famille dut déménager sur le continent dans la cité de Colophon, où Épicure les rejoignit.

C'est dans cette région qu'il vécut et étudia pendant plusieurs années. Il enseigna d'abord à Mytilène sur l'île de Lesbos, mais ses conceptions peu orthodoxes l'obligèrent à partir brusquement pour Lampsaque, où il fonda sa propre école. Finalement, en 306, il se rendit à Athènes pour fonder une seconde école, qui reçut le nom de «jardin» parce qu'il enseignait dans le jardin de sa maison.

La communauté que composaient ses élèves acquit une grande renommée, bien qu'elle fût aussi la cible de ragots car elle acceptait à la fois des garçons et des filles, et même des esclaves. Épicure l'avait organisée comme une sorte de poste de commandement d'où partaient des lettres vers les quatre coins du monde civilisé. Il avait constitué l'épicurisme en mouvement séculaire ; l'un de ses soucis principaux était de libérer les hommes de la tyrannie de la superstition et de la religion. Son école obéissait à des principes non autoritaires et était dépourvue de formalisme. Après sa mort, elle continua à prospérer et essaima dans d'autres cités du monde grec, puis du monde romain.

Épicure fut l'un des philosophes de l'Antiquité les plus prolifiques. Il publia au moins quarante ouvrages, dont certains étaient très volumineux, comme son chef-d'œuvre *Sur la nature*, qui comptait trente-sept livres. Peut-être à cause de l'hostilité que le christianisme devait vouer à l'épicurisme, il ne nous reste que quelques fragments de l'œuvre d'Épicure, tirés d'autres auteurs qui l'ont cité.

À l'instar des stoïciens, les épicuriens divisent la philosophie en trois parties : l'éthique, la logique et la physique. Ils considèrent eux aussi que l'éthique est la plus importante. Épicure pense que des sciences comme l'astronomie ne sont importantes que dans la mesure où elles nous délivrent de notre ignorance des phénomènes célestes et démontrent que les doctrines religieuses sont fausses. Ce qui importe, c'est le bonheur, qui consiste à vivre bien plutôt qu'à rechercher les plaisirs superficiels. Nous devons cultiver les désirs légitimes, ceux qui conduisent au véritable bonheur, lequel comprend la santé, l'amitié, l'absence de peur de la mort et la sagesse.

À Athènes, dans l'Antiquité, la différence entre une clérouquie et une colonie tenait à ce que les habitants de la première restaient athéniens au lieu de devenir citoyens d'une nouvelle cité.

Dans le texte :

Lorsque nous disons que le but, c'est le plaisir, nous ne parlons pas des plaisirs vulgaires et de ceux qui consistent à se réjouir [...] mais de l'absence de douleur pour le corps et de trouble pour l'âme.

Lettre à Ménécée

HAN FEIZI

| **NÉ** en 280 av. J.-C. | **MORT** en 233 av. J.-C. |

PRINCIPAUX INTÉRÊTS Éthique, politique

INFLUENCÉ PAR Confucius, Xunzi, Shang Yang, Shen Buhai, Shen Dao

A INFLUENCÉ Li Si

**ŒUVRE
PRINCIPALE**
Han Feizi

*On ne devrait pas utiliser
le passé comme
modèle pour
le présent : l'homme sage
ne cherche pas à suivre
les voies des anciens,
ni à établir des critères
valables pour tous
les temps, mais
il examine son époque
et se prépare à affronter
ses problèmes.*

Han Feizi, 49

*Sous le règne de Shi
Huangdi, à l'instigation
de Li Si, des livres publiés
sans approbation furent
brûlés et des philosophes
furent tués.*

Prince appartenant à la famille dirigeante du royaume de Han, Han Feizi fut formé à l'académie de Chi-Xia, où il reçut l'enseignement du confucéen Xunzi. Il rejeta vite certains principes du confucianisme, et soumit ses idées et ses arguments au roi de Han, mais celui-ci n'en tint aucun compte. Son livre vint à la connaissance du roi de Qin, Shi Huangdi, qui fut heureux de le rencontrer. Toutefois, Li Si, un ancien condisciple de Han Feizi, qui était alors Premier ministre de Qin, desservit son camarade dans l'esprit du roi. Emprisonné, Han Feizi refusa de rencontrer le roi, mais il lui adressa des messages, notamment un avis sur le gouvernement ainsi que sur les ambitions territoriales de Qin. Li Si combattit ces idées et envoya secrètement du poison à Han Feizi. Par désespoir, celui-ci le but.

Les écrits de Han Feizi donnèrent naissance à une nouvelle école de la pensée chinoise connue comme l'École de la loi, ou légalisme. Il suivait la version du confucianisme enseignée par son professeur, Xunzi, qui s'opposait à la thèse de **Mencius** en faisant valoir que les êtres humains sont naturellement mauvais et que l'éducation ainsi que la contrainte politique sont nécessaires pour les améliorer. De plus, en s'appuyant sur les écrits de Shang Yang, il insistait sur l'importance de la loi, sur la nécessité d'être habile dans le gouvernement des hommes et d'attribuer à chacun la position qui lui revient. Il en résulte une théorie politique qui substitue l'observation empirique à la spéculation philosophique et rejette l'importance accordée au passé par le confucianisme en proposant de balayer les vieilles lois et coutumes pour faire place aux nouvelles.

En bref :
*Au lieu de suivre les voies du passé,
nous devrions examiner le présent
et trouver la meilleure manière
de l'affronter..*

La position de Han Feizi n'est pas entièrement matérialiste et positiviste. Il était favorable à la métaphysique taoïste, qui lui servit à étayer ses thèses sur la nécessité de la loi et du contrôle social. Sa théorie politique conservait un lien avec les thèses précédentes en ceci que pour lui le dirigeant devait agir dans le cadre de la loi et que l'imposition d'un ordre strict avait pour fin ultime le bien-être du peuple. Les légalistes ultérieurs, y compris Li Si, abandonnèrent cet aspect de sa pensée et enseignèrent que le dirigeant ne devait se préoccuper que de son propre pouvoir et de sa sécurité personnelle. La fin rapide de la dynastie Qin à la suite d'une révolte populaire eut pour effet de discréditer l'enseignement des légalistes, bien que la dynastie Han qui lui succéda eût adopté à peu près la même approche.

Han Feizi est souvent comparé à Machiavel, et considéré comme un écrivain tortueux et même immoral. Cette qualification conviendrait mieux à son condisciple Li Si. Il faut également se souvenir que le désir impérieux de stabilité et d'ordre qui caractérise le légalisme dérive en partie des troubles de la longue période des Royaumes combattants, à la fin de laquelle vécut Han Feizi.

WANG CHONG

NÉ en 28 apr. J.-C.

MORT en 97 apr. J.-C.

PRINCIPAUX INTÉRÊTS Éthique, politique, métaphysique, épistémologie

INFLUENCÉ PAR Confucius, Lao Tseu

A INFLUENCÉ Les néo-taoïstes

ŒUVRE PRINCIPALE
Lun-Heng

Les gens disent que les esprits sont les âmes des morts. S'il en était ainsi, les esprits devraient toujours apparaître nus, car assurément personne ne prétend que les vêtements possèdent des âmes comme les hommes.

Lun-Hen

Les êtres humains ne deviennent pas des fantômes après leur mort. Pourquoi auraient-ils des fantômes et pas les autres animaux ? Les animaux partagent le même principe vital. Et puis, étant donné le nombre de personnes qui sont mortes depuis le commencement du monde, le nombre de fantômes excéderait de beaucoup celui des vivants et nous en serions entourés.

Wang Chong était si pauvre que, lorsqu'il était étudiant dans la capitale, il allait lire debout chez les bouquinistes. Il avait cette particularité de n'appartenir à aucune école ni à aucune tradition. Néanmoins il acquit un vaste savoir et parvint au rang de secrétaire de district. Mais sa nature franche, non conformiste et portée à argumenter lui fit perdre ce poste. Son œuvre étant parvenue à la connaissance de l'empereur, celui-ci l'invita à la cour. Mais Wang Chong était trop malade pour s'y rendre.

L'œuvre qui lui valut sa réputation est le *Lun-Heng*, que l'on traduit tantôt par *Recherches impartiales*, tantôt par *Discussions sincères*, ou tout simplement par *Essais critiques*. Le confucianisme, devenu religion d'État en 136 av. J.-C., avait rapidement dégénéré en superstition populaire comme cela s'était produit antérieurement pour le taoïsme. Confucius était vénéré à l'instar d'un dieu, tout comme Lao tseu. Il était partout question de prodiges et de présages. Des fantômes et des esprits, disait-on, parcouraient la terre et les gens s'étaient mis à suivre les principes du *feng shui*. Wang Chong, qui rejetait tout ce fatras avec un mépris non dissimulé, voulait que l'on rende compte du monde naturel – ainsi que des phénomènes humains qui y ont leur place – par des explications rationnelles et mécanistes.

Sa thèse centrale était que le Ciel a une action spontanée, c'est-à-dire qu'il n'a pas d'intention et n'agit pas en faveur ou en défaveur des humains. Ceux qui prétendent que le Ciel nous fournit la nourriture et les vêtements soutiennent qu'il devient fermier ou tisserand pour le bien-être des êtres humains, ce qui est absurde : «La place de l'homme dans l'Univers est semblable à celle d'une puce ou d'un pou à l'intérieur d'un vêtement. Dès lors, comment est-il possible de penser que nous pouvons changer le cours du monde, ou qu'il s'organise lui-même pour notre profit?»

L'épistémologie de Wang Chong était tout aussi nette : les opinions exigent l'évidence, tout comme les actions exigent des résultats. Il est bien trop facile de répandre n'importe quelle absurdité qui nous passe par la tête. On trouvera toujours un public pour nous croire, surtout s'il a revêtu les habits de la superstition. Ce qui est nécessaire, ce sont la raison et l'expérience.

L'argumentation de Wang Chong est rationnelle, mais souffre de l'absence de toute tradition scientifique en Chine, si bien que sa tentative de donner une explication naturelle du monde nous apparaît à peine moins étrange que les vues qu'il combattait. Néanmoins ses idées eurent du succès, et engendrèrent une nouvelle forme de taoïsme, appelée parfois «néo-taoïsme», qui produisit une métaphysique plus rationnelle, largement dégagée du mysticisme et de la superstition qui avaient imprégné la pensée taoïste pendant si longtemps.

En bref :
Nous devons comprendre le monde en nous appuyant sur l'expérience et la raison, et non pas sur la folle superstition.

VUE GÉNÉRALE
LE SCEPTICISME

Le mot «sceptique» vient du grec *skeptikos*, qui signifiait originellement : «celui qui examine». On pense que Pyrrhon d'Élis (vers 360-275 av. J.-C.) fut le premier sceptique. Il n'affirmait rien sur la nature de la réalité et suspendait son jugement à propos de ce que les choses sont *réellement* en elles-mêmes, indépendamment de nos perceptions. Il voulait ainsi parvenir à l'*ataraxie*, ou paix de l'âme. Mais, en tant que doctrine philosophique, le scepticisme reçut sa première formulation chez les héritiers de Platon, les Académiciens du IIIᵉ siècle av. J.-C. Ils rejetaient les théories métaphysiques de Platon et y substituaient la formule de Socrate : «Tout ce que je sais, c'est que je ne sais rien.»

Au début du XVIᵉ siècle, les arguments sceptiques furent utilisés pour s'opposer à la conception scolastique du cosmos. Des découvertes astronomiques montrèrent que de nombreuses thèses scolastiques sur la nature du cosmos étaient fausses. En conséquence, nombreux furent ceux qui se mirent à douter des vérités reçues. Au commencement du XVIIᵉ siècle, nous assistons à ce qui est peut-être la plus solide forme de scepticisme avec **Pierre Gassendi,** qui combattit presque toutes les thèses aristotéliciennes sur le cosmos.

INTERROGATIONS SUR LA CROYANCE

Le scepticisme philosophique ne s'occupe pas de la vie quotidienne (le sceptique doit vivre dans le monde comme les autres). Il s'intéresse plutôt aux preuves dont nous disposons pour nos croyances et se demande si ces preuves permettent de transformer ces croyances en connaissance. Dans la connaissance du monde, il tente de trouver un savoir adéquat et cohérent, mais il aboutit à la conclusion que, les choses apparaissant différemment à différentes personnes, à différents moments et dans des sociétés différentes, les affirmations contradictoires qui en découlent ne peuvent fournir une même vérité sur un monde objectif unique, c'est-à-dire sur ce que les choses sont en elles-mêmes. Le sceptique recherche un critère, ou un ensemble de critères, de vérité permettant de déterminer laquelle des affirmations contradictoires doit être acceptée, mais il conclut qu'il n'existe pas de critère intellectuellement satisfaisant. Dans la forme extrême du scepticisme, il en résulte une complète suspension du jugement. Lorsque nous concluons que nous ne pouvons rien connaître du monde

qui nous entoure, on appelle cela scepticisme quant au monde extérieur. Le modèle de cette argumentation sceptique s'étend (notamment à l'époque contemporaine) à notre connaissance de l'esprit des autres (je sais que j'ai un esprit, mais ignore si les autres en ont un), à notre connaissance du passé, ainsi qu'aux théories scientifiques.

L'HÉRITAGE DE PYRRHON

Notre curiosité naturelle nous pousse à la connaissance de la nature ultime de la réalité qui nous entoure, tandis que le sceptique pose un défi à toute prétention à une telle connaissance. Mais il est possible que sans le scepticisme nous ne puissions distinguer entre la propagande, le préjugé, le dogmatisme et la superstition d'une part, et les affirmations rationnelles de l'autre. Un ami de **David Hume** a dit : «Les sages de tous les temps arrivent à la conclusion enseignée par Pyrrhon et renouvelée par Hume, à savoir que les dogmatiques sont des insensés.»

On dit que la formulation par Descartes du problème du scepticisme, dans sa forme complète et générale, constitue une nouveauté en philosophie et que rien de semblable n'existe avant lui. Ce qu'il est important de comprendre, et ce qu'exige la méthode cartésienne, c'est qu'il faut douter de ce que nous avons de bonnes raisons de mettre en doute. Par exemple, Descartes n'a aucune raison de douter de sa capacité à raisonner et à penser avec logique. Et ceci non parce qu'il ne le veut pas, mais parce qu'il est logiquement impossible de le faire, puisqu'il ne dispose d'aucun autre instrument pour mettre en doute sa capacité à raisonner que la raison elle-même. Le problème de la nature de la réalité apparaît chez Descartes à propos de la certitude et de la vérité. Il pose le problème, non pas épistémologiquement, non pas en relation avec la preuve ou la justification dans notre recherche du savoir, mais d'une manière métaphysique. Pour Descartes, le problème est celui de la nature de la connaissance, formulé par la question : «La connaissance est-elle possible, et si oui, comment?» En d'autres termes, il faut d'abord se poser la question : «Qu'est-ce que la connaissance?» Contrairement au scepticisme pyrrhonien, qui cherchait à dépasser le désir de parvenir à la certitude, Descartes se sert du scepticisme pour y parvenir. La différence entre les sceptiques et Descartes tient à ce que celui-ci utilise le scepticisme comme un chemin vers la certitude et la vérité, en démontrant que la connaissance est possible, alors que les sceptiques en font un chemin vers l'incertitude.

SEXTUS EMPIRICUS

Vivait au IIᵉ siècle apr. J.-C.

MORT à une date inconnue.

PRINCIPAUX INTÉRÊTS Éthique, épistémologie

INFLUENCÉ PAR Platon, Pyrrhon d'Élis

A INFLUENCÉ Montaigne, Descartes, Hume

**ŒUVRES
PRINCIPALES**
*Esquisses
pyrrhoniennes*
*Contre
les dogmatiques*
*Contre
les professeurs*

*Sextus voulait que
les humains vivent
en accord avec les règles
naturelles et sociales –
non parce qu'on pouvait
prouver que ces règles
étaient justes et vraies,
mais parce qu'en
agissant ainsi nous
pouvions vivre
sans trouble.*

Sextus Empiricus, qui était médecin, a vécu à Alexandrie, à Athènes et peut-être à Rome. Il reçut l'enseignement de Ménodote de Nicomédie, dirigea une école de philosophie et eut Saturninus pour successeur. On n'en sait guère plus à son sujet. Il était probablement grec, à en juger par sa maîtrise de la langue, et son surnom «Empiricus» se réfère sans doute (inadéquatement) à sa conception de la médecine.

Parmi les nombreuses sectes médicales de l'époque, trois des plus importantes étaient les Dogmatiques, les Empiriques et les Méthodiques. Les Dogmatiques soutenaient qu'il fallait découvrir les causes cachées de la maladie pour pouvoir la guérir et qu'on y parvenait grâce à l'expérience et au raisonnement. Les Empiriques affirmaient qu'il était impossible de connaître ce qui n'était pas visible ; le rôle du médecin était de soigner le patient et il devait se contenter d'examiner et de traiter les symptômes de chaque cas particulier. Les Méthodiques étaient en désaccord avec les deux autres. Ils admettaient que découvrir les causes cachées n'était pas le rôle du médecin, mais en ajoutant que cette connaissance était impossible et qu'il était dogmatique d'affirmer le contraire. Malgré son nom, les conceptions de Sextus étaient méthodiques plutôt qu'empiriques.

Sextus Empiricus n'écrivit rien de très original et son style n'était que simple et clair. Son importance vient du fait que c'est par lui que nous vient l'essentiel de ce que nous savons des sceptiques grecs, et en particulier de l'enseignement de Pyrrhon, bien que sa présentation des différentes positions philosophiques et les réponses qu'il y apporte aient aussi parfois de l'intérêt.

La principale motivation du scepticisme pyrrhonien n'était pas tant épistémologique qu'éthique et pratique. Il s'intéressait d'une part à la recherche du bonheur, désignant par ce mot l'absence de trouble (ataraxie), et d'autre part il voulait éviter la paralysie mentale. En simplifiant, l'ataraxie résultait de l'*épochè* (suspension du jugement) grâce à l'idée qu'il était inutile de se préoccuper de ce qui ne pouvait même pas, par principe, être connu. Cela ne s'applique qu'à ce qui ne peut véritablement être connu, qu'à ce qui se trouve au-delà de notre expérience. Nous ne devons pas nous laisser aller au scepticisme pour ce que nous pouvons voir et entendre, ou pour ce que nous pouvons légitimement inférer de notre expérience. Ainsi, en tant que médecin, Sextus refuserait de spéculer sur les mécanismes cachés des maladies, mais ferait des pronostics (avec précaution) en s'appuyant sur les symptômes du patient, et prescrirait un traitement sur cette base.

Dans le texte :

*Par le scepticisme [...]
nous parvenons d'abord
à la suspension du jugement,
et ensuite à l'absence de trouble.*

Esquisses pyrrhoniennes

NAGARJUNA

NÉ vers 150 à Andhra Pradesh   **MORT** vers 230

PRINCIPAUX INTÉRÊTS Métaphysique, épistémologie, éthique

INFLUENCÉ PAR Le bouddhisme mahayana

A INFLUENCÉ Le bouddhisme moyen

**ŒUVRE
PRINCIPALE**
Madhyamakakarikas

*Rien n'existe en soi,
tout existe en relation
avec d'autres choses,
tels ses causes
et ses effets,
ou son contraire.*

On ne sait presque rien de la vie de Nagarjuna (il en existe des récits détaillés, mais ils ont tous été écrits longtemps après sa mort et sont en grande partie mythiques) ; les dates de sa naissance et de sa mort indiquées plus haut doivent être considérées comme approximatives. Il naquit dans une famille hindoue, appartenant peut-être à la caste des brahmanes.

À un certain moment, il se convertit au bouddhisme et alla étudier dans l'ancienne université de Nalanda à Bihar. Le bouddhisme était apparu au Vᵉ siècle avant J.-C. sous la forme d'un schisme au sein de l'hindouisme. Il s'intéressait presque uniquement à l'éthique mais, en peu de siècles, il avait étendu le registre de ses intérêts philosophiques. Au cours du Iᵉʳ ou du IIᵉ siècle de notre ère, une nouvelle école bouddhique apparut, connue sous le nom de Mahayana, ou Grand Véhicule. Elle se distinguait des autres écoles, qu'elle désignait sous le nom générique de Petit Véhicule, dont la principale, encore existante, est le bouddhisme Theravada.

Le bouddhisme Mahayana cherchait à s'écarter de ce qu'il considérait comme le dogmatisme rigide des autres écoles et à atténuer la tendance égoïste de l'édification personnelle en introduisant par exemple le modèle du bodhisattva, qui fait le choix de retarder son propre progrès vers le nirvana afin d'aider les autres à atteindre ce but. Alors que les écrits de philosophie bouddhiste étaient devenus académiques, le Mahayana prétendait revenir à la pratique originelle du bouddhisme. L'œuvre de Nagarjuna consista à introduire dans le Grand Véhicule

En bref :
Tout est relatif et rien ne devrait être affirmé ou nié.

l'analyse et la rigueur intellectuelle. Il y fut porté par le climat philosophique de l'époque, qui, dans les sectes aussi bien bouddhistes qu'hindouistes, découvrait l'intérêt d'un débat sur la logique, la métaphysique et l'épistémologie. Il fonda l'une des trois écoles du Mahayana, celle de la Voie moyenne, qui n'enseigne aucun système de pensée mais se contente de rejeter les affirmations des autres systèmes. Son principal instrument était la *reductio ad absurdum* des thèses de toutes les autres écoles de pensée hindouistes et bouddhistes.

Nagarjuna insiste sur l'interconnexion et l'essentielle vacuité de toute chose. Chaque chose est liée à toutes les autres et les détermine toutes. C'est cela qui sous-tend et rend possible le cycle des renaissances, car il n'y a pas d'essence immuable des choses ; le monde de l'expérience est en perpétuel changement, de sorte que l'idée d'une essence immuable est absurde. Bien que, au niveau de l'expérience, le monde soit réel, à un niveau plus profond, il est vide, nul et non avenu, *sunyata*. Les choses sont réelles à un niveau, irréelles à un autre. On ne peut dire ni que les choses existent, ni qu'elles n'existent pas. D'où la notion de « voie moyenne ».

PLOTIN

NÉ vers 205 en Égypte

MORT en 270

PRINCIPAUX INTÉRÊTS Métaphysique, éthique

INFLUENCÉ PAR Platon, Aristote, Zénon d'Élée, Zénon de Citium, Ammonios Saccas

A INFLUENCÉ Porphyre, Augustin, Hypathie, Conway

ŒUVRE PRINCIPALE
Les Ennéades

Le style de Plotin est elliptique, le sujet traité obscur, et même son écriture est difficile à lire. Du moins était-il bien conscient des deux premiers points, puisqu'il expliquait qu'il tentait de mettre en mots ce qui ne pouvait véritablement être formulé.

Plotin naquit probablement à Lycopolis, l'actuelle Assiout, en haute Égypte. Il était soit un Grec, soit un Égyptien hellénisé. Nous savons qu'en 232 il étudiait la philosophie à Alexandrie, qui était à l'époque la capitale de l'Égypte et le centre mondial de la vie intellectuelle. C'est là qu'il rencontra Ammonios Saccas, un platonicien qui eut pour élève l'écrivain chrétien Origène.

Plotin étudia auprès d'Ammonios pendant onze ans, avant d'accompagner l'empereur Gordien dans son expédition en Perse et en Inde. L'entreprise fut interrompue par le meurtre de Gordien en Mésopotamie. Plotin s'enfuit à Antioche, puis partit pour Rome, où il créa une école et enseigna la philosophie. Avec l'aide de Porphyre (232-305), son élève le plus éminent, il rédigea ce qui est connu sous le nom d'*Ennéades* : six volumes comprenant chacun neuf traités, constitués à la fois de ses écrits et de notes de cours.

Vers la fin de sa vie, il voulut créer une communauté philosophique sur le modèle de *La République* de Platon, mais le projet avorta à cause de l'opposition des conseillers de l'empereur. Plotin mourut au terme d'une longue maladie.

Plotin était avant tout un platonicien, bien qu'il ait été aussi influencé par d'autres penseurs, comme Aristote, les pythagoriciens et les stoïciens. Mais il ne s'est pas contenté de reprendre les thèses des autres. Il élabora une philosophie d'une originalité remarquable, qui fut appelée le néoplatonisme et exerça une grande influence sur les premiers théologiens chrétiens, puis, au XVIIᵉ siècle, sur les platoniciens de Cambridge.

Au centre de la philosophie de Plotin, il y a l'idée platonicienne de Bien, que Plotin nomme l'Un ou le Bien. C'est le premier principe, la source de tout être, la plus haute des *hypostases* (essences, réalités ou substances incorporelles), les autres étant le *Noûs* (intellect), l'esprit ou l'âme, et la nature. L'Un est au-delà de tout, y compris de la description. En nous servant du langage, nous pouvons seulement espérer faire signe dans sa direction. Comme dans le platonisme, l'Un est en principe présent à tous, ouvert à l'expérience que nous pouvons en avoir – mais Plotin pensait que, en pratique, cela n'était possible qu'à un tout petit nombre d'hommes. Le Noûs est le royaume des concepts ou des idées, les Esprits et les Âmes sont des substances incorporelles qui peuvent s'incarner au cours d'un cycle de mort et de renaissance, et la Nature (la partie la plus basse du royaume de l'âme) est le domaine de la matière. Il nous incombe de quitter le cycle des renaissances, d'abord pour parvenir au niveau du Noûs, et finalement pour réaliser l'union avec l'Un. Le mal provient seulement des hypostases les plus basses, celles qui relèvent de la matière.

Dans le texte :
Nous sommes devant le Suprême quand nous conservons la pureté de notre Noûs.

Ennéades V, 3.14

AUGUSTIN D'HIPPONE

NÉ en 354 à Tagaste, Numidie

MORT en 430 à Hippone, Numidie

PRINCIPAUX INTÉRÊTS Métaphysique, langage, éthique

INFLUENCÉ PAR Platon, Plotin, Cicéron

A INFLUENCÉ Boèce, Anselme, Thomas d'Aquin, Mersenne, Arnauld, Wittgenstein

ŒUVRES PRINCIPALES
Les Confessions
La Cité de Dieu
Rétractations

Le manichéisme était un curieux mélange de zoroastrisme, de bouddhisme et de gnosticisme, qui avait pour principe la séparation absolue du bien et du mal. Les êtres humains sont le produit de Satan, qui a investi le royaume de la lumière, celui de Dieu. Il en résulte que les hommes sont en partie bons (l'esprit) et en partie mauvais (le corps), qu'ils sont le reflet du grand combat entre le bien et le mal.

Né d'une mère chrétienne et d'un père païen (qui se convertit ensuite) à Tagaste, qu'on appelle maintenant Souk Ahras, en Algérie, Aurelius Augustinus apprit la rhétorique dans les villes de Tagaste, Madaura et Carthage. Il fut initié à la recherche philosophique par un ouvrage de Cicéron, aujourd'hui perdu : *Hortensius*. Durant sa jeunesse, il rejetait le christianisme, rebuté par l'aspect sommaire de sa doctrine et le style des Écritures. Il adhéra plutôt au manichéisme, religion fondée par Mani (216-276). Augustin demeura avec les manichéens pendant neuf ans. Au cours de cette période, il ouvrit une école à Tagaste, puis retourna à Carthage pour y enseigner la rhétorique.

En 383, il abandonna le manichéisme pour se tourner vers le scepticisme de l'Académie tardive. Au cours d'un voyage à Rome, la même année, il se servit de ses relations pour obtenir une chaire de rhétorique à Milan. Cependant, une fois dans cette ville, il fit la connaissance de l'évêque Ambroise, dont le christianisme teinté de platonisme le séduisit. Il fut baptisé en 387.

Il retourna en Afrique du Nord, à Hippone, où il fut ordonné prêtre en 391, et quatre ans plus tard il devint évêque. Les temps étaient troublés, aussi bien dans le monde séculier (le sac de Rome par Alaric eut lieu en 410 et, dans tout l'Empire, les tribus barbares s'emparaient des territoires romains) que dans l'Église chrétienne, qui était minée de l'intérieur par des sectes opposées et menacée de l'extérieur par les religions populaires, tel le manichéisme.

En bref :

D'abord vient la foi, puis elle est éclairée et soutenue par la raison.

Augustin passa les trente-quatre années suivantes à combattre sur tous les fronts, et ce faisant à produire nombre de livres de philosophie et de théologie qui transformèrent le christianisme ainsi que la pensée philosophique. Ses ouvrages les plus importants sont *Les Confessions*, autobiographie écrite vers 400, *La Cité de Dieu*, gros ouvrage de théologie philosophique et d'histoire de l'Église écrit entre 413 et 426, et les *Rétractations*, réexamen de ses œuvres antérieures, écrites en 428. Il mourut en 430 durant le siège d'Hippone par les Vandales.

LA THÉOLOGIE

La plus grande partie de l'œuvre d'Augustin, malgré son contenu hautement philosophique, est avant tout théologique, le reste étant principalement polémique. Il considérait que la philosophie était la recherche de la vérité, et le christianisme, la vérité. Toute philosophie non chrétienne était par définition dans l'erreur et appelait la réfutation. Bien qu'il comprît la pensée chrétienne sur un arrière-plan de platonisme et de néoplatonisme, il est différent d'un **Thomas d'Aquin**, pour qui la Bible doit être adaptée pour s'accorder à la science et à la philosophie. Pour

Pour Augustin, le mal n'est pas inhérent à l'homme, car celui-ci a été conçu par Dieu. Le mal existe en raison du libre-arbitre que Dieu a donné à l'homme.

Augustin, lorsque les philosophes s'écartent de la Bible, c'est la Bible qui doit primer.

Il rejetait l'idée que la matière et le corps sont mauvais par nature. Pour lui, le corps est au centre du plan de Dieu. L'existence du mal dans un monde créé par un créateur omniscient, omnipotent et bon s'explique par le libre-arbitre de l'être humain. Cela permet de comprendre l'origine du mal et justifie que Dieu se serve du mal comme d'une punition. Cette thèse évolua graduellement. Augustin en vint d'abord à considérer que les humains ne pouvaient suivre les commandements divins sans l'aide de Dieu, et ensuite à suggérer que, quand cette aide s'offrait à eux, ils ne pouvaient s'y dérober.

C'est grâce aux *Investigations philosophiques* de Wittgenstein que l'on sait – en dehors des milieux de la théologie et des études classiques – qu'Augustin a écrit sur la philosophie du temps et sur celle du langage. Le premier sujet est abordé à propos des interrogations suscitées par le récit chrétien de la Création.

Si Dieu a toujours existé, pourquoi a-t-il choisi de créer le monde au moment où il l'a fait? La réponse d'Augustin, c'est que Dieu a créé le temps et qu'il est lui-même éternel. Le temps est une fonction de l'esprit humain plutôt qu'une entité existant réellement.

LE LANGAGE

Sa conception du langage correspond plus aux idées de son époque. Pour lui, les langues humaines servent à deux choses : d'abord elles expriment les idées et la pensée, ensuite elles représentent la structure des pensées, comme s'il y avait des « mots intérieurs », n'appartenant eux-mêmes à aucun langage, qui sont rendus publics par nos expressions linguistiques. Il distingue deux sortes de signes : les *signa naturalia*, qui sont comme des symptômes (par exemple, la fumée est signe de feu), et les *signa data*, qui sont des symboles porteurs d'une intention de signifier (par exemple, le petit nuage utilisé pour signifier la pluie en météo). C'est, bien sûr, cette dernière sorte de signes qui caractérise la langue, laquelle est conventionnelle par nature. Mais quant à savoir ce qui se passe dans l'esprit, la pensée d'Augustin évolue au cours du temps, et il n'est pas du tout facile de le préciser.

Augustin est d'une importance décisive dans les premiers développements de la pensée chrétienne. Il représente une étape clé dans la transition entre l'Antiquité et le Moyen Âge, entre la philosophie païenne et la philosophie chrétienne.

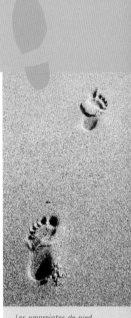

Les empreintes de pied dans le sable sont des signa naturalia. Elles indiquent que quelqu'un est passé par là. Ces empreintes, lorsqu'elles sont en image, sont des signa data qui peuvent indiquer un passage pour piétons.

Qu'est-ce que le temps?

Si personne

ne me le demande,

je le sais.

Si on me le demande

et que

j'essaie de l'expliquer,

je ne le sais pas.

Les Confessions *11, 14, xvii*

VUE GÉNÉRALE
LES FEMMES DANS LA PHILOSOPHIE

L'examen du rôle historique des femmes dans la philosophie n'est pas simple. Deux choses le rendent difficile : la différence entre les cultures, qui est relativement facile à déterminer, et le processus de la mémoire historique, qui ne l'est pas.

En ce qui concerne les cultures, nous avons presque exclusivement affaire à la tradition occidentale. Bien que sous la dynastie des Tang, des femmes aient écrit des ouvrages d'éducation destinés aux jeunes filles, ce n'étaient en rien des œuvres philosophiques.
La philosophie indienne de l'Antiquité ne mentionne même pas ce genre d'ouvrage. Pour trouver des femmes en philosophie avant l'époque moderne, il faut commencer par la Grèce.

LA GRÈCE ANTIQUE

Il est impossible de caractériser d'une manière générale la place des femmes dans la Grèce antique, car les cités et leurs colonies observaient des coutumes différentes.
Tout ce que nous pouvons dire, c'est que le statut des femmes était indéniablement inférieur à celui des hommes, même dans les sociétés les plus évoluées. Dans la littérature féministe contemporaine, on se réfère souvent à des femmes – mères, prêtresses, maîtresses, épouses, etc. – à qui les philosophes sont supposés avoir emprunté leurs idées. Même en laissant de côté l'imprécision et parfois l'aspect manifestement fantasmatique de telles affirmations, nous avons vu que des philosophes comme Thalès sont considérés comme originaux, bien qu'ils aient été fortement influencés par les idées des autres.

D'ailleurs de telles suppositions ne sont pas néces-

saires puisqu'il existe une liste impressionnante de femmes authentiquement philosophes, dès les commencements de la philosophie. L'école de Pythagore, par exemple, accueillait certainement des femmes, y compris celles de sa famille, et des fragments de leurs écrits subsistent encore. Plutarque raconte qu'Aspasie, l'amie de Périclès, reçut la visite de Socrate et de ses compagnons. Périctioné, qui fut peut-être la mère de Platon, rédigea au moins deux traités de philosophie, et le Jardin d'Épicure était ouvert aux filles aussi bien qu'aux garçons. Dans la période hellénistique, parmi le petit nombre de femmes philosophes, Hypathie fut la plus éminente, mais il y eut aussi Asclépigénie d'Athènes (auprès de qui Hypathie a peut-être étudié) et Macrina de Caesarea Mazaca, la sœur de Basile le Grand.

Rien de tout cela ne doit faire oublier que les femmes rencontraient de sérieux obstacles, d'abord dans leur éducation, ensuite dans le monde intellectuel. Mais en comparaison avec les mille ans qui ont suivi, les femmes de l'Antiquité bénéficiaient de beaucoup de facilités. Leur place dans la société résultait de conventions sociales et culturelles, alors que durant la période médiévale elle tendait à relever de la doctrine religieuse. De la même façon, bien qu'il y ait eu beaucoup de femmes philosophes après la fin de l'Antiquité (et qu'elles aient été en leur temps plus estimées qu'on ne le croit aujourd'hui), leur nombre est faible comparé à celui des hommes, et leurs réalisations se sont heurtées à des obstacles académiques, religieux et sociaux considérables.

Dans la Grèce antique, les femmes, bien que soumises à leur statut social, ont eu beaucoup plus de liberté intellectuelle que celles du Moyen Âge.

HYPATHIE

NÉE vers 370 à Alexandrie	**MORTE** en 415 à Alexandrie

PRINCIPAUX INTÉRÊTS Mathématiques, logique, science

INFLUENCÉE PAR Platon, Plotin, Jamblique, Théon

A INFLUENCÉ Synésius de Cyrène

La grande bibliothèque d'Alexandrie fut créée par Ptolémée Ier à la fin du IVe siècle av. J.-C. C'était, disait-on, la plus grande collection de livres du monde antique (plus d'un demi-million de volumes selon certains témoignages). Elle servait aussi de centre de copie et envoyait des livres dans tout le monde connu. Elle fut endommagée par le feu en plusieurs occasions avant d'être détruite par le calife Omar en 643.

Hypathie naquit à Alexandrie au IVe siècle de notre ère (on ne s'accorde pas sur la date de sa mort, de sorte que sa naissance est située soit en 370, soit en 355). Son père, Théon, mathématicien et philosophe, enseignait à Alexandrie et a peut-être assuré l'éducation de sa fille, mais il se peut aussi qu'elle ait étudié auprès de Plutarque le Jeune à Athènes. Elle aida son père à rédiger ses livres de mathématiques, d'astronomie et de philosophie, et enseigna dans son école avant de la diriger.

En tant que professeur, Hypathie était connue et estimée. On raconte que les lettres portant pour seule mention « à la philosophe » lui étaient remises. Elle enseignait dans une perspective néoplatonicienne, marquée par Plotin et par le philosophe syrien Jamblique de Chalcis (vers 250-327), mais en l'appliquant principalement aux mathématiques et à la philosophie naturelle. Aucune de ses œuvres ne nous est parvenue. Nous ne connaissons que leurs titres, grâce auxquels nous savons qu'il s'agissait de commentaires d'auteurs plus anciens. Presque tout ce que nous savons de sa vie et de son œuvre provient de lettres conservées par l'un de ses élèves, Synésius de Cyrène, ainsi que de différents récits plus tardifs de sa vie, romancés ou politisés.

L'Alexandrie d'Hypathie était certainement une ville agitée. Le christianisme était dominant et les querelles religieuses devenaient courantes dans les années 390. La situation empira lorsque Cyrille d'Alexandrie devint patriarche en 412. Il s'en prit violemment aux non-chrétiens ainsi qu'aux autres groupes chrétiens. Il faisait fermer et piller les églises de ces sectes hérétiques. Les juifs étaient agressés, aussi bien dans la rue que chez eux, puis chassés de la ville. En tant que femme instruite, Hypathie était une cible naturelle (les chrétiens voyaient dans l'étude une activité démoniaque et faisaient peu de différence entre science et magie) ; de plus, elle était une amie d'Oreste, gouverneur civil d'Alexandrie et ennemi de Cyrille. En 415, elle fut agressée par une foule chrétienne (peut-être des moines nitriens) qui la dénuda et la tua d'une manière barbare. Plus tard, Cyrille fut déclaré docteur de l'Église et canonisé.

Hypathie est importante pour plusieurs raisons. Hormis son rôle d'enseignante et de conservatrice de la pensée antique, elle apparaît comme le symbole des lumières de la connaissance dans un monde trop souvent obscurci par la superstition et l'ignorance, et aussi comme le symbole de l'aptitude des femmes, même dans les lieux et les périodes historiques les plus défavorables, à surmonter les obstacles sociaux et culturels pour parvenir au succès intellectuel.

En bref :

Ce monde est une copie imparfaite de la réalité que, en tant que philosophes, nous devons nous efforcer de connaître et de comprendre.

Pour l'histoire de la philosophie, le terme «Moyen Âge» est vague. Dans ce livre, il désigne la période qui va jusqu'à la fin du XVIᵉ siècle. Elle comprend donc la Renaissance et nous amène jusqu'au grand changement qui se produit avec Descartes. Tout au long de cette période, le mot «philosophie» s'appliquait à des domaines très divers, depuis l'astronomie jusqu'à la zoologie. Cette partie abordera des penseurs qui étaient principalement ou du moins en grande partie des philosophes au sens moderne du mot.

480
801

Les quatre sources de la philosophie médiévale en Occident sont la philosophie antique et les trois grandes religions de l'époque : le christianisme, le judaïsme et l'islam. Bien que le néoplatonisme ait compté, **Platon** était considéré comme bien moins important qu'**Aristote**. Si, au début de cette période, presque toute l'œuvre d'Aristote était perdue en Europe, une partie fut retrouvée au XIIᵉ siècle grâce aux Arabes, qui, ayant connu la philosophie grecque au cours de leurs conquêtes, l'avaient étudiée et préservée.

870
980

MOYEN ÂGE
500-1599

1033   1017

1168	Salah ad-Din Youssouf (Saladin) règne en Égypte
1170	Meurtre de Thomas Becket
1188	Saladin s'empare de Jérusalem
1204	Quatrième croisade ; prise de Constantinople
1208	Croisade des Albigeois
1215	Magna Carta. Genghis Khan s'empare de Pékin
1250	Domination des Mamelouks en Égypte
1279	Kublai Khan règne en Chine ; dynastie Yuan
1290	Expulsion des juifs d'Angleterre
1294	Mort de Kublai Khan
1321	Mort de Dante
1338	Début de la guerre de Cent Ans
1348	La Peste noire atteint l'Europe
1358	Révolte des paysans français (jacquerie)
1378	Grand Schisme entre les Églises d'Orient et d'Occident
1381	Révolte paysanne sous Wat Tyler
1415	Bataille d'Azincourt
1453	Les Turcs prennent Constantinople ; fin de l'Empire byzantin
1454	Première machine à imprimer
1455	Début de la guerre des Deux-Roses
1478	Début de l'Inquisition espagnole
1492	Christophe Colomb découvre les Antilles
1517	Luther affiche ses 95 thèses
1520	Soliman le Magnifique, sultan de Turquie. Camp du Drap d'Or

PHILOSOPHIE ET CROYANCE RELIGIEUSE

Le lien entre argument philosophique et croyance religieuse est un trait dominant de cette période, surtout à ses débuts. On pourrait difficilement nier qu'il y ait eu, au moins potentiellement, un conflit entre les deux. La manière dont les philosophes (ou les groupes de philosophes) ont traité cette question a eu un effet considérable non seulement sur leurs personnes mais aussi sur le cours, voire l'existence même de la philosophie. Les travaux philosophiques des auteurs juifs (qui pour la plupart vivaient dans des pays musulmans et écrivaient en arabe) – y compris **Maïmonide,** Moses

1130   1135

Nahmanides, Yehuda Hallevy et Salomon ben Yehuda ibn Gabirol – aussi bien que des auteurs musulmans – tels al-Kindi, ibn Rushd, Avicenne et al-Farabi – en ont souffert par contrecoup en raison de conflits entre les croyances religieuses et de nouvelles spéculations métaphysiques. Ainsi, seule la tradition chrétienne a pu survivre jusqu'à la fin de la période médiévale. En partie parce que les philosophes chrétiens étaient moins téméraires, à l'exception d'**Érigène,** que leurs équivalents juifs et musulmans dans la mise en évidence des conflits entre raison et religion. Les philosophes juifs et musulmans ultérieurs (comme **Spinoza** et **Iqbal**) appartiendront principalement à la tradition philosophique élaborée par les philosophes chrétiens.

L'objet de la philosophie médiévale n'était pas de construire des systèmes grandioses ni d'élaborer des visions du monde (en cela au moins elle ressemble à la philosophie du XXᵉ siècle). Le philosophe médiéval avait déjà une vision du monde : celle de la religion. En fait, on peut présenter le thème dominant de cette période comme la tentative des penseurs des trois religions pour concilier leurs croyances avec les idéaux de la philosophie antique. Cela conduisit au cours du XIIIᵉ siècle à une tradition philosophique bien distincte dont la formation fut

d'Aquin). L'originalité de la pensée comptait peu, mais un changement progressif se faisait en direction de la pensée spéculative. Parmi les questions importantes, non seulement pour cette époque mais aussi pour les suivantes, on trouve le débat entre réalistes et nominalistes, les relations entre la foi et la raison, et la formation d'un vocabulaire philosophique adapté à la spéculation métaphysique et logique.

Le lent développement de la philosophie médiévale laissa place, aux XVᵉ et XVIᵉ siècles, aux transformations rapides dans le champ de la politique et ensuite des sciences physiques, transformations

1214   1266   1469   1548

losophique bien distincte dont la formation fut facilitée par la naissance et le développement d'universités comme celles de Bologne, Paris et Oxford. Dans le monde chrétien, cette tradition fut appelée scolastique – la philosophie des Écoles et des gens d'école.

ARISTOTE ET LA THÉOLOGIE

Bon nombre d'œuvres de cette période consistent en études sur Aristote ou s'appuient sur lui pour tenter de concilier sa pensée avec la religion révélée (l'exemple le plus éminent étant **Thomas**

qu'on désigne sous le nom de Renaissance et que caractérisent, en philosophie, les œuvres de **Nicolas de Cues**, **Machiavel** et **Suarez**. Il y eut aussi une mise à distance de l'aristotélisme et un retour au néoplatonisme, dû en grande partie à la chute de Constantinople. Un flot de réfugiés apportèrent avec eux des œuvres de l'Antiquité dont l'Europe occidentale n'avait pas eu connaissance. Toutefois, il convient de dire que la philosophie a fait peu de progrès pendant la Renaissance.

BOÈCE

NÉ vers 480 à Rome	MORT en 524 à Pavie

PRINCIPAUX INTÉRÊTS   Logique, éthique, métaphysique

INFLUENCÉ PAR   Platon, Aristote, Porphyre, Augustin

A INFLUENCÉ   Érigène, Anselme, Abélard, Thomas d'Aquin, Nicolas de Cues

**ŒUVRE
PRINCIPALE**
*La Consolation
de la philosophie*

*Les Ariens étaient
des chrétiens qui
ne croyaient pas que
Jésus était Dieu.
L'arianisme fut qualifié
d'hérésie en 325
et exclu de l'Empire
romain (où il avait
été dominant) en 381.*

Dernier philosophe de l'Antiquité et premier du Moyen Âge, Boèce appartenait à une famille chrétienne de haut rang. Son père, qui était consul, étant mort quand Boèce avait sept ans, celui-ci fut élevé par l'ancien consul Symmachus, dont il épousa la fille. Nous avons peu de détails sur sa formation, mais son vaste savoir a dû provenir de ses études dans l'un des principaux centres de la philosophie, soit Athènes, soit Alexandrie.

À cette époque, Rome était dirigée par le roi ostrogoth Théodoric. Boèce devint consul en 510 et on lui confia de nombreuses missions diplomatiques. Cependant, Théodoric en vint à soupçonner son ministre de vouloir négocier une trahison auprès de l'empereur byzantin Justin Ier. Bien que ces soupçons aient probablement été sans fondement, Boèce fut emprisonné à Pavie. Il y demeura quelque temps, soumis régulièrement à la torture, et fut finalement exécuté en 524.

Boèce est important pour ses traductions latines et commentaires d'auteurs de l'Antiquité comme Aristote et Porphyre. Il fut le dernier à avoir eu une connaissance directe de leurs œuvres dans le texte grec original et pendant longtemps ce n'est que grâce à ses traductions qu'on a pu lire Aristote. Il a également rédigé de nombreux traités sur les mathématiques, la musique, l'astronomie et la logique. De plus, par ses commentaires critiques sur Platon, Aristote et Porphyre, il a préparé la grande controverse du XIe siècle : la querelle des universaux.

Dans le texte :
*Quelle sorte de bonheur peut-il y avoir
dans l'aveuglement de l'ignorance ?*

La Consolation de la philosophie ii, i

L'œuvre qui lui a surtout valu l'estime des philosophes et des non-philosophes est son *De Consolatione Philosophiae* (La Consolation de la philosophie), qu'il écrivit en prison entre les séances de torture. Le livre est né de la mise à l'épreuve à laquelle sa situation soumettait sa foi chrétienne. Comment un Dieu bon peut-il permettre que l'homme de bien souffre et que le mauvais prospère ? Néanmoins, il n'a pas écrit un ouvrage de théologie chrétienne mais un livre de philosophie traitant du libre-arbitre et du problème du mal. Bien que la nature et le rôle de Dieu soient au cœur de son propos, ce Dieu ressemble plus à l'Un des néoplatoniciens qu'au Dieu personnel chrétien, et la consolation qu'il cherche prend ses racines à la fois dans le néoplatonisme et dans le stoïcisme.

Le livre est un dialogue entre Boèce (qui s'exprime en prose) et l'allégorie de la Philosophie (qui s'exprime en vers). Son passage le plus intéressant philosophiquement est sans doute celui qui traite du statut temporel de Dieu. Boèce pense que Dieu est *éternel* (c'est-à-dire qu'il existe en dehors du temps) tandis que le monde est *sempiternel* (c'est-à-dire qu'il existe, sans commencement ni fin, mais dans le temps).

ITALIEN

ADI SANKARA

NÉ vers 788 à Kaladi, Kerala	MORT vers 820 à Kedarnath, Himalaya

PRINCIPAUX INTÉRÊTS Métaphysique, épistémologie

INFLUENCÉ PAR Badarayana, Gaudapada

A INFLUENCÉ Ramanuja, Radhakrishnan, Vivekananda

ŒUVRES PRINCIPALES
Viveka cudamani
Upadesasahasri
Brahmasutrabhasya

Le brahman n'est pas absolument au-delà de l'appréhension, car il est appréhendé en tant que contenu du concept «I».

Brahmasutrabhasya *3*

Le début de la vie de Sankara est mal connu, recouvert par les mythes habituels sur sa naissance et ses exploits de jeunesse. Il naquit dans une famille de brahmanes et son père mourut alors qu'il était encore enfant. Il fut l'élève de Govinda, lequel avait été l'élève de Gaudapada – le penseur qui, en rapprochant l'hindouisme *vedanta* de la pensée bouddhiste, créa l'*advaita* (non-dualisme) dont Sankara fit un mouvement philosophique hindou de première importance. La vie de Sankara fut brève, mais il produisit un très grand nombre d'écrits. Il voyagea dans l'Inde tout entière en dialoguant avec des penseurs et des chefs religieux aussi bien hindou que bouddhistes, et créa des monastères hindous. Sa mort, aussi obscure que sa naissance, donna lieu à des récits contradictoires. Il semble toutefois qu'il ait expiré dans un village himalayen.

Au cœur de la pensée de Sankara, il y a le rejet des deux grands courants de la pensée hindoue orthodoxe : le Vaisesika, créé par Kanada au IIᵉ siècle av. J.-C., et le Samkhya, qui remonte au VIIᵉ siècle av. J.-C. Le premier soutient qu'il existe sept *padarthas* (ou catégories d'étants), les unes matérielles, les autres immatérielles, chacune étant subdivisée en ses composants, par exemple les atomes. Le second est dualiste. Il distingue deux sortes d'étants : les *purusas* («ceux qui savent», dont l'essence est la conscience) et les prakrti (ce qui est non conscient, la «nature» ou la «matière»).
Sankara concède que le monde paraît dualiste, mais soutient que ce n'est qu'une apparence, car tout est *brahman*. «Brahman» est un concept difficile à comprendre. On peut le comparer (mais non pas l'identifier) au *logos* d'**Héraclite**, au *Tao* de **Lao tseu**, à l'Un de **Plotin**, et à la substance de **Spinoza**. C'est la réalité éternelle, indivisible et immuable dont nous faisons l'expérience selon les catégories du temps et de l'espace, de la pluralité et du changement. L'expérience (et ce que nous en déduisons) ne peut nous fournir aucune connaissance du *brahman*, et cependant nous pouvons en avoir une intuition directe puisque nous avons l'intuition directe de notre conscience, laquelle est identique au *brahman*. Pour le comprendre, il nous faut étudier les *Upanishads*, qui contiennent les résultats de la méditation philosophique (et non pas religieuse) et exigent de nous une méditation identique. Nous acquérons une connaissance véritable de ce qu'est le *brahman* lorsque nous comprenons que nous relevons de lui et que nous ne sommes pas réellement des individus.

Sankara est souvent présenté comme le Kant hindou. Si de telles comparaisons peuvent s'avérer utiles, il vaudrait mieux le rapprocher de Parménide, qui pense que nous pouvons connaître le monde non perçu, de la même façon que Sankara soutient que nous pouvons avoir une connaissance du *brahman*. Kant, lui, considérait que le monde nouménal est inconnaissable.

Note :

L'hindouisme vedanta advaita (non dualiste) devint le plus important des courants philosophiques hindous.

ABU YOUSSOUF **AL-KINDI**

| **NÉ** vers 801 à Kufah en Irak | **MORT** vers 873 à Bagdad |

PRINCIPAUX INTÉRÊTS Épistémologie, métaphysique

INFLUENCÉ PAR Platon, Aristote, Plotin, Jean Philopon

A INFLUENCÉ Roger Bacon

ŒUVRE PRINCIPALE
Philosophie première

Les philosophes islamiques de cette époque ne se contentèrent pas de lire Aristote d'un point de vue néoplatonicien, mais cela fut masqué par le succès d'un livre connu sous le titre de **Théologie d'Aristote***, qui était en fait un recueil de morceaux choisis de Plotin.*

Al-Kindi (Alkindus) naquit à Kufah dans une famille éminente. Selon quelques témoignages, son père en était le gouverneur. Il fit ses études à Kufah puis à Basra et enfin à Bagdad. En raison de sa renommée grandissante, le calife al-Ma'mun lui confia la « Maison de la sagesse » nouvellement créée à Bagdad. Elle avait pour mission de traduire les textes philosophiques et scientifiques grecs.

À la mort d'al-Ma'mun, son frère al-Mu'tasim devint calife à son tour. Il maintint al-Kindi à son poste et le chargea de l'éducation de son fils. Mais lorsque al-Wathiq et surtout al-Mutawakkil parvinrent au pouvoir, l'étoile d'al-Kindi pâlit. Selon certains, cette disgrâce venait de rivalités au sein de la maison de la sagesse, selon d'autres, ce sont les persécutions souvent violentes d'al-Mutawakkil contre les non-musulmans et les musulmans non orthodoxes qui sont à blâmer. Al-Kindi fut maltraité et on lui confisqua sa bibliothèque, mais elle lui fut rendue par la suite.

De son vivant et pendant à peu près un siècle, il fut considéré comme le plus grand philosophe musulman avant d'être éclipsé par des penseurs comme **al-Farabi** et **Avicenne**. Il demeura pourtant le seul philosophe important d'origine arabe et continua à être appelé le « philosophe arabe ». Il écrivit beaucoup, mais un grand nombre de ses livres sont perdus. Quelques-uns furent traduits en latin ; pour d'autres, on a découvert les manuscrits arabes (au milieu du XXᵉ siècle,

Dans le texte :
Nous ne croyons pas qu'un [philosophe] pourrait apporter une réponse qui égalerait en concision, en clarté, en précision et en nécessité celle qu'a donnée le saint prophète.

Rasa'il al-Kindi al-Falsafiyya *I, 373*

trente-quatre de ses livres perdus ont été retrouvés). Il fit œuvre de penseur original dans le domaine de la chimie, de la musique, de la médecine, de la géométrie, de l'astronomie et de la logique.

Dans la plupart de ses œuvres, il montre que la philosophie ainsi que la théologie naturelle sont compatibles à la fois avec la religion révélée et avec la théologie spéculative (kalam). Il considérait la révélation comme une source supérieure de connaissance. Pour lui elle apportait un savoir sur certaines questions de foi inaccessibles à la raison. Il s'appuyait sur une combinaison de pensée aristotélicienne et de néoplatonisme, sans grand apport original. Son importance tient à son rôle dans la diffusion de la philosophie grecque dans le monde intellectuel musulman. Il fut aussi l'initiateur de ce qui est devenu le vocabulaire philosophique du monde arabe. Sans al-Kindi, les œuvres d'al-Farabi, d'Avicenne et d'al-Ghazali n'auraient peut-être pas existé.

JEAN SCOT ÉRIGÈNE

NÉ vers 810 en Irlande	**MORT** vers 877

PRINCIPAL INTÉRÊT Métaphysique

INFLUENCÉ PAR Le pseudo-Denys, Grégoire de Nysse, Augustin, Boèce

A INFLUENCÉ Amaury de Bène, Thomas d'Aquin, Nicolas de Cues

ŒUVRES PRINCIPALES

De la prédestination

De la division de la nature

---

e pseudo-Denys était un néoplatonicien chrétien anonyme du début du IVᵉ siècle, originaire de Syrie. Jusqu'au XVᵉ siècle, ses œuvres ont été attribuées à Denys Aréopagite, un Athénien converti par saint Paul.

Le Saint Empire romain germanique dura de l'an 800 jusqu'en 1806. D'abord appelé «Empire d'Occident» puis «Empire romain», on ajouta «saint» au XIIIᵉ siècle. Voltaire fit cette remarque célèbre qu'il n'était ni saint, ni romain, ni empire.

«Scot» et «Érigène» indiquent que le philosophe naquit en Irlande, probablement d'ascendance écossaise. À cette époque, l'Irlande était l'un des derniers centres d'études classiques en Europe. C'est sans doute lors de sa formation dans un monastère irlandais qu'Érigène apprit le grec. Vers 840, il se rendit en France et, en 850, il fut nommé à l'école Palatine, à la cour du roi Charles Iᵉʳ (qui devint ensuite l'empereur Charles II). Il semble qu'il ait passé en France le reste de sa vie, bien que vers 858 l'empereur de Byzance l'ait chargé de traduire des œuvres grecques en latin, ce qui l'amena à effectuer l'importante traduction du pseudo-Denys. Après avoir affronté de nombreuses attaques religieuses contre ses écrits fort hétérodoxes, il mourut en 877, en même temps semble-t-il que l'empereur Charles, son protecteur.

Tout au long de son œuvre, Érigène indique clairement que pour lui il y a deux autorités, la Bible et la philosophie (néoplatonicienne). Il fixe le programme de tout le reste de la période médiévale en posant qu'il ne peut y avoir contradiction entre les deux et en tentant de les concilier par une interprétation de la religion révélée qui s'accorde avec les découvertes de la raison. Ce faisant, il s'attaque aux contradictions internes de la doctrine chrétienne ainsi qu'aux contradictions apparentes entre christianisme et raison. Bien entendu, cela fut considéré par de nombreux penseurs chrétiens comme une démarche suspecte. La critique la plus courante était qu'Érigène versait dans le panthéisme.

L'un des premiers essais philosophiques d'Érigène est son livre *De la prédestination*, qu'il écrivit à la demande de l'un des participants à un débat sur le sujet. Le livre ne plut à aucun des deux partis et faillit être déclaré hérétique (de fait, il fut condamné comme tel en 855). Érigène eut la sagesse de passer à d'autres questions.

Son chef-d'œuvre est son dialogue *De la division de la nature*, dans lequel il expose la première pensée philosophique originale du Moyen Âge. Il définit la nature comme «tout ce qui existe» et la divise en quatre catégories : la nature incréée qui crée, la nature créée qui crée, la nature créée qui ne crée pas et la nature incréée qui ne crée pas. Dieu est la nature incréée qui crée. Il produit le *Logos*, le Verbe divin, et les idées divines éternelles, lesquelles sont la nature créée qui crée. Ces idées sont semblables aux formes platoniciennes. Elles constituent les archétypes des choses finies dont est fait le monde de l'expérience – la nature créée qui ne crée pas. La quatrième catégorie, la nature incréée qui ne crée pas, forme le dernier stade, quand tout retourne à Dieu et que Dieu est tout.

Dans le texte :

La nature est le nom générique [...] de toutes les choses qui sont et de celles qui ne sont pas.

De la division de la nature I

ABU NASR MUHAMMAD AL-FARABI

NÉ vers 870 à Wasij, près de Farab	MORT en 950 à Damas

PRINCIPAUX INTÉRÊTS   Épistémologie, métaphysique

INFLUENCÉ PAR   Platon, Aristote

A INFLUENCÉ   Avicenne, al-Gazali, Averroès, Maïmonide, Thomas d'Aquin

ŒUVRES PRINCIPALES

La Cité vertueuse
De l'intellect

Le faux philosophe est celui qui acquiert les sciences théoriques sans avoir atteint la plus haute perfection grâce à laquelle on peut instruire les autres pour autant que leurs capacités le leur permettent.

De l'obtention
du bonheur *iv: 61*

D'origine perse, al-Farabi naquit au Turkestan. Tout au long de sa vie, il voyagea beaucoup, mais demeura le plus souvent à Bagdad, où il eut pour principal maître l'aristotélicien Abu Bishr Matta ibn Yunus, un chrétien de Syrie. C'est à Bagdad qu'il apprit l'arabe. On dit qu'il fut qadi (juge) à un certain moment, et aussi jardinier. Ce qui est sûr, c'est qu'il passa la plus grande partie de sa vie à enseigner et à écrire. Il rédigea des introductions à la philosophie, des travaux originaux sur la logique, la musique, la médecine, les sciences, ainsi que des commentaires d'Aristote, mais il était influencé par l'ouvrage apocryphe *La Théologie d'Aristote* (voir al-Kindi) et avait une lecture néoplatonicienne du stagirite. Son style manquait de clarté.

Tandis qu'il séjournait à Halab (aujourd'hui Alep) en Syrie, il obtint la protection du dirigeant local, Sayf al-Dawla. C'est pendant cette période que sa réputation s'étendit dans tout le monde musulman. On le surnommait le «Second Maître», Aristote étant le premier. Les circonstances de sa mort sont encore plus imprécises que celles de sa vie et on dit tantôt qu'il mourut paisiblement à Damas, tantôt qu'il fut tué par des bandits.

Al-Farabi avait une conception de la philosophie qui était très différente de celle d'al-Kindi (et plus représentative des philosophes musulmans) : la philosophie était

En bref :

On ne peut parvenir à la connaissance que par la philosophie, aussi ceux qui sont capables de philosopher ont-ils le devoir religieux de le faire.

la forme supérieure de la production de l'esprit humain, et la seule voie vers la connaissance véritable. Les non-philosophes pouvaient avoir accès à la vérité, dans une certaine mesure, mais seulement à travers les verres déformants des symboles, lesquels diffèrent d'une société à l'autre. Ainsi, la philosophie est universelle, alors que les autres discours de la vérité – et particulièrement le discours religieux – sont relatifs à une culture donnée. Selon lui, le Coran pouvait être considéré comme vérité révélée, mais seulement dans son contexte culturel. On ne pouvait exporter l'islam dans les autres cultures, qui ont leurs propres systèmes symboliques.

IMMORTALITÉ DES PHILOSOPHES

La philosophie n'est pas seulement la plus haute activité humaine possible, Dieu l'exige de ceux qui en sont capables. Qui plus est, bien qu'al-Farabi adopte la thèse d'Aristote contre l'immortalité de l'âme (le paradis coranique est un exemple de l'expression symbolique de la vérité, à l'usage des non-philosophes), il semble faire une exception pour le petit nombre qui parvient

Située à mi-chemin de l'Euphrate et de la côte, l'antique cité d'Alep était traversée par les pèlerins et les marchands qui se rendaient à Damas. Selon la légende, le prophète Abraham, en route pour Canaan, s'y arrêta afin de traire sa vache sur la colline de la citadelle. Le nom arabe de la ville est Halab, qui vient du mot halib (lait).

à s'élever au-dessus du niveau inférieur de l'intellect humain, « l'intellect patient en puissance ».

LA NATURE DES CHOSES

Sur un plan métaphysique, al-Farabi identifiait Dieu (Allah) avec l'Un des néoplatoniciens, qui se trouve au sommet de la hiérarchie de l'intellect, et duquel (par un processus d'auto-contemplation) découle une succession d'émanations jusqu'au plus bas degré de l'intellect, l'intellect « actif ou agent », qui se comporte comme un intermédiaire entre l'esprit humain et le royaume de l'intellect. Il distingue dans l'esprit humain plusieurs niveaux d'intellect, explique les relations qu'entretiennent ces niveaux entre eux et montre de quels moyens nous disposons pour passer de l'un à l'autre. Ce qui le distingue des autres philosophes musulmans, c'est son idée que, bien que créé par Dieu, le monde est éternel.

L'ÉTAT

Plus que tout autre philosophe musulman, al-Farabi s'est intéressé à la philosophie politique. Très influencé par *La République* de Platon, il écrivit *Des opinions des habitants de la cité vertueuse*. Ce livre donne une version islamisée des idées de Platon, où le philosophe-roi est remplacé par le philosophe-prophète (son examen de la notion de prophétisme eut en elle-même une grande importance dans le monde musulman). Al-Farabi considérait qu'une

telle association était improbable, de sorte que, après la fondation de l'État, les philosophes et les politiques devraient collaborer pour assurer sa bonne gestion. Ce qui est au centre de la cité vertueuse, c'est le bonheur physique et spirituel de ses citoyens. Al-Farabi présente également quatre formes de cités non vertueuses.

Al-Farabi pensait que les conceptions religieuses dépendaient de chaque culture. Le Coran était la vérité révélée pour l'islam, mais les autres religions avaient leurs propres formulations de la vérité.

AVICENNE (ABU ALI AL-HUSAYN IBN SINA)

| **NÉ** en 980 près de Boukhara | **MORT** en 1037 à Hamadan |

PRINCIPAL INTÉRÊT   Métaphysique

INFLUENCÉ PAR   Platon, Aristote, Plotin, al-Farabi

A INFLUENCÉ   Averroès, Roger Bacon, Thomas d'Aquin, Duns Scot, Spinoza

**ŒUVRES
PRINCIPALES**
*Al-Shifa,
Livre de
la guérison
de l'âme*

*L'âme vient à
l'existence chaque fois
qu'un corps devient
propre à être utilisé par
elle. Le corps qui advient
ainsi est le royaume
et l'instrument de l'âme.*

Al-Najat XII

Élevé à Boukhara (aujourd'hui en Ouzbé-kistan), Avicenne fut un enfant prodige qui surpassa vite ses maîtres en logique et s'initia lui-même à un grand nombre de sujets, notamment la poésie, la théologie, les sciences, les mathématiques et la philosophie. Il apprit tout seul la médecine de manière assez approfondie pour pouvoir non seulement traiter des patients mais aussi l'enseigner à des médecins en exercice. Son livre *al-Qanun* (le Canon de la médecine) servit de manuel pendant des siècles au Moyen-Orient et en Europe. On raconte qu'à l'âge de dix-sept ans il guérit le roi de Boukhara et choisit pour récompense d'avoir accès à la grande bibliothèque royale.

Il s'efforça d'étudier la métaphysique et déclara à ce propos qu'il n'avait réussi à comprendre la *Métaphysique* d'**Aristote** qu'après avoir lu un livre d'**al-Farabi** qui avait tout éclairci. Il reçut certainement l'influence d'al-Farabi, qu'il en vint à remplacer comme plus grand philosophe musulman, situation qu'il conserva pendant des siècles avant d'être égalé par Averroès (**ibn Ruchd**).

La vie d'Avicenne ne fut pas toujours facile. La nécessité de gagner sa vie après la mort de son père ainsi que l'instabilité politique de l'époque l'obligèrent à voyager beaucoup pour se mettre au service de divers maîtres, parfois un vizir, parfois un médecin de cour. Il parvint pourtant à rédiger plus de cent ouvrages, dont beaucoup nous sont parvenus. La plupart de ses écrits emploient la

En bref :

Dieu est nécessaire, unique et hors du temps ; comme tout émane de Dieu, tout est nécessairement semblable à lui.

langue philosophique habituelle de l'arabe, mais il écrivit au moins deux livres dans sa langue natale, le farsi. L'une de ses supériorités sur al-Farabi est la clarté de son style.

Sa position philosophique se fonde bien évidemment sur Platon, Aristote et le néoplatonisme. Comme nous l'avons vu, il reconnaît lui-même devoir beaucoup à al-Farabi. En réalité, dans beaucoup de domaines, telles la philosophie naturelle et la description de l'esprit, son importance découle simplement de ce qu'il a rendu compte avec clarté de la pensée d'Aristote et non de l'originalité de sa pensée ou de son argumentation. Là où il diffère du rationalisme strict d'al-Farabi, c'est dans un retour aux tendances plus mystiques des néoplatoniciens. Par exemple, tandis qu'al-Farabi rejette l'idée plotinienne de l'union finale avec l'Un (ou, dans la version musulmane, avec Dieu), Avicenne y revient, tout en précisant qu'une telle union n'est possible que pour un petit nombre d'âmes. D'un autre côté, il pense que *toutes* les âmes sont immortelles, contrairement à al-Farabi, qui restreint l'immortalité aux seuls philosophes.

Avicenne dans une pharmacie. Il fut un médecin renommé avant de se tourner vers les questions métaphysiques.

Or il y a une certaine contradiction entre ces deux affirmations, qu'il semble n'avoir pas remarquée : le fait d'être une personne implique le temps et le changement. En outre, chose plus importante pour le développement de la philosophie musulmane, l'idée que Dieu est intemporel et que le monde émane de lui nécessairement en vertu de la nature même de Dieu s'accorde mal avec la version coranique de la Création.

C'est aussi le cas pour l'une des conséquences de son examen de l'existence de Dieu : il conçoit l'Univers comme entièrement soumis au déterminisme (chaque événement a une cause) et dépendant en dernier ressort de la cause sans cause, Dieu – qui est lui-même nécessaire, son essence étant liée à son existence. Cela signifie qu'il n'y a pas de place pour la liberté, ni même pour la contingence dans l'univers d'Avicenne. Nous avons là un problème que rencontre tout philosophe qui cherche à accorder la métaphysique avec les principes éthiques de la religion (notamment **Spinoza** et **Leibniz**). Avicenne partage également avec Spinoza la réputation d'être panthéiste. Certes, le panthéisme est implicite dans une grande partie de son œuvre, mais un ouvrage où il est censé prendre explicitement la défense du panthéisme est perdu, et il se peut très bien qu'il ne soit pas de lui (on pense qu'Avicenne n'est le véritable auteur que de la moitié des livres qui lui sont attribués).

L'ARGUMENT COSMOLOGIQUE

Pour prouver l'existence de Dieu, Avicenne reprend l'argument cosmologique, que l'on retrouve chez beaucoup de philosophes médiévaux. Il repose sur la distinction empruntée à al-Farabi et élaborée par Avicenne entre le *possible* et le *nécessaire*. Quelques-unes des choses dont nous avons l'expérience dans le monde sont possibles – elles existent, mais elles pourraient ne pas exister. Leur essence est distincte de leur existence. Mais si une chose peut exister ou non, c'est qu'il y a une cause de son existence. Cette cause a elle-même une cause, mais on ne peut remonter les causes à l'infini. Par conséquent, nous devons nécessairement parvenir à une cause sans cause, à un être nécessaire, et c'est cela que nous appelons Dieu.

TEMPS ET CRÉATION

Avicenne suit **Augustin** en pensant que Dieu est hors du temps et ne change pas, et qu'ainsi il est la cause métaphysique du monde. À la différence d'une cause *physique*, une véritable cause métaphysique n'est pas antérieure à son effet mais lui est simultanée. Toutefois, il déclare également que Dieu est une personne.

La notion de cause employée par Avicenne est empruntée à Aristote et fut utilisée jusqu'au XVIIIe siècle. Il existe quatre sortes de causes, ce que l'on peut illustrer en se servant de l'exemple de la statue d'Hermès en bronze.

1. *La cause efficiente :* ce qui a produit la statue (l'acte de sculpter). C'est le sens courant que nous donnons aujourd'hui au mot «cause».

2. *La cause formelle :* la forme de la statue – les relations entre ses parties.

3. *La cause matérielle :* la matière dont elle est faite – le bronze.

4. *La cause finale :* la raison pour laquelle elle a été faite, son but.

ANSELME DE CANTERBURY

NÉ en 1033 à Aoste

MORT en 1109 à Canterbury

PRINCIPAUX INTÉRÊTS Métaphysique, épistémologie

INFLUENCÉ PAR Aristote, Augustin, Boèce

A INFLUENCÉ Thomas d'Aquin, Nicolas de Cues, Descartes, Anscombe

**ŒUVRES
PRINCIPALES**
Monologion
Proslogion

*Je ne cherche pas
à comprendre afin
de pouvoir croire,
mais je crois afin
de pouvoir
comprendre.*

Proslogion

Anselme naquit à Aoste, qui en ce temps appartenait au Piémont bourguignon. Très jeune, il voulait se faire moine, mais en fut empêché par son père. Quand il fut en âge de quitter sa maison, peu après sa vingtième année, il entreprit de voyager puis s'installa à l'abbaye du Bec en Normandie. Après quelques années d'études sous la direction de son abbé, Lanfranc, il entra dans les ordres et quand, en 1063, Lanfranc partit prendre la direction d'un nouveau monastère à Caen (il devint archevêque de Canterbury en 1070), Anselme continua à s'élever dans la hiérarchie pour devenir abbé du Bec en 1078.

Ce fut au Bec, à la demande des moines, qu'il rédigea son enseignement en deux livres : le *Monologion*, ou «soliloque» (1077), et son chef-d'œuvre, le *Proslogion*, ou «discours» (1078), ainsi que nombre de travaux sur le langage, la vérité et la liberté. Toutefois, en 1093, il fut appelé à succéder à son vieux maître Lanfranc comme archevêque de Canterbury. Il accepta à contrecœur, quittant la tranquillité du Bec pour l'agitation de l'Angleterre, où il connut une période de querelles constantes avec Guillaume II d'abord, puis avec Henri Ier.

C'est durant ce temps qu'il fut balloté entre l'Angleterre et un exil à Rome car il eut à combattre la Couronne au sujet de l'indépendance de l'Église et de l'utilisation des fonds du clergé. Bien qu'il ait eu des relations amicales avec Henri, qui le tenait en haute estime, Anselme dut faire face à de nombreux conflits. Finalement, en 1107, ils purent parvenir à un

En bref :

La raison apporte la connaissance, il faut donc que la connaissance religieuse s'appuie sur des arguments solides..

compromis et Anselme vécut paisiblement à Canterbury jusqu'à sa mort, à l'âge de soixante-seize ans.

La position philosophique d'Anselme est réaliste (en tant qu'elle s'oppose au nominalisme médiéval). Elle est constituée d'un mélange d'aristotélisme et de néoplatonisme appliqué aux croyances chrétiennes. Anselme se reconnaît également une dette envers **Augustin**, dont il ne critique pas l'œuvre, ce qui lui valut le surnom de «second Augustin», bien qu'il en vînt inévitablement, en tant que penseur original, à s'écarter des idées d'Augustin. Il rejetait l'idée que la foi pouvait être en quelque sorte extra-logique et, insistant sur l'importance de la raison, il proposa des arguments pour étayer les principaux dogmes de la foi chrétienne, y compris l'Incarnation et la Sainte Trinité. Mais il est surtout célèbre pour sa preuve de l'existence de Dieu, telle qu'elle est exposée en particulier dans le *Proslogion*, et que nous désignons par le nom que **Kant** lui a donné : l'*argument ontologique*. Celui-ci fut critiqué par ses contemporains, surtout par **Thomas d'Aquin**, mais fut repris par nombre de philosophes des débuts de l'époque moderne, notamment **Descartes**.

Après la mort de Lanfranc en 1089, l'archevêché de Canterbury demeura vacant pendant quatre ans. En refusant de reconnaître un nouvel archevêque, Guillaume II empêchait que quelqu'un exerce un gouvernement moral sur l'Angleterre ou son roi. Cependant, en 1093, alors qu'Anselme visitait l'Angleterre, Guillaume tomba malade et, craignant d'aller en enfer s'il venait à mourir sans avoir nommé d'archevêque de Canterbury, il obligea Anselme à accepter le poste. Une fois rétabli, le roi revint sur sa décision, ce qui entraîna une période de relations difficiles entre l'Église et l'État jusqu'à la mort de Guillaume.

L'ARGUMENT ONTOLOGIQUE

Cet argument veut montrer que l'existence de Dieu découle logiquement du concept de «Dieu», c'est-à-dire qu'il y a une contradiction à nier que Dieu existe. Anselme raisonne à peu près ainsi :

1. Nous pouvons concevoir un être tel qu'aucun autre être supérieur à lui ne puisse être conçu. Appelons-le «Dieu».
2. Dieu existe soit seulement dans notre esprit, soit dans le monde. Il est soit imaginaire, soit réel.
3. Or ce qui est réel est supérieur à ce qui est imaginaire.
4. Si Dieu n'existait que dans notre esprit, nous pourrions concevoir un être supérieur qui existerait réellement.
5. Mais alors, nous aurions un être supérieur à celui qui est tel qu'aucun être supérieur à lui ne puisse être conçu. Ce qui est une contradiction.
6. Par conséquent, Dieu existe réellement.

En d'autres termes, une fois que l'on a compris le concept de «Dieu», nier son existence est absurde.

L'OBJECTION DE GAULINO

L'argument est d'une simplicité trompeuse, et la plupart des gens sentent tout de suite qu'il est bancal. Mais en y réfléchissant, on s'aperçoit qu'il est difficile de comprendre pourquoi. Un contemporain d'Anselme, bénédictin comme lui, le moine Gaulino, a proposé ce que l'on a appelé depuis l'*objection de l'encombrement*. Plutôt que de montrer en quoi l'argument d'Anselme est fautif, il déclare qu'il l'est nécessairement, car s'il était valide, on pourrait formuler un grand nombre d'autres arguments du même type, encombrant ainsi l'Univers de choses dont nous avons de bonnes raisons de douter. Il prend l'exemple d'une île qui serait telle qu'aucune autre île supérieure à elle ne puisse être conçue et remarque que l'argument d'Anselme permet de prouver qu'elle existe. On peut ensuite remplacer «île» par tout ce que l'on veut.

L'ennui, c'est que l'argumentation de Gaulino n'est pas correcte parce que le concept d'une île telle qu'aucune autre île supérieure à elle ne puisse être conçue n'existe pas. Chacun d'entre nous a une notion différente de ce que pourrait être l'île supérieure à toutes les autres. Les uns l'imagineront avec un climat doux, d'autres la voudront sous le soleil des tropiques. Si Gaulino objecte qu'il ne parle pas d'une île qui serait parfaite pour quiconque, mais seulement de l'île supérieure en tant qu'île, nous lui répondrons que toutes les îles sont parfaites en ce sens qu'elles sont toutes parfaitement des îles. Une chose est une île ou ne l'est pas. Le concept de «Dieu» est unique, car c'est le concept de ce qui est au summum de la grandeur – non pas pour vous ou moi, non pas pour une catégorie de choses ou une autre, non pas pour tel ou tel but, mais de ce qui est supérieur, un point, c'est tout.

Après avoir été négligé pendant de longues périodes (surtout après la critique de Thomas d'Aquin), l'argument ontologique est devenu l'un des principaux arguments pour prouver l'existence de Dieu, en particulier parmi les philosophes. En fait, il n'est pas convaincant, mais ceci est une autre histoire.

VUE GÉNÉRALE
LA PHILOSOPHIE INDIENNE

Tandis que la philosophie grecque de l'Antiquité s'est construite principalement à partir d'intérêts scientifiques et métaphysiques, s'étendant ensuite progressivement aux questions morales, politiques, épistémologiques et logiques, la philosophie indienne antique s'est développée à partir d'écrits religieux et théologiques avant de s'étendre à d'autres domaines. Mais cette généralisation peut être trompeuse ; l'œuvre qui constitue la première preuve d'une pensée philosophique en Inde est le Veda (*Connaissance*), formé à l'origine par trois recueils (*samhitas*) : le *Rig-veda* (recueil de 1028 hymnes), le *Sama-veda* (refonte d'une partie du *Rig-veda*) et le *Yajur-veda* (textes à l'usage des prêtres sacrificateurs). Plus tard, s'y ajouta le *Atharva-veda*, un recueil à l'usage du peuple portant sur les charmes, les sorts, etc. Les parties les plus anciennes du Veda remontent au XIVᵉ siècle av. J.-C., mais la version écrite apparaît pour la première fois vers la fin du IIIᵉ siècle av. J.-C.

Bien que le Veda soit assurément un écrit religieux, il diffère notablement de la Bible. Alors que cette dernière est avant tout de nature historique et retrace l'histoire d'une tribu sémite depuis ses origines mythologiques en décrivant ses nombreuses tribulations, le Veda – et notamment le Rig-veda et le Sama-veda – est avant tout métaphysique. Cela ne signifie pas simplement qu'il énonce des jugements sur la nature du monde. Il formule des questions et suppose une tradition bien développée – probablement orale pour l'essentiel – d'enquête et d'interrogation philosophiques. Néanmoins, le statut religieux du Veda se fait sentir de nombreuses façons, la moindre n'étant pas la division traditionnelle des neuf écoles principales en deux parts inégales : six écoles orthodoxes et trois non orthodoxes. (Voir plus bas.)

Certaines de ces écoles (en particulier le Vedanta et le matérialisme) sont en réalité des ensembles d'écoles liées entre elles, et il arrive que ces sous-écoles s'écartent notablement les unes des autres. L'exemple le plus frappant en est celui de l'école Vedanta.

LE VEDANTA
Le Vedanta naît de l'étude du dernier Veda, notamment des *Upanishads*. Ceux-ci ont été écrits par des auteurs différents à diverses époques (parmi plus de deux cents *Upanishads*, moins d'une vingtaine sont considérés comme appartenant à l'Antiquité, les autres étant des imitations plus tardives). Comme pour l'ensemble de la philosophie indienne, nous savons peu de choses des auteurs des *Upanishads*. C'est pourquoi nous présentons peu de philosophes indiens dans ce livre. Le penseur individuel n'a pas la même importance dans la tradition philosophique indienne que dans les traditions chinoise et occidentale. Les premiers et principaux textes Vedanta sont les Brahma-sutras, et ils sont tellement difficiles à comprendre qu'ils nécessitent un commentaire interprétatif – d'où le développement de plusieurs écoles Vedanta, dont la plus importante fut le *Vedanta advaita* (non dualiste) de **Sankara**.

D'un autre côté, les nombreuses écoles rassemblées sous l'étiquette «matérialisme» résultent surtout d'une fragmentation au cours de l'histoire. La philosophie matérialiste était en général si vivement combattue par les écoles à tendance religieuse – notamment par les orthodoxes – que les écoles qui s'en inspiraient ne duraient pas très longtemps. Néanmoins, elles ont exercé une influence considérable sur de nombreux aspects de la pensée indienne.

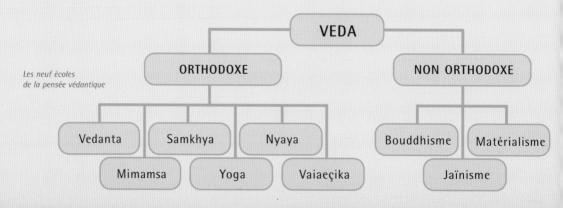

*Les neuf écoles
de la pensée védantique*

VEDA

ORTHODOXE — NON ORTHODOXE

Vedanta   Samkhya   Nyaya   Bouddhisme   Matérialisme

Mimamsa   Yoga   Vaiaeçika   Jaïnisme

RAMANUJA

| **NÉ** en 1017 à Sriperembudur | **MORT** en 1137 à Srirangam |

PRINCIPAUX INTÉRÊTS Métaphysique, épistémologie

INFLUENCÉ PAR Śankara

A INFLUENCÉ Radhakrishnan

ŒUVRES PRINCIPALES

Vedantasara
Vedantarthasamgraha
Vedantadipa

Un sannyasin *est quelqu'un qui renonce au monde pour rechercher le* moksa *– la libération du cycle de la naissance et de la mort* (samsara). *Ainsi, un* sannyasin *est essentiellement un vagabond ascète et religieux.*

Né près de Madras, dans le sud de l'Inde, sous le nom de Ilaya Perumal, Ramanuja appartenait à une famille de la caste des brahmanes. Son père étant mort de bonne heure, il commença l'étude des Veda avec le maître en Vedanta Yadava Prakasa près de Kancipuram. Élève précoce, il entra en désaccord avec son maître à propos de l'interprétation des textes. Finalement, ils se séparèrent fâchés. On raconte que Yadava chercha à faire tuer son élève.

Ramanuja se maria jeune mais, la vie maritale contrariant ses études, il quitta son épouse pour devenir *sannyasin*. Finalement, il prit la direction du temple de Srirangam, où il passa la plus grande partie de sa vie à enseigner et à écrire. Il voyagea aussi beaucoup dans le sud de l'Inde, attirant des disciples. Il mourut à Srirangam, après avoir atteint l'âge de cent vingt ans, dit-on.

Ramanuja appartenait à une secte religieuse, Sri Vaisnavas, qui voyait dans le *brahman* – impersonnel dans la conception *advaita* de Sankara – une divinité personnelle, *Visnu*. Tout en acceptant les arguments de Sankara contre les courants dualiste et pluraliste, Ramanuja trouvait que la thèse *advaita* était trop extrême, trop académique et trop froide. Sa solution consiste à diviser la réalité en trois parties : le *brahman* dans sa forme personnelle, *Visnu* ; les choses matérielles ; et l'âme individuelle. Les deux dernières ne pouvant exister sans la première et celle-ci ne pouvant pas non plus exister sans les deux dernières.

Ramanuja concédait qu'il n'y a qu'une seule réalité, mais considérait que le *brahman* est affecté – «qualifié» – par les individus, d'où l'appellation donnée à sa philosophie : le *visistadvaita*, que l'on traduit généralement par «non-dualisme qualifié». Il est important de comprendre que Ramanuja ne veut pas dire que son non-dualisme est qualifié, mais que le *brahman* l'est. En tant qu'être personnel, le *Brahman* possède des qualités (comme la compassion et l'amour) qui sont définies en termes de relations avec les individus, et consistent peut-être en cela.

Ramanuja n'accepte pas l'argument de Sankara selon lequel le *brahman* est inconnaissable à moins que nous perdions notre individualité. La connaissance du *brahman* et du *moksa* nous vient du *bahkti* (piété ou amour) que nous pratiquons en tant qu'individus. Nos idées sur le monde ne peuvent être illusoires. Qui serait dans l'illusion ? Non pas le *brahman*, car il ne peut se tromper, et pas non plus les êtres humains, puisqu'ils feraient partie de l'illusion.

Bien que l'*advaita vedanta* de Sankara soit restée la plus importante des écoles de Vedanta, le *vistadvaita vedanta* créé par Ramanuja attira beaucoup de disciples plus portés vers le théisme.

En bref :

Le monde est un tout interdépendant fait de brahman, de choses matérielles et d'âmes.

ABU HAMID MUHAMMAD AL-TUSI IBN MUHAMMAD AL-GHAZALĪ

NÉ en 1058 à Tus, Perse   **MORT** en 1111 à Tus

PRINCIPAL INTÉRÊT Métaphysique

INFLUENCÉ PAR al-Farabî, Avicenne

A INFLUENCÉ Averroès, Sohravardi, Nicolas d'Autrecourt

ŒUVRES PRINCIPALES

Intentions des philosophes

Incohérence des philosophes

Vivification des sciences de la foi

Le soufisme, qui est un courant de mystique islamique, apparut au début du Xᵉ siècle et se répandit au cours des XIᵉ et XIIᵉ siècles. Son mysticisme présente quelques ressemblances à la fois avec les débuts de la mystique chrétienne et avec le néoplatonisme.

Al-Ghazali n'avait nullement l'intention d'écarter le raisonnement philosophique, mais son œuvre contribua sans doute à l'étouffement de la pensée philosophique qui se produisit un siècle plus tard dans le monde musulman.

Né dans l'actuelle province de Khorasan en Iran, al-Ghazali fut orphelin très jeune, mais reçut une excellente éducation à Tus, à Jurjan et à Neyshabur, où il étudia auprès du célèbre théologien al-Juwayni. C'est au cours de cette période qu'il écrivit des traités de droit et de théologie. Après la mort de son professeur en 1085, il fut invité à Bagdad par le ministre Nizam al-Mulk. Là, il poursuivit seul sa formation et écrivit probablement ses deux livres les plus importants : *Intentions des philosophes*, dans lequel il expose les thèses des philosophes chrétiens et musulmans de tendance néoplatonicienne et aristotélicienne, et *Incohérence des philosophes*, où il les réfute (Averroès devait y répondre par son livre : *Incohérence de l'Incohérence*). En 1091, le ministre le nomma à la tête de l'université de Nizamiyya, où pendant quatre années il fut un professeur apprécié et respecté.

En 1095, al-Ghazali traversa une sorte de crise morale. Cette raison, associée à de possibles considérations politiques, l'amena à abandonner charge et aisance pour vivre comme un vagabond soufi. Il écrit dans son livre autobiographique *Erreur et Délivrance* (souvent comparé aux *Confessions* d'**Augustin**) que c'est en partie une raison religieuse qui l'a amené à abandonner son existence antérieure. Il passa les quelque dix années suivantes en pèlerinages et en méditations. Mais, finalement, le fils de Nizam al-Mulk le persuada de reprendre son enseignement, et il retourna à Bagdad. Il passa les dernières années de sa vie dans sa ville natale de Tus, où il avait fondé

En bref :

La foi religieuse est essentielle, mais elle peut et doit être soutenue par la raison.

une sorte de monastère pour l'enseignement du soufisme.

Al-Ghazali admettait les méthodes de la science naturelle et de la logique aristotéliciennes, prônant l'utilisation de cette dernière en philosophie et en théologie, mais il rejetait les métaphysiques élaborées par les penseurs juifs, chrétiens et musulmans, leur reprochant de ne pas s'accorder avec l'enseignement de l'islam. Dans *Incohérence des philosophes*, il juge inacceptables trois thèses métaphysiques : la négation de la résurrection des corps, la limitation de la connaissance divine aux vérités universelles et éternelles, et la doctrine de la création par émanation (associée à l'idée que le monde est éternel). Proclamant que quiconque soutenait ces thèses était un infidèle, il entreprit de les réfuter. Bien que sa motivation originelle ait été religieuse, il se servit de la logique aristotélicienne pour combattre chacune de ces affirmations. Ce faisant, il aborda, d'une manière intéressante, un certain nombre de questions subsidiaires, dont celle de la causalité. Il exposa l'idée qu'il n'y a pas de véritable cause dans le monde, tout pouvoir causal venant de Dieu. Ce que l'on peut rapprocher de l'occasionnalisme de **Malebranche**.

VUE GÉNÉRALE
PHILOSOPHIE ET RELIGION

Dans toutes les grandes traditions intellectuelles, les relations entre réflexion religieuse – notamment théologique – et philosophie ont souvent été étroites. La philosophie indienne est sortie des textes sacrés, les Veda. Les courants philosophiques chinois, bien que d'abord non religieux, se sont souvent transformés en religions et leurs fondateurs ont été l'objet d'un culte. Et bien que les commencements de la philosophie occidentale doivent être trouvés dans la tentative de s'écarter des mythes cosmologiques pour apporter des explications rationnelles, les développements ultérieurs, et en particulier durant la période médiévale, ont vu les deux formes de pensée se rapprocher à nouveau.

Certes, en bien des domaines, les différences entre philosophie et religion sont évidentes, mais les frontières s'estompent lorsqu'on aborde la philosophie de la religion. En quoi celle-ci diffère-t-elle non seulement de la théologie, mais également de la sociologie, de la psychologie et de l'histoire des religions ? En ce qui concerne ces trois sciences humaines, la distinction est facile à faire : la philosophie s'en écarte en ce qu'elle s'intéresse à la *vérité* de la religion. La question de la théologie est un peu plus complexe, en partie parce que le terme « théologie » peut être employé en trois sens principaux.

LA NATURE DE LA THÉOLOGIE

La théologie révélée porte sur les croyances et les doctrines religieuses obtenues par révélation (personnelle ou scripturaire), et non par la seule raison. La théologie naturelle porte sur les croyances et doctrines religieuses qui proviennent de l'usage de la raison. La théologie spéculative, qui est la plus proche de la philosophie et de la métaphysique, peut être présentée comme une philosophie de la religion élaborée par des croyants.

Cette dernière définition nous donne la clé de toute la question : la théologie est l'étude de la religion entreprise par ses adeptes. Le philosophe est (ou devrait être) prêt à mettre toute chose en question, alors que le croyant part d'un ensemble de croyances qui sont au-delà de tout questionnement. Cela ne veut pas dire que le théologien méconnaît ou évite les problèmes qui naissent de sa pratique religieuse. Il abordera et affrontera de nombreuses questions que la masse des croyants tiendrait pour non avenues et indubitables (par exemple les miracles, l'efficacité de la prière, et même la nature de Dieu). En réalité, les conceptions des théologiens de toutes les religions tendent à s'écarter de plus en plus de celles des croyants ordinaires.

L'un des effets de la pensée philosophique sur la religion, en particulier en Occident, fut de pousser celle-ci vers le non-rationalisme. Dès lors que les principaux fondements de la foi (telles les preuves de l'existence de Dieu) apparaissaient incertains et que les différents aspects de la croyance soulevaient de plus en plus de difficultés (comme le problème du mal), une conception de la foi comme mode de croyance dépourvu de fondement rationnel (ou même comme croyance en ce qui ne peut être compris) devint prédominante et finit par être considérée comme une vertu en soi.

Dès lors que les principaux fondements de la croyance religieuse s'effritaient et que la foi prenait une importance croissante, les philosophes occidentaux se mirent à s'intéresser aux concepts moraux comme le bien et le mal. Ainsi, l'ouvrage néoplatonicien d'Augustin De civitate Dei prend-il la défense de la Cité de Dieu contre la Cité de Satan.

PIERRE ABÉLARD

| NÉ en 1079 au Pallet, près de Nantes | MORT en 1142 à Chalon-sur-Saône |

PRINCIPAUX INTÉRÊTS Logique, langage, métaphysique

INFLUENCÉ PAR Aristote, Porphyre, Boèce

A INFLUENCÉ Jean de Salisbury

ŒUVRE PRINCIPALE

Sic et Non

Le même acte peut être accompli par le même homme à différents moments. Cependant, selon ses diverses intentions, cet acte peut être tantôt bon, tantôt mauvais.

Abélard, *Éthique*

Natif de Bretagne, Pierre Abélard était le fils aîné d'une famille de la petite noblesse. Il était destiné à la carrière des armes, mais il refusa cette voie et partit étudier, d'abord à Loches, en Touraine, sous la direction du philosophe nominaliste Jean Roscelin, puis dans le diocèse de Paris avec le réaliste Guillaume de Champeaux. Vers 1105, il ouvre sa propre école, installée d'abord à Melun, puis à Corbeil et enfin, en 1108, à Paris. À un certain moment, sans doute entre Corbeil et Paris, il abandonna temporairement la philosophie pour étudier la théologie avec Anselme de Laon, en partie à cause d'ennuis de santé. Cela se termina mal. Il semble s'être querellé avec tous ses professeurs, mais il n'en acquit pas moins rapidement une grande réputation, en France et au-delà, comme professeur et comme penseur. En 1113, il obtint une chaire de rhétorique et de dialectique à Paris. C'était un bel homme avec beaucoup de charme, un professeur très recherché, renommé pour son esprit et son intelligence, mais aussi pour son arrogance. Il se fit autant d'ennemis que d'amis et d'admirateurs.

HÉLOÏSE ET ABÉLARD

En 1117, il devint le précepteur de la nièce de l'un des chanoines de Notre-Dame. Héloïse, âgée de seize ans, avait elle aussi une certaine renommée en raison de son savoir. Elle connaissait le latin, le grec et l'hébreu, et avait une bonne connaissance de la littérature, de la philosophie et de la théologie. Ils devinrent vite amants. Héloïse étant enceinte, ils se marièrent secrètement. Bien qu'Abélard n'ait pas prononcé de vœux et ne fût pas astreint au célibat, cette union pouvait nuire à sa carrière, ne serait-ce que parce qu'il avait connu son élève *in loco parentis*. Cela entraîna une série de malentendus avec l'oncle d'Héloïse et se termina par une violente agression contre Abélard et sa castration. À la demande d'Abélard, Héloïse se fit nonne et lui-même entra dans l'ordre des Bénédictins, leur fils Astrolabe étant confié à la sœur du philosophe.

Après cet épisode – l'un des plus dramatiques de l'histoire de la philosophie – Abélard connut d'autres désastres. Il dut s'enfuir du monastère de Saint-Denis où il s'était retiré, ayant mis en doute la légende du saint. En 1121, son premier livre publié, *Traité de l'unité et de la trinité divine*, est condamné au concile de Soissons (peut-être à la suite d'une campagne de certains des ennemis) à être brûlé. Revenu à Saint-Denis, il entre en conflit avec les moines et doit à nouveau s'enfuir à la campagne, près de Troyes, avec l'espoir d'y trouver la paix et la solitude.

Rejoint par des étudiants, il reprit son enseignement pendant quelque temps près d'un oratoire construit par lui et nommé le Paraclet. Il écrivit aussi des ouvrages de logique et de théologie, ainsi que son livre le plus célèbre, *Sic et Non* (Oui et Non). Vers 1126, il fut nommé abbé du monastère de Saint-Gildas-de-Rhuys, en Bretagne, tandis qu'Héloïse devenait abbesse du Paraclet et acquérait une grande réputation pour son

L'amour romantique

Les lettres qu'Abélard et Héloïse s'écrivirent après leur séparation ont été conservées et on les a considérées pendant des siècles comme l'exemple même de l'amour romantique – alors qu'en réalité elles montrent plutôt la finesse de leur intelligence (et l'égocentrisme d'Abélard).

Toujours harcelé par la controverse, Abélard s'efforça de devenir le maître d'une jeune prodige, Héloïse. Ils s'éprirent l'un de l'autre et leur tragique histoire d'amour est devenue célèbre.

savoir et sa bonne administration. En 1132, Abélard écrivit un livre autobiographique, *Historia calamitatum mearum* (Histoire de mes malheurs), qui nous permet de connaître bien des détails de sa vie jusqu'à cette date. Cependant, à Saint-Gildas également, il s'attira l'inimitié des moines, au point qu'ils tentèrent de l'empoisonner en 1132. Il retourna à Paris, reprit son enseignement et se fit un nouvel et puissant ennemi en la personne de Bernard de Clairvaux. Il en résulta une condamnation par le concile de Sens et par le pape. Abélard décida d'en appeler au pape, mais sa santé l'obligea à s'arrêter à l'abbaye de Cluny, où il trouva une certaine tranquillité. Il séjourna ensuite dans un couvent à Chalon-sur-Saône, continua à écrire et y mourut en 1142. Héloïse, qui mourut en 1164, fut enterrée auprès de lui. Leurs restes furent transférés dans une tombe à Paris en 1817.

LES MOTS ET LES CHOSES

En philosophie, Abélard fut un nominaliste de premier plan. Il pensait que, dans le monde, seuls les individus existent. Des universaux comme «chapeau «ou «animal» n'étaient que des mots. Toutefois, il prenait soin de préciser que l'universel n'est pas la forme physique du mot, la *vox* : la marque sur le papier ou le son, mais le mot comme entité logico-linguistique ayant un sens : le *nomen* ou *sermo*. Sa thèse n'est pas très claire, mais il semble penser à certains moments que les *sermones* universaux trouvent leur sens dans notre capacité à identifier des similitudes entre les individus, de sorte que nous nous en faisons une notion confuse ou imprécise qui les désigne tous (à comparer avec les idées abstraites de **Berkeley**). Ce fut l'un des points retenus contre lui quand on l'accusa d'hérésie, car il donnait l'impression de penser que les trois personnes de la Sainte Trinité existent bien individuellement, mais que l'idée d'un Dieu unique n'est qu'une idée confuse.

En dehors de ses importants travaux sur la logique et le langage, Abélard traita des questions centrales de la théologie, comme le péché et l'exégèse biblique aussi bien que le libre-arbitre et la prescience divine. On peut dire qu'il fut le premier *scolastique* important. Il vivait en un temps où les grandes universités européennes commençaient à être fondées, et de fait on lui a attribué un rôle important dans la création de l'université de Paris.

En bref :

Les universaux ne sont pas des choses, pourtant, lorsqu'on les évoque, on ne parle pas de simples mots.

AVERROÈS (ABU AL-WALID MUHAMMAD IBN RUCHD

NÉ en 1126 à Cordoue	MORT en 1198 à Marrakech

PRINCIPAUX INTÉRÊTS   Épistémologie, politique, métaphysique

INFLUENCÉ PAR   Platon, Aristote, Porphyre, al-Farabi, Avicenne, al-Ghazali

A INFLUENCÉ   Maïmonide, Roger Bacon, Siger de Brabant, Thomas d'Aquin

ŒUVRES PRINCIPALES

Incohérence de l'incohérence

Commentaires sur Aristote

Donc, puisque [l'islam] est vrai [...], nous, communauté musulmane, savons pertinemment que la philosophie ne conduit pas à des [conclusions] opposées à ce que l'Écriture nous a livré ; car la vérité ne s'oppose pas à la vérité, mais s'accorde avec elle et en porte témoignage.

Fasl al-Maqal II

Ibn Ruchd (ou Averroès) était le fils et le petit-fils de *qadis* (juges) de Cordoue, tous deux hommes politiques importants de l'Andalousie. Il reçut lui-même – en partie de son père – une formation en jurisprudence ainsi qu'en médecine, philosophie, théologie et mathématiques. Les califes de Cordoue qui régnèrent de son temps – Abu Ya'qub Yusuf (1163-1184) et son fils Abu Ya'qub al-Mansur (1184-1199) – étaient à la tête d'un État éclairé dans lequel les activités intellectuelles de toutes sortes bénéficiaient d'une liberté bien plus grande que dans le reste du monde islamique ou chrétien.

C'est dans cet environnement qu'Averroès s'épanouit intellectuellement et professionnellement. Il fut nommé *qadi* de Séville en 1169 puis de Cordoue en 1171, avant de devenir le médecin d'Abu Ya'qub Yusuf en 1182. Comme le calife s'intéressait à la philosophie, il incita Averroès à travailler à des commentaires sur Aristote (cette partie de son œuvre, à savoir ses commentaires sur Platon, Porphyre et tout particulièrement sur Aristote, lui valut d'être appelé le «Commentateur»).

À la mort du calife, son fils lui succéda. Au début, rien ne changea. Averroès demeura conseiller et médecin de la cour, et travailla encore plus à ses écrits. Mais tandis que les cercles lettrés continuaient à apprécier les débats d'idées, les masses, influencées par des religieux fondamentalistes, devenaient hostiles aux études et surtout à la philosophie. En particulier, la défense de la raison par Averroès

En bref :

Philosophie, théologie et rhétorique sont trois chemins vers la vérité ; chacune d'elles convient à une couche différente de la société.

et sa tentative pour montrer que les découvertes de la philosophie pouvaient s'accorder à l'enseignement de l'islam provoquèrent la colère du peuple au point qu'il lui arriva d'être agressé physiquement. À cela s'ajouta le fait que le calife rencontrait des problèmes politiques qui lui rendaient nécessaire le soutien des religieux. En 1195, Averroès fut donc accusé d'hérésie, chassé de son poste et banni de la cour de Marrakech. Tous ses livres furent brûlés, à l'exception de ceux qui portaient uniquement sur des matières scientifiques.

En 1198, les problèmes politiques et militaires du calife s'étant dissipés, Averroès fut pardonné et rappelé à la cour de Marrakech, mais il mourut cette même année. Son influence sur la philosophie de l'Occident chrétien fut immense tout au long du Moyen Âge et au-delà, mais surtout par ses commentaires d'Aristote. Sa pensée fut enseignée dans les universités européennes et, au XIIIe siècle, un groupe d'averroïstes se constitua autour de Siger de Brabant. Dans l'Orient musulman, son audience fut faible car sa mort survenait à un moment où l'orthodoxie musulmane gagnait la bataille contre la philosophie, ôtant à l'islam cette dimension rationnelle qui devait

Pendant de nombreuses années, Averroès a été respecté par les intellectuels de son temps. Mais les masses ignorantes ne parvenaient pas à concilier sa philosophie avec la doctrine de l'islam. Il joua un rôle important dans la défense de la philosophie grecque contre les théologiens islamiques, et ses commentaires d'Aristote sont bien connus. Toutefois, avec la montée de l'orthodoxie religieuse en islam, il fut accusé d'hérésie et ses livres furent brûlés.

jouer un rôle si considérable dans le développement du christianisme en Occident. Ibn Ruchd, ou Averroès comme on l'appela dans l'Europe chrétienne, fut le dernier grand philosophe de l'islam.

LA DOUBLE VÉRITÉ

Il n'a en réalité jamais soutenu la thèse philosophique pour laquelle il est célèbre : la théorie de la double vérité. Elle affirme qu'il y a deux sortes de vérité, la vérité philosophique et la vérité religieuse (ajoutant parfois que seule la première est valable). La véritable position d'Averroès en diffère sur deux points. D'abord, il établit une distinction entre deux moyens d'accéder à la vérité plutôt qu'entre deux vérités. Ensuite, il considère avec Aristote qu'il y a trois moyens d'aller vers la vérité, chacun d'eux étant approprié à une partie de la société : les démonstrations philosophiques, qui sont à la portée des dirigeants ; la discussion dialectique, qui peut être comprise par les théologiens ; et la rhétorique qui convient au peuple. Averroès suit ses prédécesseurs, comme **al-Farabi,** en reprenant grosso modo la conception platonicienne de l'État idéal (en substituant le philosophe-prophète au philosophe-roi), où chaque niveau de la société reçoit un enseignement adapté.

Ses commentaires d'Aristote sont eux-mêmes divisés en trois niveaux d'inégales longueurs. Le *jami*, le plus court, est un éclaircissement en forme de paraphrase qui donne les conclusions d'Aristote. Le *talkhis*, de longueur moyenne, y ajoute des explications auxquelles

se mêlent quelques pensées personnelles d'Averroès. Le *tafsir*, qui est le plus long, donne un commentaire extensif et présente les idées d'Aristote, comme celles d'Averroès, avec profondeur et un grand luxe de détails. Ses principaux objectifs étaient de purger l'aristotélisme de l'époque de toute influence néoplatonicienne, et d'établir la distinction entre les arguments philosophiques et les arguments théologiques chez des auteurs comme **al-Farabi** et Ibn Sina (**Avicenne**).

L'IMMORTALITÉ DE L'ÂME

L'une des thèses les plus connues d'Averroès est associée à son examen de ce qu'Aristote dit de l'intellect dans le *De Anima* (Traité de l'âme). D'une certaine façon, son interprétation suit celles d'auteurs antérieurs, comme al-Farabi, mais elle contient aussi une compréhension singulièrement originale de l'« intellect passif » d'Aristote. Ce que les auteurs plus anciens ont identifié à un élément corporel ou à une mentalité individuelle est compris par lui comme un aspect d'un intellect unique et unifié, à la fois immatériel et universel. Pour lui, contrairement à Avicenne, l'âme n'est pas immortelle, sinon dans un sens général bien différent de la conception islamique ou chrétienne.

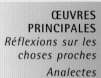

ZHU XI

NÉ en 1130 à Youxi	MORT en 1200

PRINCIPAUX INTÉRÊTS   Métaphysique, éthique, politique

INFLUENCÉ PAR   Confucius, Mencius, Zhou Dunyi, Cheng Yi, Cheng Hao

A INFLUENCÉ   Wang Fuzhi, Kang Youwei, Feng Youlan

**ŒUVRES
PRINCIPALES**
*Réflexions sur les
choses proches*
Analectes

*Toute chose possède
un qi ultime,
qui est le li ultime.*

Propos *94*

Zhu Xi naquit vers la fin de la dynastie Song dans ce qui est aujourd'hui la province de Fujian en Chine. Il était le fils d'un petit fonctionnaire local qui avait quitté la capitale en signe de protestation contre l'action du gouvernement. Après un succès précoce à l'examen impérial en 1148, Zhu Xi passa les neuf années suivantes dans l'administration. Son honnêteté et sa franchise lui causèrent du tort et il fut renvoyé. Pendant vingt et un ans, il vécut dans une relative pauvreté, passant son temps à étudier, à écrire et à enseigner. Il réintégra l'administration en 1179. Mais, comme son père, il ne dépassa pas les échelons inférieurs à cause de son attitude critique à l'égard du gouvernement et il finit par être renvoyé une nouvelle fois.

Il s'était fait nombre d'ennemis, au point qu'en 1196 ceux-ci parvinrent à faire condamner ses œuvres. Un censeur impérial l'accusa en effet de dix crimes, dont le refus de servir l'État et la divulgation d'idées fausses. Bien qu'il y ait eu des pressions pour qu'il soit exécuté, elles n'aboutirent à rien et il s'éteignit en état de disgrâce officielle. On dit que beaucoup de gens assistèrent à ses funérailles.

Zhu Xi ne fut pas, comme on le prétend parfois, le fondateur du néoconfucianisme, mais il fut assurément l'un des philosophes les plus importants pour son développement. Il convient de préciser qu'il en fit une synthèse qui donna toute sa force au néoconfucianisme et lui permit de s'étendre non seulement en Chine mais aussi au Japon et en Corée. La

En bref :

Daiji, *le Grand Ultime*, est l'essence de l'univers, et chacun d'entre nous est un reflet de la totalité.

place qu'occupa ce courant dans la culture en Chine sous la dynastie Song lui est due sans aucun doute. C'est Zhu Xi qui choisit et annota les quatre grands textes classiques : *Lun-Yu* (*Analectes*), *Mengzi*, *Le Grand Apprentissage* et *La Doctrine des moyens*, qui furent mis, deux siècles après sa mort, au programme des examens impériaux. La version du confucianisme donnée par Zhu Xi porte le nom de Lixue, ou École du principe.

Au début de sa vie, il s'était senti attiré à la fois par le bouddhisme et par le taoïsme, mais vers la trentaine il adopta le confucianisme. Sa réalisation principale fut de faire la synthèse de tous les philosophes néoconfucianistes importants. Alors que le confucianisme s'attachait presque entièrement aux théories éthique et politique, les néoconfucianistes introduisirent les questions de métaphysique et d'épistémologie qui provenaient en grande partie de leur engagement dans le bouddhisme et le taoïsme. Zhu Xi emprunta les apports principaux de chacun des néoconfucianistes et s'en servit pour construire un système cohérent et rationnel.

Le confucianisme sous la dynastie Song

Au début de la dynastie Song (960-1279), le confucianisme était devenu un courant de pensée négligé, stagnant et mêlé de superstition. Les néoconfucianistes, notamment Zhu Xi, le firent renaître et il gagna en influence non seulement en Chine, mais aussi en Corée et au Japon. Ces deux pays en firent leur philosophie d'État.

LI ET QI

Sa pensée repose sur les notions de *li* (principe, forme, idée) et de *qi* ou *ch'i* (énergie, force matérielle). Le *li* était aussi au centre de l'ancien confucianisme, mais il signifiait bienséance, rectitude. Dans l'œuvre de Cheng Yi, à qui Zhu Xi l'a emprunté, il est plus proche de la notion platonicienne de forme, ou même du tao des taoïstes. Si nous considérons le *li* comme l'essence formelle d'une chose, alors le *qi* serait son essence matérielle. C'est ce que Descartes appelle être «distinct». On n'affirme pas que le *li* et le *qi* sont séparés, mais qu'il s'agit de choses distinctes. En fait, le *li* et le *qi* ne sont jamais séparés car le *li* est inhérent au *qi*, il lui donne sa forme. Comme l'écrit Cheng Yo : «Dans le monde, tout est dominé par le *li*. Chaque chose doit avoir son *qi*. Chaque chose doit avoir son *li*.», *Papiers posthumes*, V, 18. Le *li* est immuable et éternel, tandis que le *qi* est temporel et changeant.

LE PRINCIPE SUPRÊME

Zhu Xi considérait que le *li* était unique et indivisible et que, en tant que tel, il constituait le principe suprême (*daiji*), comme l'avait expliqué Zhou Dunyi. Le *daiji* est tout et il est dans tout, c'est le *li* de l'Univers. Mais cela ne signifie pas que les choses sont des parties du *daiji*, que le *daiji* est divisible.

«Le *daiji* est reçu par chaque individu dans son entier. Il ressemble à la Lune qui brille dans le ciel. Elle se reflète dans les rivières et les lacs et pourtant nous ne pouvons pas dire qu'elle est divisée. » (*Propos, 94*).

Ainsi, de même que le reflet de la Lune dans une flaque d'eau n'est pas une fraction de rayon de lune, mais la Lune se reflétant dans une flaque d'eau, de même le *li* dans un individu n'est pas une certaine fraction du *li*, mais le *daiji* donnant forme à l'individu.

L'ÉCOLE DU PRINCIPE

C'est sur ce système métaphysique que s'appuient les conceptions politique et éthique de l'École du Principe. Chaque être humain, formé par le *daiji*, contient en lui-même quatre vertus : la bienveillance, la rectitude, le sens de ce qui convient et la sagesse. L'erreur ne survient que quand nous obéissons au *daiji* plutôt qu'à notre propre mélange de *li* et de *qi*. En pratique, cela veut dire que nous devons nous contenter de ce que demande la nature et éviter les besoins artificiels. Si chacun évite les désirs superflus, de façon à vivre en accord avec les principes naturels, il en résultera une société équilibrée et vertueuse.

De même que le reflet de la Lune dans une flaque d'eau n'est pas une fraction de rayon de lune, mais la Lune se reflétant dans une flaque d'eau, de même le li dans un individu n'est pas une certaine fraction du li, mais le li comme tout unifié – le daiji.

MAÏMONIDE

NÉ en 1135 à Cordoue	**MORT** en 1204 à Fostat en Égypte

PRINCIPAUX INTÉRÊTS Droit, éthique, métaphysique

INFLUENCÉ PAR Aristote, al-Farabi, Avicenne

A INFLUENCÉ Thomas d'Aquin, Albert le Grand, Spinoza

ŒUVRES PRINCIPALES
Le Guide des égarés
Mishnah Torah

Maïmonide est célèbre pour avoir redessiné la menorah juive, en soutenant que ce n'était pas un candélabre ordinaire. La forme de la menorah, qui est semblable à celle d'un arbre en pleine croissance, est plus destinée à donner une lumière spirituelle qu'une lumière physique.

Maïmonide (Moïse ben Maimon) naquit à Cordoue en Espagne de parents juifs espagnols. Son père ainsi que d'autres professeurs l'initièrent aux études rabbiniques, aux sciences et à la philosophie. Il avait treize ans quand sa famille quitta Cordoue, qui venait d'être conquise par les Almohades (des réformateurs nord-africains qui voulaient convertir de force les non-musulmans à l'islam). Après avoir erré de ville en ville dans l'Espagne chrétienne, la famille se rendit à Fès, où elle demeura quelque temps, ce qui permit à Maïmonide de poursuivre ses études – qui incluaient à présent la médecine – et de terminer sa première œuvre importante, *Le Livre de l'illumination*, un commentaire de la Mishnah.

Cependant, Fès se trouvait également soumise au pouvoir des Almohades. Bien que Maïmonide se soit efforcé d'échapper à l'attention des autorités, sa réputation intellectuelle croissante ne manquait pas de le faire remarquer, d'autant que son père et lui apportaient leur aide à la communauté juive, qui avait dû se convertir à l'islam mais continuait à pratiquer le judaïsme. Finalement, échappant de peu au désastre grâce à un ami musulman, ils durent s'enfuir en 1165.

La famille se rendit d'abord en Palestine, puis en Égypte, où elle s'établit à Fostat, dans la vieille ville du Caire. Lorsque le père, rabbi Maimon, mourut, ce fut le fils aîné qui entretint la famille grâce au commerce des pierres précieuses. Mais, en 1169, il périt en mer. Les économies de la famille, ainsi que de grosses sommes appartenant à d'autres marchands, furent englouties dans le naufrage. C'était désormais au plus jeune frère d'entretenir la famille, ce qu'il fit en pratiquant la médecine. Il y réussit très bien, au point de devenir le médecin du vizir Saladin. Il commença aussi à acquérir un grand renom parmi les communautés judaïques en tant que rabbin et entretint une correspondance avec beaucoup d'entre elles, donnant des conseils et usant de son influence politique pour aider ses coreligionnaires. Devenu chef des juifs égyptiens en 1177, il consacra beaucoup de temps à commenter le Talmud, tout en produisant sa plus grande œuvre non philosophique : la *Mishnah Torah*, une codification de la loi judaïque. Lorsqu'il mourut, son corps fut transporté en Palestine et enterré à Tibériade.

ARISTOTE ET LE JUDAÏSME

Comme pour ses pairs chrétiens et musulmans, la philosophie de Maïmonide se fonde sur l'aristotélisme mais, comme eux, s'en écarte lorsque les conceptions d'Aristote contredisent ses idées théologiques ou philosophiques. En fait, l'un de ses objectifs était de concilier la pensée rationnelle de l'aristotélisme avec les dogmes du judaïsme traditionnel. Sa thèse de la création du monde à un moment donné à partir de rien constitue sa principale différence avec Aristote. Mais ce qui le

La littérature rabbinique

Torah (enseignement) – Désigne tantôt les cinq premiers livres de la Bible (le Pentateuque), tantôt l'ensemble de la Bible hébraïque, tantôt l'enseignement oral juif, ou même l'ensemble de la loi judaïque.

Midrash – Exégèse traditionnelle de la Bible présente dans la littérature rabbinique.

Mishnah – Texte rabbinique du IIᵉ siècle de notre ère constitué à partir d'écrits antérieurs. Il porte principalement sur l'aspect légal de l'exégèse biblique.

Talmud – Principal texte rabbinique, c'est un commentaire de la Mishnah. Le Talmud palestinien date du IVᵉ siècle de notre ère, le Talmud babylonien du Vᵉ siècle.

distingue le plus des philosophes de son temps, c'est qu'il n'a pas produit d'ouvrage de philosophie théorique, qu'il s'agisse de commentaires d'Aristote (à l'exception d'un texte de jeunesse sur la logique) ou d'un exposé argumenté de ses propres vues. Ses écrits sont théologiques, juridiques ou pratiques et leur aspect philosophique tient à sa façon de leur appliquer ses idées philosophiques.

DISSIPER LES DOUTES

Son œuvre la plus philosophique et la plus importante est son *Guide des égarés*, qui exerça une influence considérable sur la philosophie européenne à partir du début du XIIIᵉ siècle. Et pourtant c'est un livre bien étrange. Il se présente comme s'il avait été écrit par un ancien étudiant de Maïmonide, Joseph ben Judah, et ne s'adresse qu'à des philosophes. Il est curieusement construit et souvent obscur. Fidèle à la coutume rabbinique, et à la conception de beaucoup de ses prédécesseurs musulmans (notamment de son contemporain **ibn Ruchd**), Maïmonide considérait que le discours philosophique (ou théologique) ne convenait qu'à un petit nombre de personnes. Par conséquent, il avait conçu son livre de telle manière qu'il ne soit intelligible que pour ceux qui auraient reçu une instruction suffisante. De plus il s'adresse aux croyants ayant des préoccupations philosophiques, puisqu'il considère comme établie la vérité du judaïsme et traite largement de problèmes soulevés par certains passages de la Bible. Il s'intéresse beaucoup aux interprétations anthropomorphiques de la Bible, auxquelles il s'oppose.

Il se consacre à la discussion (et généralement à la réfutation) des œuvres de philosophes antérieurs, expose nombre de preuves de l'existence de Dieu et traite des attributs divins, au sujet desquels il adopte la doctrine des attributs négatifs, selon laquelle la nature essentielle de Dieu ne peut être comprise qu'en disant ce qu'il n'est pas. Il n'est pas limité en puissance ou en savoir, et ainsi de suite. Tout attribut positif sera nécessairement inapproprié.

Maïmonide a vécu dans une société islamique. En Égypte, il fut l'un des médecins de la cour du vizir Saladin qui combattit les croisés en Terre sainte. D'après certains témoignages, sa réputation de médecin était si grande que même les croisés firent appel à lui.

En bref :

La philosophie est la plus haute forme de pensée, mais quand elle n'apporte pas de réponse la révélation y pourvoit.

ROGER BACON

NÉ vers 1214 à Ilchester	**MORT** en 1292 à Oxford

PRINCIPAUX INTÉRÊTS Sciences, épistémologie

INFLUENCÉ PAR Aristote, Augustin, al-Kindi, Avicenne, Averroès, Robert Grosseteste

A INFLUENCÉ Les sciences expérimentales

ŒUVRES PRINCIPALES
Opus majus
Opus minus
Opus tertius
Compendium philosophiæ

La science expérimentale est la maîtresse des sciences spéculatives. Elle seule peut nous fournir des vérités importantes au sein du domaine des autres sciences, vérités que ces sciences ne peuvent atteindre d'aucune autre façon.

Opus majus

On sait peu de chose de la jeunesse de Bacon, qui naquit à ou près d'Ilchester dans le Somerset. Ses parents étaient riches, mais ils perdirent leurs biens pour avoir choisi le mauvais parti dans la guerre entre Henri III et Simon de Montfort. Il étudia à Oxford, puis se rendit à Paris, où il obtint un diplôme vers l'âge de trente-trois ans et enseigna pendant quelque temps. À cette époque, il était interdit d'enseigner une grande partie de l'œuvre d'Aristote – la philosophie naturelle et sans doute la *Métaphysique* – à l'université de Paris (en 1245, le pape étendit cette interdiction à l'université de Toulouse). Bacon ne fut pas le seul à n'en tenir aucun compte ; tout au long de sa carrière il semble s'être moqué des règlements.

Son goût pour les sciences lui venait de l'enseignement des Franciscains à Oxford et à Paris (et peut-être, parmi eux, de Robert Grosseteste). Quelques années après son retour à Oxford, en 1248, il entra lui-même dans l'ordre des Franciscains. Cela avait beaucoup d'importance à l'époque, car les Franciscains étaient, avec les Dominicains, l'ordre chrétien le plus intellectuel. Néanmoins, cela se révéla une erreur. Après qu'il eut longtemps enseigné, écrit et pratiqué l'expérimentation, l'ordre lui imposa une censure. Il lui était interdit de publier ou de travailler à l'extérieur de l'ordre sans la permission de ses supérieurs. La raison de cette mesure n'est pas très claire. Elle tient probablement à son mépris affiché des théologiens et à son intérêt sans mesure

En bref :

La science exige une observation attentive et elle s'appuie sur les mathématiques.

pour les sciences naturelles, qui s'étendait jusqu'à l'astrologie et à la recherche de la pierre philosophale.

Il fut un temps emprisonné à Paris, mais c'est à la demande du pape Clément IV qu'il écrivit l'*Opus majus* (le grand œuvre), l'*Opus minus* (l'œuvre mineur) et l'*Opus tertius* (le tiers œuvre), dont l'ensemble forme son écrit le plus important. Peut-être est-ce grâce à l'intervention du pape, ou en raison de sa santé chancelante, qu'il fut autorisé à revenir à Oxford vers 1289. Il y écrivit un dernier livre (le *Compendium theologiæ*) avant de mourir.

MYTHE ET MAGIE

Bacon était un étrange personnage. Il y avait d'un côté en lui un savant empirique réaliste ainsi qu'un philosophe rigoureux, et d'un autre côté un esprit crédule qui acceptait mythes, légendes et chimères. C'est ce qui fait qu'on lui attribua plus tard toutes sortes de choses, par exemple l'invention des lunettes et de la poudre à canon. Il réalisa d'importants travaux en optique, mais rien n'atteste la première invention. Et les Arabes, dont les œuvres lui étaient bien connues, utilisaient déjà la

La pierre philosophale

*La découverte de la pierre philosophale
fut l'un des buts des alchimistes
du Moyen Âge. Il s'agissait d'une
substance si parfaite qu'elle pourrait
servir à augmenter la qualité des métaux,
jusqu'à les transformer en or.*

*Vue nord du logement
de frère Bacon à Oxford.
On disait que sa maison
sur Folly Bridge avait servi
à des expériences d'alchimie
et d'occultisme.*

poudre. On évoque aussi ses pouvoirs occultes. Il y a sur Folly Bridge, à Oxford, une maison que l'on désigne comme le lieu de ses exploits dans le domaine de la magie. Cet aspect de sa vie fut amplifié par des auteurs du XVIᵉ siècle qui rassemblèrent, embellirent et transmirent la légende populaire d'un Bacon magicien.

L'ÉPISTÉMOLOGIE

Bien plus conséquentes sont les réflexions de Bacon sur la perception, sur le rôle central de l'observation dans l'acquisition du savoir et sur l'utilité des mathématiques dans les sciences ainsi que dans les questions pratiques. À propos de ce dernier point, qui est essentiel pour le développement de la science, il proclame conjointement deux choses : que les mathématiques doivent être la base et le soutien de la science expérimentale, et qu'elles doivent être étudiées en premier. Il utilise huit arguments pour étayer ce point de vue, les deux plus importants étant d'abord que la science a besoin de la certitude et de la clarté des mathématiques, et ensuite que la connaissance mathématique étant « presque innée » (nous dirions aujourd'hui que c'est une connaissance a priori) et ne nécessitant pas de justification par l'expérience ou l'étude, elle convient pour fonder un savoir auquel manque une telle justification.

Pourtant, même dans des questions comme celle de la valeur de l'expérience, sa nature double apparaît, car il fait jouer non seulement l'expérience perceptive provenant de l'observation et de l'expérimentation, mais aussi l'illumination divine de l'esprit. De même, bien qu'il connût parfaitement les philosophies antique et musulmane, il considérait comme authentiques des œuvres apocryphes attribuées à Aristote, comme *Le Livre des causes* et *Le Secret des secrets* (cette dernière étant censée être une lettre d'Aristote à Alexandre le Grand contenant, outre des conseils politiques avisés, des passages sur l'astrologie, la numérologie et l'utilisation magique des herbes).

Ainsi, Bacon aurait pu être une figure centrale dans l'histoire de la philosophie, mais son immaturité intellectuelle l'a placé en retrait. Néanmoins, ses capacités étaient telles qu'il a marqué la vie intellectuelle de son temps, surtout après sa mort.

THOMAS D' AQUIN

| **NÉ** vers 1225 à Roccasecca en Italie | **MORT** en 1274 à Fossanuova, Italie |

PRINCIPAUX INTÉRÊTS Métaphysique, épistémologie, éthique, politique

INFLUENCÉ PAR Aristote, Boèce, Érigène, Anselme, Averroès, Maïmonide

A INFLUENCÉ Tous ceux qui sont venus après lui

ŒUVRES PRINCIPALES
Somme contre les gentils
Somme théologique

Comme tous les aristotéliciens du Moyen Âge, Thomas d'Aquin comprenait Aristote à travers les filtres de ses prédécesseurs (dans son cas, le néoplatonisme, les philosophes musulmans, Maïmonide et Denys l'Aréopagite) ainsi qu'à travers sa vision chrétienne du monde. Il avait toutefois un certain avantage sur les philosophes antérieurs puisqu'il avait accès à des traductions d'Aristote en latin, nouvelles et plus précises.

Né dans une famille aristocratique (son père était le comte d'Aquin et sa mère la comtesse de Teano), Thomas d'Aquin reçut sa première instruction à l'abbaye bénédictine voisine du mont Cassin. Il poursuivit ses études à l'université de Naples de 1239 à 1243. Il y reçut l'enseignement de Pietro Martini et de Pierre d'Irlande, et l'année suivante entra chez les Dominicains. Sa famille était hostile à son ordination. Son père étant mort, ses frères le retinrent en captivité pendant un an pour le faire renoncer à sa décision. N'y étant pas parvenus, ils le relâchèrent.

Il se rendit d'abord à Rome, puis à Paris et enfin à Cologne, où il suivit Albert le Grand (1200-1280). Au début, sa forte stature et ses manières tranquilles poussèrent ses condisciples à le surnommer le «bœuf stupide», mais Albert, devinant ses aptitudes, fit cette prophétie célèbre : «Nous traitons ce garçon de bœuf stupide, mais un jour son beuglement retentira sur toute la Terre.»

Après quelques allers et retours entre Cologne et Paris, période durant laquelle il fut ordonné prêtre, Thomas d'Aquin s'installa à Paris en 1252 pour poursuivre ses études et, en 1256, il obtint sa maîtrise, qui lui permettait d'enseigner (il fallut une dispense papale car il n'avait pas encore l'âge requis). Cette même année, il publia son premier livre (sur l'œuvre du théologien italien Pierre Lombard), et tout au long de sa carrière, il ne cessa d'écrire et de publier. En 1259, il fut

En bref :

Il n'y a pas deux vérités, c'est pourquoi si la philosophie et la religion sont en désaccord, l'une des deux doit avoir tort, et la raison est le seul instrument qui nous permette de les départager.

nommé conseiller auprès du pape. Il passa neuf années à voyager avec le pontife et revint à Paris en 1268.

Pendant les trois ou quatre années suivantes, il combattit les averroïstes, qui avaient à leur tête Siger de Brabant (1240-1284), et les franciscains augustiniens, conduits par l'Anglais John Peckham (1225-1292). En 1272, il fut envoyé à Naples et là, un an plus tard, il s'arrêta brusquement d'écrire en disant : «De telles choses m'ont été révélées que ce que j'ai écrit me paraît à présent un brin de paille.» Il tomba malade au cours d'un voyage entre Naples et Lyon, et mourut à l'abbaye de Fossanuova en 1274.

RÉCONCILIER LA RELIGION ET LA PHILOSOPHIE

L'œuvre philosophique de Thomas d'Aquin s'enracine dans une conviction, déjà formulée par Averroès : étant donné que la philosophie et la science conduisent à la vérité, si quelqu'un croit à la vérité de la religion, il ne peut y avoir de désaccord entre ces trois domaines. De plus, il pensait que la vérité de la philosophie et de la science coïncidait

Enluminure représentant un monstre marin sur un manuscrit médiéval du De Natura Rerum d'Albert le Grand. Thomas d'Aquin fut l'élève d'Albert, qui continua à l'inspirer durant toute sa vie. Albert prônait ce qu'on appellerait aujourd'hui une approche scientifique dans la compréhension du monde, à une époque où l'on croyait que la connaissance ne pouvait venir que de l'étude des Écritures.

avec l'œuvre du « philosophe », à savoir **Aristote**. Il était convaincu que, pour l'essentiel, les thèses philosophiques et scientifiques d'Aristote étaient vraies, et donc qu'elles devaient nécessairement être en accord avec celles de la religion révélée, en particulier avec le contenu de la Bible. Lorsqu'on trouvait un désaccord, c'est qu'il y avait eu une mauvaise interprétation, ce qui globalement voulait dire une mauvaise interprétation de la Bible plutôt que d'Aristote. Après tout, l'œuvre d'Aristote était directe et claire, tandis que la Bible se présentait sous la forme de narrations, de récits historiques, de poèmes, de paraboles et d'autres discours semblables.

Cela ne veut pas dire que Thomas d'Aquin adhérait servilement à la philosophie d'Aristote. Souvent, il approfondissait, développait ce qu'Aristote avait écrit, ou tout simplement le retravaillait, soit pour des raisons religieuses, soit parce qu'il percevait des problèmes ou des raisonnements qui avaient échappé à Aristote. Néanmoins, alors qu'Augustin avait retenu de la pensée de Platon ce qui correspondait à la doctrine chrétienne et modifié ce qui s'en écartait, Thomas d'Aquin était plutôt porté, non pas à amender, mais à réinterpréter la doctrine chrétienne lorsqu'elle divergeait de la pensée d'Aristote.

RAISON ET RÉVÉLATION

Thomas d'Aquin se trouvait en complet désaccord avec Averroès en ce qui concerne les relations entre religion et philosophie, et ce fut la principale raison de la vigueur de son opposition aux averroïstes. Alors que le philosophe musulman et ses épigones chrétiens soutenaient que la philosophie et la religion révélée étaient entièrement indépendantes l'une de l'autre, Thomas d'Aquin pensait qu'elles entretenaient des relations plus complexes. Connaissance philosophique et connaissance religieuse doivent coïncider, puisque l'idée qu'il puisse exister des vérités contradictoires est absurde et contraire au but recherché. Il y a donc un royaume de la connaissance auquel on peut avoir accès soit par la philosophie, soit par la révélation (par exemple, l'existence de Dieu). Toutefois, une grande partie de ce royaume peut être atteinte par la philosophie seule (ainsi la connaissance du monde naturel), et une autre partie par la seule révélation (par exemple l'Incarnation et la Trinité).

D'un côté, Thomas d'Aquin considérait qu'il protégeait la théologie chrétienne contre les conceptions des averroïstes ; de l'autre, il protégeait la philosophie et les sciences contre le courant antirationaliste présent dans l'Église. Ses adeptes, les thomistes, devaient avoir une très grande influence sur le développement de la théologie chrétienne, notamment catholique. La rigueur et la clarté de pensée de Thomas d'Aquin marquèrent également le cours de la philosophie.

La grande réalisation de Thomas d'Aquin fut d'intégrer l'apport d'Aristote dans une philosophie chrétienne inspirée par le platonisme.

L'homme aspire au bonheur par nécessité ; il ne peut ni vouloir ne pas être heureux, ni vouloir être malheureux.

Somme théologique

GUILLAUME D' OCKHAM

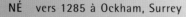

NÉ vers 1285 à Ockham, Surrey	MORT en 1349 à Munich

PRINCIPAUX INTÉRÊTS Epistémologie, logique

INFLUENCÉ PAR Aristote, Porphyre, Duns Scot

A INFLUENCÉ Buridan, Suarez, Descartes, Locke, Leibniz, Berkeley, Hume

ŒUVRES PRINCIPALES
Commentaire sur les sentences
Quodlibet
Somme logique

L'expression «rasoir d'Ockham » se réfère au principe selon lequel nous ne devons pas, dans nos théories, multiplier les entités plus qu'il n'est nécessaire. En fait, on trouve déjà ce principe chez Aristote et chez de nombreux prédécesseurs médiévaux d'Ockham, mais l'expression «rasoir d'Ockham» n'est formulée explicitement ni chez eux, ni dans l'œuvre d'Ockham. On s'est servi de son nom parce qu'il applique ce principe de manière particulièrement rigoureuse.

Né dans le village d'Ockham aux environs de 1285 (les dates varient de 1280 à 1289 selon les auteurs), Guillaume entra chez les Franciscains (probablement à Londres) avant d'aller étudier à Oxford et à Paris. On a des raisons de penser qu'il fut l'élève de Duns Scot à Paris. Il est sûr en tout cas qu'il fut fortement influencé par cet autre franciscain. À son retour à Oxford, il ne parvint pas à obtenir sa maîtrise (qui lui aurait permis d'enseigner) parce que le chancelier de l'université, le trop zélé thomiste John Lutterell, l'accusa en 1323 d'«enseignement erroné». Il fut donc convoqué à la cour papale d'Avignon pour que ses écrits soient soumis à enquête.

Mais Ockham ne fut jamais poursuivi, parce que l'enquête n'aboutit pas. Pendant qu'il attendait à Avignon, arriva dans cette ville le ministre général des Frères mineurs, Michel de Césène, venu enquêter sur les critiques adressées au pape par Ockham sur la question de la pauvreté de Jésus et des apôtres. Or les deux hommes firent alliance et quittèrent ensemble Avignon (ils furent tous deux excommuniés). Ils se rendirent à Pise, acceptant la protection de Louis de Bavière, l'empereur du Saint-Empire romain germanique, qui était l'ennemi du pape. De Pise, ils voyagèrent avec Louis jusqu'à Munich. C'est là que vécut Guillaume pendant les trente années qui suivirent, rédigeant des libelles contre la papauté et en faveur de la séparation de l'Église et de l'État, ainsi que des œuvres philosophiques et théologiques. En 1347, la mort de Louis laissa Guillaume dans une situation

difficile. Il se prépara à une réconciliation avec le pape, mais mourut, probablement de la Peste noire, avant que celle-ci soit réalisée.

Comme pour Duns Scot, l'œuvre principale de Guillaume d'Ockham est son commentaire des *Sentences* de Pierre Lombard. Il écrivit également sur **Aristote** et sur Porphyre, sur la physique et sur la logique. Sa *Somme logique* résume l'ensemble de la logique.

En bref :
Seuls les individus restent.

LE RASOIR

Ockham fut l'un des principaux penseurs à s'opposer à la conception que se faisait Thomas d'Aquin des relations entre philosophie et religion. Pour lui, il n'était guère possible de démontrer des dogmes comme celui des attributs divins, de la création, et surtout de l'immortalité de l'âme. De telles croyances ne relevaient que de la révélation. Il fut aussi l'un des principaux – et peut-être le plus grand – défenseurs du nominalisme, en niant l'existence des universaux, à savoir des propriétés indépendantes des choses elles-mêmes.

Il nous faut bien invoquer ces propriétés de façon à expliquer le monde de notre expérience, toutefois (ici intervient le rasoir) nous ne devons pas les inclure dans nos théories.

La papauté en Avignon

Entre 1309 et 1377, la papauté, quittant le Vatican, s'installa dans le palais des Papes en Avignon. Les papes ne se sentaient plus en sécurité à Rome, où Boniface III avait été arrêté dans son palais par des mercenaires du roi de France. Ce qui fut appelé la captivité babylonienne.

Le palais des Papes en Avignon

Bien entendu, comme dans la plupart des controverses de cette sorte, les adversaires d'Ockham – les réalistes – ne niaient pas l'utilité du rasoir d'Ockham. Ils disaient simplement que les universaux sont nécessaires pour comprendre le monde.

Le nominalisme d'Ockham ne se limitait pas aux universaux. Il appliquait son rasoir à d'autres concepts métaphysiques comme celui de temps, en remarquant que, de même que les gens se servent à tort du mot «rougeur», comme si flottait autour de nous une couleur abstraite, indépendante des choses rouges, de même ils pensent à tort que parler de ce qui se produit dans le temps signifie qu'il existe une réalité nommée «temps», c'est-à-dire une sorte de contenant des événements. Cependant, il ne soutenait pas que des thèses négatives. L'un de ses intérêts principaux était la logique, et il s'en servait pour montrer que le rôle des universaux dans le langage et la compréhension pouvait être rempli sans qu'il soit besoin d'admettre leur existence. En même temps qu'à la logique, Ockham s'intéressait à la religion et en particulier au problème de la toute-puissance de Dieu, mais il prenait bien garde à ne pas pousser sa thèse trop loin. L'idée que Dieu a créé le monde d'une façon toute différente de ce que nous en percevons, associée aux principes logiques d'Ockham, pouvait conduire à un scepticisme extrême concernant l'expérience. Or, tout en étant sceptique dans une certaine mesure, il ne verse jamais dans un scepticisme généralisé.

LA LOGIQUE MODALE

Bien qu'il ait écrit des choses intéressantes sur certains points de la philosophie de la religion (par exemple sa théorie du commandement divin dans la morale) et que son nominalisme ait beaucoup compté dans le développement futur de la philosophie du langage et de la métaphysique, son influence principale se situe dans le domaine de la logique, notamment dans l'élaboration de la logique de la possibilité et de la nécessité. Toutefois, l'émergence de la logique et de la méthode scientifique au cours du XIVe siècle fut balayée par la Renaissance. La science revint au premier plan au XVIe siècle, mais la logique dut attendre trois cents ans pour connaître un nouveau développement.

Pourtant, il ne serait pas exagéré de dire que, conjointement à Duns Scot, Ockham a placé la philosophie sur une voie qui a conduit plus ou moins directement aux empiristes des XVIIe et XVIIIe siècles, autrement dit à ce que beaucoup considèrent comme l'âge d'or de la philosophie britannique.

On peut prouver à l'évidence qu'aucun universal n'est une substance existant en dehors de l'esprit.

Somme logique, Opera Philosophica

JEAN DUNS SCOT

NÉ vers 1266 à Duns

MORT en 1308 à Cologne

PRINCIPAUX INTÉRÊTS Logique, métaphysique

INFLUENCÉ PAR Aristote, Avicenne, Thomas d'Aquin

A INFLUENCÉ Ockham, Peirce, Heidegger

ŒUVRES PRINCIPALES

Questions quodlibétiques

Du premier principe de toutes choses

Commentaire sur les Sentences de Pierre Lombard

Selon la doctrine de l'Immaculée Conception, Marie, mère de Jésus, est née sans péché, c'est-à-dire sans la tache du péché originel. Il faut la distinguer de la doctrine de la naissance de Jésus, qui provient d'une traduction fautive du texte grec.

Au Moyen Âge, dans la bataille continuelle entre les partisans de Duns Scot et ceux de Thomas d'Aquin, ce sont ces derniers qui l'emportèrent. Le terme «dunce» (cancre, en anglais) vient de Dunsman et en est l'une des conséquences.

Duns Scot naquit à Duns dans le Berwickshire et reçut sa première instruction au monastère franciscain de Dumfries. C'est vers 1281 qu'il devint moine franciscain. Dix ans plus tard, il fut ordonné prêtre à Northampton. Dans l'intervalle, il poursuivit sans doute ses études à Oxford. En 1302, il y donnait des cours. En 1303, il se rendit à Paris, mais dut quitter la France à cause d'un conflit entre le roi et le pape. Il retourna à Paris l'année suivante, acheva ses études et élabora la doctrine de l'Immaculée Conception (qui devint dogme catholique en 1854). Cela lui valut le surnom de «docteur marial». En 1307, son ordre l'envoya à Cologne, où il enseigna jusqu'à sa mort, survenue l'année suivante. Il exerça une grande influence pendant les deux siècles qui suivirent, puis aux XIXe et XXe siècles.

Duns Scot écrivit assez peu. Beaucoup de textes qu'on lui a d'abord attribués se sont révélés appartenir à d'autres auteurs. Une partie du reste se présente comme des notes de cours prises par ses étudiants, ou comme des œuvres écrites pour son propre usage et non pour la publication. Ses thèses philosophiques sont plus complètement exposées dans les cours qu'il donna sur les *Quatre Livres de sentences*, du théologien Pierre Lombard (1100-1160). On a rassemblé, édité et annoté plusieurs versions de ce texte, les plus importantes étant l'*Opus oxoniensis* (le commentaire d'Oxford), édité et révisé par Duns Scot lui-même, et sa forme abrégée, les *Reportata parisiensa* (le commentaire de Paris).

En bref :

Tout individu ou toute chose a une " quiddité " unique, une essence propre qui fait que cet individu ou cette chose sont ce qu'ils sont.

Tout en étant réaliste, il ne partageait pas à d'autres égards les vues de Thomas d'Aquin, et en particulier l'idée que la philosophie et la théologie sont des disciplines distinctes (la philosophie étant entièrement indépendante de la théologie, alors que celle-ci a besoin des outils conceptuels de la philosophie). Il rejetait également l'idée que la révélation divine (ou «illumination») est nécessaire pour toute forme de connaissance. Et, pour lui, la perception permet une connaissance directe des individus, tandis que Thomas d'Aquin pensait que la médiation des universaux était nécessaire.

Parmi les contributions les plus importantes et les mieux connues de Duns Scot, on trouve son analyse de la volonté et sa discussion sur la nécessité et la possibilité. Mais ce qui le rend intéressant et lui donne sa valeur, ce sont la rigueur et la profondeur de ses arguments qui font de lui l'un des philosophes scolastiques les plus éminents.

NICOLAS DE CUES

NÉ en 1401 à Cues en Rhénanie	**MORT** en 1464 à Todi, Toscane

PRINCIPAUX INTÉRÊTS Politique, métaphysique

INFLUENCÉ PAR Augustin, Proclus, Boèce, Érigène, Anselme

A INFLUENCÉ Copernic, Giordano Bruno, Leibniz, Spinoza

ŒUVRES PRINCIPALES

De la docte ignorance

Idiota

La Chasse de la sagesse

Ce n'est pas seulement l'Univers tout entier qui est un reflet de Dieu, mais aussi chacune de ses parties et notamment les êtres humains. Chaque chose, chaque personne est un microcosme, une minuscule version de l'Univers. Cette conception fut plus tard reprise et développée par **Leibniz.**

Nicolas Krebs naquit à Cues sur la Moselle, entre Trèves et Coblence. Il reçut sa première instruction à Deventer, aux Pays-Bas, dans une école tenue par les frères de la Vie commune, ordre monastique créé par le mystique hollandais Gerhard Groote (1340-1384). En 1416, il partit étudier la philosophie à l'université de Heidelberg, se rendit à Padoue l'année suivante pour y étudier le droit canon et obtint son doctorat en 1423. Ensuite, il étudia la théologie à Cologne et travailla auprès du légat du pape en Allemagne comme assistant juriste.

Il souhaitait des réformes politiques. Vers 1433, il écrivit *La Concordance catholique*, où il proposait que des conseils d'église aient la suprématie sur le pape. Il participa activement au concile de Bâle comme délégué et comme juriste, mais comme le concile ne parvint pas à décider des réformes, il se rallia au pape. Cela favorisa sa carrière et l'amena à effectuer de nombreuses missions pour le pape. En 1448, il fut nommé cardinal et, en 1450, devint évêque de la principauté ecclésiastique de Brixen (actuellement Bressanone, en Italie). Il entra en conflit avec l'archiduc Sigismond, qui ne partageait pas ses intentions réformatrices, au point qu'il le fit emprisonner (il fut d'ailleurs excommunié pour ce fait). Nicolas de Cues mourut à Todi, en Toscane, à l'âge de soixante-trois ans.

Nicolas de Cues se situe à la transition du Moyen Âge et de la Renaissance. Ses références médiévales comprennent les présupposés chrétiens qui sous-tendent sa philosophie, mais il

rejette l'aristotélisme au profit du néoplatonisme, changement qui caractérise bien la Renaissance. Son importance vient de sa théologie négative, selon laquelle la nature de l'Univers reflète celle de Dieu. Les êtres humains ne peuvent connaître Dieu ; tout ce que nous pouvons savoir, c'est que nous sommes ignorants, c'est pourquoi nous ne pouvons savoir de Dieu (et de l'Univers) que ce qu'il n'est pas. Par exemple, qu'il n'est pas limité, qu'il est infini. Dans la mesure où l'Univers reflète Dieu, lui aussi doit être sans limites (bien qu'il ne soit pas véritablement infini). Par conséquent, la Terre ne peut être le centre de l'Univers, puisqu'il n'y a pas de centre dans un espace sans limites. On ne peut dire non plus qu'elle soit au repos, car le mouvement ou le repos sont des notions relatives qui dépendent de l'observateur. Remarquons bien toutefois que cette idée, qui semble très moderne, repose non sur la science mais sur la pensée mystique.

Sur le plan politique, Nicolas de Cues n'acceptait pas la monarchie de droit divin. Pour lui, les monarques tiennent leur autorité de leurs sujets. Cette thèse fut aussi celle de **Suarez**, et fut reprise par des philosophes du début de l'époque moderne, comme **Locke.**

En bref :

Tel au-dessus, tel au-dessous ; la nature du créateur se reflète dans la nature du monde créé.

NICOLAS MACHIAVEL

| NÉ en 1469 à Florence | MORT en 1527 à Florence |

PRINCIPAUX INTÉRÊTS Politique, éthique

INFLUENCÉ PAR Aristote, Cicéron

A INFLUENCÉ Hobbes, Montesquieu, Rousseau, Nietzsche

ŒUVRES PRINCIPALES
Le Prince
Discours sur la première décade de Tite-Live
L'Art de la guerre

La philosophie politique a commencé avec La République de **Platon**, *mais la science politique est née avec Machiavel. La science politique ne s'intéresse pas à ce qu'il faudrait faire ou à la meilleure forme de gouvernement, elle s'intéresse à ce qui se passe réellement, à la forme de gouvernement la plus efficace.*

Machiavel naquit à Florence, ville dirigée par la famille des Médicis. Cette cité-État était opulente et cependant vulnérable à une attaque extérieure, culturellement riche mais politiquement instable. Nous savons peu de choses sur le début de sa vie. Le premier document dont nous disposions est une lettre d'affaires datant de la fin de l'année 1497.

Toute sa vie, Machiavel chercha à réaliser un rêve, celui d'une Italie unifiée qui serait assez forte pour se prémunir des invasions et des guerres civiles. Jusqu'au retour des Médicis, en 1512, il exerça la fonction de secrétaire du Conseil des Dix, qui dirigeait l'action militaire et diplomatique de la République de Florence. Cela le conduisit à effectuer des missions en France et en Allemagne, où il rencontra César Borgia, personnage cruel et rusé qui appartenait à la famille du pape. Machiavel n'aimait ni l'homme ni sa politique, mais il pensait que seul un dirigeant d'une telle force et d'une telle habileté pouvait permettre à Florence d'unifier l'Italie.

Lorsque les Médicis reprirent le pouvoir à Florence, ils mirent fin à la république et Machiavel fut impliqué (faussement, semble-t-il) dans un complot contre eux. Il fut arrêté, torturé, puis finalement libéré et condamné à une simple amende. Cela suffisait pourtant à l'écarter du gouvernement. Aussi passa-t-il les quinze années suivantes dans son domaine des environs de Florence, où il écrivit ses livres les plus connus : *Il Principe* (*Le Prince*, 1513) et *Discorsi sopra la prima deca di Tito Livio*

Dans le texte :

Un prince, et surtout un prince nouveau, ne peut observer toutes ces choses pour lesquelles les hommes sont tenus pour bons, étant obligé, pour maintenir l'État, d'agir contre la foi, contre la charité, contre l'humanité et contre la religion.

Le Prince , chap. XVIII

(*Discours sur la première décade de Tite-Live*, 1517). Le premier ouvrage était dédié à Laurent de Médicis, qui dirigeait Florence de facto. Mais ses tentatives pour rentrer en grâce auprès des Médicis n'obtinrent aucun succès. Elles eurent cependant pour effet que, lorsque la république fut restaurée en 1527 (pour disparaître à nouveau en 1531), il fut aussi écarté des affaires par les républicains. C'est cette même année qu'il mourut.

Dans *Le Prince*, Machiavel considère que la notion médiévale de prince incarnant toutes les vertus est artificielle et dangereuse. Le prince idéal est celui qui fait ce qui est nécessaire, ce qui réussit, plutôt que ce qui est moralement louable. Il précise bien toutefois que son sujet porte sur les monarchies. D'autre part, dans les *Discours*, Machiavel adopte ouvertement le point de vue républicain. Bien des thèses sont semblables, mais plus élaborées, et pourtant le livre donne une impression toute différente du radicalisme du *Prince*.

FRANCISCO SUAREZ

| **NÉ** en 1548 à Grenade | **MORT** en 1617 à Lisbonne ou Coïmbra |

PRINCIPAUX INTÉRÊTS Métaphysique, droit, politique

INFLUENCÉ PAR Aristote, Thomas d'Aquin, Guillaume d'Ockham

A INFLUENCÉ Grotius, Descartes, Leibniz, Wolff, Schopenhauer

ŒUVRE PRINCIPALE
Dissertations métaphysiques

On considère habituellement que la scolastique s'est éteinte au milieu du XVᵉ siècle, peu à peu remplacée par l'humanisme de la Renaissance, qui précède les débuts de la philosophie moderne. Il y eut pourtant un regain de la pensée scolastique dans l'Espagne du XVⁱᵉ siècle. Il était conduit par des théologiens et des philosophes jésuites et dominicains. Le plus grand d'entre eux fut Suarez, mais Francisco de Vitoria (1480-1546) ut également un penseur important, moins pour sa contribution philosophique que pour ses œuvres juridiques.

Suarez est né à Grenade. Il était le fils d'un juriste. À l'âge de seize ans, il entra chez les Jésuites à Salamanque, où il étudia pendant cinq ans. Il échoua deux fois à son examen d'entrée, mais fut un élève brillant en philosophie, avant d'étudier la théologie. Ensuite, il enseigna la philosophie à Avila et à Ségovie, fut ordonné prêtre en 1572 et devint professeur de théologie. Il enseigna même à Rome, où le pape assista à sa leçon inaugurale. Malgré son enseignement et ses voyages, il fut un auteur prolifique. Il écrivit sur le droit, sur les relations de l'Église et de l'État, sur la métaphysique et sur la théologie. Pendant sa vie, il était considéré comme le plus grand philosophe et théologien vivant, et sa réputation se développa encore après sa mort. Il est généralement tenu pour le plus grand philosophe scolastique après Thomas d'Aquin. Ses principales contributions portent sur la métaphysique et la philosophie du droit.

La métaphysique, disait-il, est la science de l'être – c'est-à-dire des essences réelles et de l'existence. L'être réel (opposé à l'être conceptuel) peut être soit immatériel, soit matériel, mais la métaphysique s'intéresse surtout au premier. Tout en admettant, avec les scolastiques qui l'ont précédé, que, dans le cas de Dieu, l'essence et l'existence sont identiques, il ne partageait pas l'idée que, dans le cas de la créature, des êtres finis, l'essence et l'existence sont vraiment distinctes (autrement dit, peuvent exister séparément). Il pensait plutôt qu'elles ne sont distinctes que conceptuellement (on peut les concevoir séparément). En

ce qui concerne les universaux, il était nominaliste et considérait que nous avons une connaissance directe des individus.

Dans le domaine juridique, son importance réside dans son étude de la loi naturelle, ainsi que dans ses thèses sur le droit humain et le statut du monarque. Suarez s'oppose à la théorie du contrat social qui devait dominer les débuts de la philosophie politique moderne, à savoir que les hommes sont sociaux par nature (et ainsi créés par Dieu) et qu'ils ont le pouvoir de se donner des lois. Il pense plutôt que, quand une société politique se forme, le peuple choisit sa nature, puis confie le pouvoir législatif au gouvernement. Si on impose un gouvernement au peuple, celui-ci a le droit de se révolter et peut même tuer le tyran. Si le dirigeant qu'il a choisi se comporte mal, il a également le droit de se révolter – il a donné le pouvoir, il peut donc le reprendre – mais il doit agir avec justice et ne peut tuer le tyran.

Dans le texte :

Toutes les autres sciences se servent souvent de principes métaphysiques, ou les présupposent pour conduire leurs démonstrations ou leurs arguments ; et ainsi il arrive souvent que, dans ces autres sciences, des erreurs se produisent à cause d'une ignorance de la métaphysique.

Dissertations métaphysiques *I, iv, 5*

Dans la philosophie européenne, la période moderne s'étend du début du XVIIᵉ siècle, avec Descartes, jusqu'au début du XIXᵉ, lorsque Kant fit entrer la pensée dans une ère nouvelle. Cette délimitation, qui comporte une part d'arbitraire, a été choisie en fonction d'un certain type de préoccupations philosophiques.

Beaucoup s'accordent cependant pour considérer que Descartes n'a pas seulement inauguré une nouvelle approche de la philosophie mais que, dans tous les domaines de cette discipline,

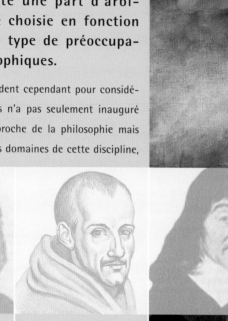

1588

1588

1596

1619

il a exercé sur la postérité une influence profonde. On convient également que l'œuvre de Francis Bacon opère un changement dans la nature des sciences physiques et dans les relations entre philosophie et science. La fin de la période moderne est moins nette. En ce qui concerne la métaphysique et l'épistémologie, ainsi que l'éthique dans une certaine mesure, l'œuvre de Kant oriente la philosophie dans des directions nouvelles mais, dans d'autres

1588   Défaite de l'Invincible Armada

1591   Défaite de l'empire Songhai par les troupes marocaines

1593   Édit de Nantes

1603   Union des couronnes anglaise et écossaise

ÉPOQUE MODERNE
1600–1800

1605   Complot des poudres

1609   Indépendance des Pays-Bas
Expulsion d'Espagne de 250 000 morisques

1616   Mort de Shakespeare et de Cervantès
Édit de l'Inquisition contre l'astronomie de Galilée

1618   Début de la guerre de Trente Ans

1620   Les pèlerins puritains s'installent en Nouvelle-Angleterre

1640   Début du «Long Parlement»

1642   Guerre civile anglaise

1644   Les Mandchous instituent la dynastie Qing

1648   Fin de la guerre de Trente Ans

1649   Fin de la guerre civile anglaise. Exécution de Charles Ier

1653   Cromwell devient lord-protecteur

1658   Mort de Cromwell

1660   Restauration de la monarchie en Angleterre sous Charles II

1665   Grande peste de Londres

1666   Grand incendie de Londres

1672   Assassinat des frères de Witt à Amsterdam

1638

1632

1673	Le « Test Act » exclut les non-anglicans des emplois publics en Angleterre
1683	Siège de Vienne par les Turcs
1685	Révocation de l'édit de Nantes
1688	Révolution non sanglante. Guillaume III et Marie II accèdent au trône d'Angleterre
1692	Massacre de Glencoe
1707	Acte d'union des Parlements anglais et écossais
1715	Défaite des jacobites à Preston et Sherrifmuir
1723	Mort de Christopher Wren
1746	Bataille de Culloden
1750	Mort de Jean-Sébastien Bach
1751	Les Chinois envahissent le Tibet
1755	Tremblement de terre de Lisbonne
1756	Début de la guerre de Sept Ans
1759	Mort de Haendel. Voltaire publie *Candide*
1773	Le pape dissout l'ordre des Jésuites
1774	Warren Hastings nommé premier gouverneur des Indes. Joseph Priestley découvre l'oxygène
1776	Déclaration d'indépendance des Américains
1784	Mort de Samuel Johnson
1787	Constitution des États-Unis d'Amérique
1789	Prise de la Bastille. George Washington devient premier président des États-Unis
1792	Le Danemark est le premier pays à interdire le commerce des esclaves. En France, création de la Première République
1793	Décapitation de Louis XVI
1794	Toussaint Louverture conduit la première révolte des esclaves en Haïti
1798	Bataille d'Aboukir

domaines, comme la politique, son apport n'est pas notable. Toutefois, deux courants majeurs ouvrent une ère nouvelle au même moment : l'utilitarisme de Bentham et le radicalisme politique et religieux de la fin du XVIIIe siècle. Tous deux servirent de point de départ à des philosophes comme John Stuart Mill et contribuèrent à la formation de courants révolutionnaires en France et en Amérique du Nord.

L'INFLUENCE DE LA RENAISSANCE

L'une des caractéristiques de la nouvelle philosophie fut de s'éloigner de l'aristotélisme de la période médiévale, en particulier de la scolas-

1646 | 1685

tique. C'est ce changement que l'on nomme Renaissance. Il résulta en partie de la chute de Constantinople et de l'afflux de réfugiés qui réintroduisirent dans l'Europe occidentale du XVe siècle de nombreuses œuvres de l'Antiquité, notamment des dialogues de Platon qui furent traduits par Marsile Ficin (1433-1499). Cette lecture des textes mêmes, se substituant à celle de leurs commentateurs, entraîna une compréhension nouvelle de Platon et eut un effet considérable sur la philosophie et sur les sciences.

RATIONALISME ET EMPIRISME

Pour caractériser cette période de la philoso-phie, on établit une distinction entre les ratio-nalistes et les empiristes. Cela permet de faire des cours et d'écrire des livres, aussi peu d'étu-diants échappent-ils à cette classification qui est au mieux arbitraire et au pire trompeuse. Cette distinction sépare les philosophes de l'Europe continentale – Descartes, Leibniz, Spinoza –, pour lesquels la connaissance pro-viendrait de l'usage de la seule raison, et les philosophes britanniques – Locke, Berkeley, Hume –, pour lesquels la connaissance vient de l'expérience. Ainsi, les rationalistes prendraient

en conciliant et en dépassant les deux méthodes de connaissance, le rationalisme et l'empirisme. Comme le montreront les brèves présentations des philosophes concernés, leurs méthodes et leurs relations mutuelles sont bien plus complexes.

L'une des raisons de cette situation, c'est que Kant opérait sa distinction en termes d'épisté-mologie. S'il avait examiné les positions méta-physiques des différents philosophes ou leurs conceptions de l'éthique ou du langage, il aurait certainement opéré une classification diffé-rente. Pourtant, même d'un point de vue épis-

1689   1710   Z 1711   1748

les mathématiques pour modèle et les empi-ristes, les sciences physiques.

Ceux-là mêmes qui pensent que cette distinc-tion est sans danger et peut parfois être utile ne vont pas jusqu'à prétendre qu'elle corres-pond à la vérité historique. Aucun philosophe du XVIIe ou du XVIIIe siècle ne se considérait en ces termes ni ne pensait appartenir à l'une ou l'autre tradition. La seule exception et la prin-cipale sinon la seule source de cette erreur est Kant, qui voulait introduire une troisième voie

témologique, cette distinction ne va pas sans poser de problèmes.

Par exemple, même en nous en tenant aux trois grands rationalistes – Descartes, Leibniz, Spinoza –, nous nous apercevons qu'ils aimaient et connaissaient les sciences physiques, tandis que parmi les trois grands empiristes – Locke, Berkeley, Hume – seul Locke avait un réel bagage scientifique.

X

Y

FRANCIS **BACON**

NÉ en 1561 à Londres	**MORT** en 1626 à Londres

PRINCIPAUX INTÉRÊTS Les sciences

INFLUENCÉ PAR Démocrite, Platon

A INFLUENCÉ Diderot, Hobbes, Hume, Haack

ŒUVRES PRINCIPALES
Essais
Du progrès et de la promotion des savoirs
Le Nouvel Organon

Accusé de corruption, Bacon fut emprisonné à la Tour de Londres après avoir avoué sa faute. Il s'agissait en réalité d'une affaire politique plus que morale. Au Parlement, beaucoup désapprouvaient l'amitié que le roi portait à Bacon et se servirent de cette accusation pour l'éliminer de la vie politique. Au bout de quatre jours, le roi ordonna qu'on le libère.

Francis Bacon (baron de Verulam, vicomte de Saint-Albans) était le plus jeune fils d'un père haut placé, puissant et cultivé, qui fut le garde des Sceaux d'Élisabeth Iʳᵉ. Sa mère, fille d'un précepteur de la famille royale, connaissait le grec et le latin, et parlait le français et l'italien. Il fut d'abord instruit chez lui, puis alla à Trinity College à Cambridge en 1573. Il était alors moins extraordinaire qu'aujourd'hui d'entrer à l'université à l'âge de douze ans. Bacon était tout de même considéré comme un enfant précoce. Il y apprit à détester l'approche scolastique et bornée de la philosophie et sa quasi-vénération d'Aristote. En 1576, il commença l'étude du droit à Gray's Inn mais, l'année suivante, il accepta un poste diplomatique en France.

Bacon est encore l'un de ces philosophes qui perdirent leur père de bonne heure, mais ce fut pour lui une perte d'autant plus grave qu'elle le laissait presque sans ressources. Il dut reprendre ses études de droit, obtint son diplôme en 1582 et, deux ans plus tard, fut élu au Parlement. Au début, sa carrière se trouva entravée pour deux raisons : les riches et influents membres de sa famille

ne l'aidèrent pas beaucoup, et sa naïveté le poussa à argumenter contre la politique fiscale de la reine, juste au moment où il allait être nommé procureur général.

Heureusement pour lui, il possédait un ami puissant en la personne du favori de la reine, le comte d'Essex, qui fit de son mieux pour la persuader de confier un emploi à son ami, puis, comme elle se montrait réticente par méfiance envers Bacon, il le chargea d'administrer l'un de ses domaines. Cependant, il ne fallut pas longtemps pour qu'Essex se brouille avec la reine. Bacon, qui parvint à intercéder une première fois avec succès en faveur de son protecteur, ne put plus rien quand Essex commit la folie de soulever une révolte à Londres. Bacon tenta d'obtenir la clémence d'Élisabeth, mais celle-ci lui ordonna d'engager la procédure d'accusation, ce qu'il fit, et Essex fut exécuté en 1601.

Il fallut attendre la mort d'Élisabeth et le règne de Jacques Iᵉʳ pour que la fortune lui sourît. Il fut nommé avocat général en 1607, procureur général en 1613, garde des Sceaux – comme son père – en 1617, et enfin chancelier en 1618. Et en 1621, à l'âge de soixante ans, il fut arrêté et accusé de corruption. Il reconnut l'accusation et accepta stoïquement le châtiment qui consistait à être démis de toutes ses charges, à payer une lourde amende et à être emprisonné à la Tour de Londres. En fait, il n'y resta que quelques jours et n'eut pas à payer d'amende, mais il fut écarté de tout emploi public.

Le sens du mot «empirique»

Bacon emploie «empirique» en un sens qui remonte aux médecins de la Grèce antique (voir Sextus Empiricus). Étaient empiriques ceux qui pensaient qu'il est impossible de connaître – par conjecture ou par inférence – ce qui n'est pas visible à partir de ce qui est visible.

Bacon passa ses dernières années à écrire, surtout sur des sujets scientifiques. Sa mort fut à son image : bizarre. Au cours de ses recherches sur la conservation des aliments, il sortit ramasser de la neige pour en remplir un poulet, attrapa une bronchite et mourut.

LA GRANDE INSTAURATION

Bien que dans son œuvre de jeunesse, les *Essais*, Bacon ait abordé des sujets très variés et qu'il ait écrit plus tard des ouvrages historiques et juridiques, les philosophes s'intéressent surtout à sa philosophie des sciences. Celle-ci comporte deux parties : une critique de la scolastique et de la pratique scientifique à son époque, et une méthodologie scientifique précise. Il nomme son projet de réforme des sciences «la grande instauration», ce qui devait être le titre de son œuvre majeure, dont il n'écrivit que la première partie, *Le Nouvel Organon*. Ce titre se réfère aux livres de logique d'**Aristote** intitulés l'*Organon* («l'Instrument»).

Ce que Bacon pensait de ceux qui l'ont précédé se trouve résumé dans une comparaison : les métaphysiciens ressemblent à des araignées qui tissent dans les airs des toiles belles et ingénieuses extraites de leur propre corps. Les empiristes sont comme les fourmis s'affairant à recueillir toutes sortes de matériaux qu'elles empilent sans en tirer quoi que ce soit de nouveau. Nous devrions plutôt nous comporter comme les abeilles, recueillir ensemble ce qu'il nous faut et le *transformer*. Les savants doivent interpréter les données de l'expérience, conduire des expérimentations afin de rassembler de nouvelles données, et élaborer ainsi notre connaissance du monde.

LES IDOLES

Nous sommes handicapés par la tendance naturelle des hommes aux préjugés et aux idées toutes faites ; c'est ce que Bacon appelle les *idoles de l'esprit*. Il y a *les idoles de la tribu*, communes à tous les êtres humains lorsqu'ils acceptent sans critique ce que leurs sens leur révèlent comme si cela représentait le monde avec précision. Il y a les *idoles de la caverne*, particulières à chaque individu, qui proviennent de l'éducation, des études, des lectures, etc. Les *idoles du marché* viennent des relations sociales et du langage ordinaire qui sert plus à gêner qu'à faciliter la compréhension. Enfin, les *idoles du théâtre* sont la conséquence des systèmes philosophiques, que Bacon considère comme autant de pièces de théâtre. En prolongeant sa comparaison, on pourrait parler aujourd'hui des «idoles du Web».

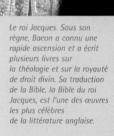

Le roi Jacques. Sous son règne, Bacon a connu une rapide ascension et a écrit plusieurs livres sur la théologie et sur la royauté de droit divin. Sa traduction de la Bible, la Bible du roi Jacques, est l'une des œuvres les plus célèbres de la littérature anglaise.

Qu'est-ce que la vérité ? dit Ponce Pilate en plaisantant. Et il n'attendit pas la réponse.

Essais

En bref :
La science est faite par des équipes dans des laboratoires, non par des individus dans leur fauteuil.

THOMAS HOBBES

NÉ en 1588 à Malmesbury	MORT en 1679 à Hardwick

PRINCIPAUX INTÉRÊTS Politique, métaphysique, langage

INFLUENCÉ PAR Aristote, Machiavel, Francis Bacon, Galilée, Gassendi

A INFLUENCÉ Spinoza, Leibniz, Locke, Rousseau, Bentham, Mill, Marx, Rawls

ŒUVRES PRINCIPALES
Léviathan
Éléments du droit, naturel et politique

Et la vie de l'homme, solitaire, misérable, pénible, brutale et brève.

Léviathan, I, 13

Hobbes, qui était le plus jeune fils d'un pasteur, fit ses études à Oxford. Il commença sa carrière comme précepteur et voyagea en Europe avec son élève, William Cavendish, ce qui lui donna l'occasion de rencontrer Galilée et Descartes. Sa première œuvre philosophique s'intitule *Éléments du droit, naturel et politique*. Elle l'installa solidement dans le camp royaliste au moment où le conflit entre le Parlement et le roi se développait. Le livre ne fut publié que dix ans plus tard, mais il circula sous le manteau dès 1640, alors que la situation devenait critique. Hobbes, ne se sentant pas en sécurité, s'installa en France et y demeura onze ans. Cette prudence (que d'autres auraient jugée excessive) se retrouve tout au long de sa vie et explique, d'une certaine façon, qu'il ait atteint un si grand âge.

Pendant son séjour en France, il fut admis dans le cercle de **Mersenne**. C'est lui qui rédigea les troisièmes objections aux *Méditations métaphysiques* de Descartes, auxquelles celui-ci fit une réponse dédaigneuse et hostile. Il écrivit aussi le *De Cive* («Du citoyen») en 1642, qui est sa première tentative de constituer une science politique, une «civil philosophy», comme il la nomme. Il publia ensuite *La Nature humaine* en 1650 et le *Léviathan*, son chef-d'œuvre, en 1651. Certaines parties de ce dernier livre comportaient des passages anticatholiques, ce qui alarma les autorités françaises, mais Hobbes regagna l'Angleterre de Cromwell, où il obtint la faveur du pouvoir. Pourtant, ses ennuis ne prirent pas fin. Le Parlement, qui avait lancé

une enquête sur les écrits athées, s'intéressa à lui. Hobbes dut brûler un certain nombre de papiers et retarder la publication de plusieurs livres. Précaution payante, car il survécut et, âgé de plus de quatre-vingts ans, donna une traduction en vers de l'*Iliade* et de l'*Odyssée*.

LE CONTRAT SOCIAL

À la base de la philosophie politique de Hobbes, il y a un naturalisme mécaniste. L'Univers, hommes compris, est une vaste machine qui obéit à des lois naturelles. La société doit être expliquée de la même façon que la physique explique le reste du monde, en montrant les interactions de ses éléments constitutifs. Les hommes sont semblables aux particules. À l'état naturel, ils s'agitent en tous sens sans penser à coopérer. Dans cette situation pénible et brutale, chaque individu a peur des autres. L'ordre qu'apporte la société consiste en ceci : en échange du complet abandon de leur liberté, elle protège les hommes les uns des autres. Cet ordre n'est possible que s'il est assuré par un petit groupe, ou mieux par une seule personne. C'est ce pouvoir absolu que Hobbes compare au Léviathan, le grand monstre marin du Livre de Job. En d'autres termes, la société nous libère de la peur des autres et elle le fait au moyen d'un contrat entre ses membres par lequel ceux-ci se soumettent à un souverain en échange de la protection contre les désordres, contre ce chaos qui caractérise l'*état de nature*, lequel est moins une donnée historique qu'une menace constante. D'autres

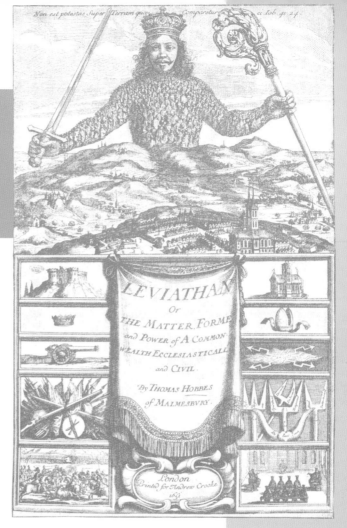

Dans le Léviathan, *Hobbes élabore la théorie du contrat social – c'est-à-dire l'idée de principes politiques s'appuyant sur ce que pensent des individus libres et rationnels – afin de justifier le besoin d'un pouvoir souverain. Néanmoins, alors que sa méthode a eu un effet positif sur la philosophie politique, ses conclusions ont été fortement critiquées et, par la suite, les théoriciens du contrat social se sont servis de cette thèse pour s'opposer au pouvoir absolu.*

théoriciens du contrat social, comme **Locke** et **Rousseau**, voulaient lutter contre la monarchie absolue. Hobbes s'est servi de la même théorie pour la soutenir.

Si l'œuvre politique de Hobbes est connue, ses intérêts philosophiques vont bien au-delà, comme l'attestent ses objections aux *Méditations* de Descartes. Ses positions métaphysique et épistémologique sont semblables à celles de **Gassendi**, puisqu'il est lui aussi matérialiste et empiriste, mais il va plus loin que Gassendi en incluant Dieu dans son matérialisme. Pour lui, Dieu n'est qu'un être matériel un peu plus raffiné que les autres. Ses conceptions religieuses en général sont d'ailleurs bien moins conventionnelles que celles de Gassendi. Ses thèses sur la tolérance religieuse (sauf à l'égard des catholiques) et contre la hiérarchie cléricale lui valurent d'être qualifié d'athée et surnommé «la bête de Malmesbury».

LE LANGAGE ET LE MONDE

Hobbes élabora également une thèse antiréaliste selon laquelle la nature du monde est indépendante de notre compréhension au moyen de mots et d'idées. Le vrai et le faux se rapportent à l'agencement de nos jugements, et non pas à une relation entre notre discours et le monde. Ceci découle du matérialisme de Hobbes. Pour lui, en effet, la pensée provient de mouvements à l'intérieur du cerveau, mais il admet cependant que ces mouvements trouvent leur origine dans des mouvements au sein du monde extérieur. Ici intervient également un aspect du contrat social puisque la définition initiale des mots doit être établie par consentement collectif.

Hobbes prenait le langage très au sérieux. Le mauvais usage de la langue était son principal souci. Il considérait que beaucoup d'erreurs viennent de ce que nous ne faisons pas la distinction entre les structures linguistiques et les structures logiques, si bien que ce qui semble être un problème philosophique dans une langue ne l'est plus dans une autre.

En bref :

Nous acceptons d'être gouvernés en échange d'une protection contre les autres hommes.

MARIN MERSENNE

NÉ en 1588 à Oizé, près de La Flèche	**MORT** en 1648 à Paris

PRINCIPAUX INTÉRÊTS   Mathématiques, sciences

INFLUENCÉ PAR   Augustin

A INFLUENCÉ   Descartes

ŒUVRES PRINCIPALES

Secondes et Sixièmes Objections aux *Méditations métaphysiques* de Descartes

La Vérité des sciences contre les sceptiques et les pyrrhoniens

L'Impiété des déistes, athées et libertins de ce temps

Savons-nous si le braiment d'un âne n'est pas, selon la nature, plus agréable que notre musique, étant donné qu'il est plus agréable à cet animal ?

La Vérité des sciences contre les sceptiques et les pyrrhoniens, 2

Mersenne naquit dans une famille pauvre. Après une première instruction au collège des jésuites de La Flèche, il alla étudier la philosophie à la Sorbonne. En 1611, il entra dans l'ordre des Minimes. Sa formation se poursuivit à l'intérieur de l'ordre et, une fois ordonné prêtre, il partit enseigner la philosophie dans un couvent de Nevers, où il demeura de 1614 à 1618. De retour à Paris, il devint par ses relations et sa correspondance une figure centrale de la vie intellectuelle (Pierre de Fermat, **Pierre Gassendi** et Blaise Pascal se rencontraient dans sa cellule).

Mersenne fut une figure importante des mathématiques, de la musicologie, des sciences, de la théologie et de la philosophie. Il suggéra à Christian Huygens l'utilisation du pendule pour mesurer le temps, établit la vitesse du son avec moins de dix pour cent d'erreur par rapport aux mesures modernes, calcula la fréquence des vibrations des notes de musique, fit connaître l'œuvre de Galilée par ses traductions et commentaires aussi bien que par ses propres œuvres scientifiques, et il fut le mentor et l'ami de **René Descartes**. Il ne défendit pas seulement Descartes contre les critiques, mais il l'encouragea à revenir à la philosophie et à la science quand il parut vouloir s'en éloigner, et il l'aida à faire publier ses œuvres. Quand Descartes répondit aux objections, il le fit avec respect envers Mersenne. En fait, Mersenne, auteur des Secondes et Sixièmes Objections, avait aussi suscité et rassemblé les autres, à l'exception des premières.

En bref :

Mersenne fut une figure centrale du XVIIe siècle. Il établit des liens entre de nombreux philosophes et savants.

La première œuvre de Mersenne avait surtout pour but de critiquer les athées et les sceptiques, mais il se tourna ensuite vers la philosophie, les sciences et les mathématiques (il est connu pour ses travaux sur les nombres premiers). Sa contribution à ces domaines est intéressante et eut souvent une grande influence sur ses contemporains et leurs successeurs, mais sa plus grande contribution tient à son rôle d'incitateur et de pivot d'un vaste réseau de penseurs.

Lorsqu'il mourut, dans les bras de son ami Gassendi, on trouva dans sa cellule les lettres de soixante-dix-huit correspondants, parmi lesquels figuraient Fermat, Huygens, Galilée, Torricelli et John Pell. C'est par cet immense réseau qu'il facilita le renouvellement de la science, qu'il combattit les superstitions (comme l'astrologie) et stimula par des questions pertinentes les savants, les mathématiciens et les philosophes qui l'entouraient.

PIERRE GASSENDI

NÉ en 1592 à Champtercier

MORT en 1655 à Paris

PRINCIPAUX INTÉRÊTS Métaphysique, sciences, épistémologie

INFLUENCÉ PAR Démocrite, Épicure

A INFLUENCÉ Locke

ŒUVRES PRINCIPALES
Cinquièmes Objections aux *Méditations* de Descartes
Dissertations en forme de paradoxes contre les aristotéliciens
Recherches métaphysiques
Syntagma philosophicum

En 1631, Gassendi fut le premier astronome à observer le passage de Mercure devant le Soleil (ainsi que Kepler l'avait prédit).

Gassendi fut d'abord instruit à Digne, puis chez lui et enfin dans les universités d'Aix-en-Provence et d'Avignon, où il étudia la philosophie et la théologie. Il obtint son doctorat de philosophie en Avignon en 1614 et fut ordonné prêtre en 1615. Ses dons intellectuels furent reconnus de bonne heure. À l'âge de seize ans, il enseignait la rhétorique à Digne, et à dix-neuf la philosophie à Aix. C'est presque à contrecœur qu'il accepta le poste de professeur de mathématiques au Collège royal à Paris. Dans cette ville, il se lia avec Marin Mersenne et correspondit avec Galilée, Kepler et bien d'autres savants éminents. En astronomie, il était un excellent observateur et un fin défenseur du système de Copernic (tout en formulant quelques réserves).

Mersenne l'encouragea à délaisser les mathématiques et les sciences pour la philosophie. C'est ainsi que Gassendi devint l'auteur des Cinquièmes Objections aux *Méditations métaphysiques* de Descartes. Il les développa ensuite dans ses *Instances*, puis dans ses *Recherches métaphysiques* (1644).

Ses désaccords avec Descartes étaient nombreux. Ils portaient sur un grand nombre de questions scientifiques relatives à la nature du monde. Mais surtout les deux hommes avaient de profondes divergences sur les méthodes scientifique et philosophique. Tout en partageant avec Descartes son opposition aux aristotéliciens de l'époque, il était un partisan d'**Épicure**, dont il essayait d'accor-der la philosophie avec la pensée chrétienne. Il avait une conception mécaniste et atomiste du monde, tout en y associant la croyance en l'immortalité de l'âme. Néanmoins, il rejetait à la fois le dualisme de Descartes et ses thèses sur les relations de l'esprit et du corps.

Mais le principal désaccord portait sur l'épistémologie. En particulier, Gassendi n'acceptait pas le doute universel de Descartes et son idée que la connaissance peut venir de la seule raison. Le doute méthodique était admissible, mais douter de *tout* était déraisonnable, et même impossible. Il trouvait que les aristotéliciens et Descartes avaient tort de rejeter le plus grand nombre de penseurs possibles : Épicure, bien entendu, mais aussi Platon, Démocrite et d'autres philosophes de l'Antiquité. Descartes, rejetant l'argument d'autorité des aristotéliciens, était allé trop loin dans l'autre sens en essayant de tout découvrir par lui-même. Selon la conception de Gassendi, la raison doit jouer son rôle, mais toute connaissance doit *commencer* par les sens.

En bref :

Le monde est une machine que nous devons étudier en l'observant.

RENÉ **DESCARTES**

NÉ en 1596 à La Haye, en Anjou	**MORT** en 1650 à Stockholm

PRINCIPAUX INTÉRÊTS Métaphysique, épistémologie, sciences, mathématiques

INFLUENCÉ PAR Platon, Aristote, Anselme, Thomas d'Aquin, Ockham, Suarez, Mersenne

A INFLUENCÉ Tous ceux qui sont venus après lui

ŒUVRES PRINCIPALES
Discours de la méthode

Méditations métaphysiques

Principes de la philosophie

Descartes a anticipé la théorie des réflexes par l'idée que le corps humain possède un mécanisme permettant les réponses immédiates. Ici, la chaleur de la flamme engage un processus qui, à partir du point en contact avec la chaleur, va vers les muscles qui retireront la main de la flamme.

Comme **Marin Mersenne**, Descartes a fait ses études au collège des jésuites de La Flèche. Il choisit ensuite le droit, mais ne le pratiqua jamais et s'engagea dans une carrière militaire qui le conduisit aux Pays-Bas et en Allemagne. C'est d'ailleurs en Bavière qu'il eut la révélation de son projet philosophique : non pas ajouter une nouvelle philosophie, mais refonder celle-ci entièrement. Il passa la plus grande partie de sa vie aux Pays-Bas, notamment par crainte d'une persécution des autorités catholiques en France, crainte sans doute peu fondée. C'est aux Pays-Bas qu'il écrivit la plupart des livres qui l'ont rendu célèbre. Alors qu'il avait cinquante-trois ans, la reine Christine de Suède, avec laquelle il correspondait, l'invita à Stockholm. Les rigueurs du climat ainsi que l'heure matinale de ses rencontres avec la reine altérèrent sa santé et il mourut un an plus tard.

Descartes n'était pas seulement philosophe, mais aussi mathématicien et savant. Il publia des contributions importantes en optique, géométrie, physiologie et cosmologie (mais le traitement infligé à Galilée le poussa à renoncer à faire paraître son ouvrage *Le Monde*, dans lequel il exposait l'origine et le fonctionnement du système solaire). Toutefois, c'est en mathématiques que son apport est le plus important. Il établit de nombreuses conventions toujours en usage (par exemple, l'utilisation des exposants pour indiquer la puissance : 2^3) et créa le système des coordonnées cartésiennes qui permet de

En bref :
Descartes est le père de la philosophie moderne.

représenter numériquement les droites et les courbes.

LA CERTITUDE
Néanmoins, c'est dans le domaine de la philosophie que sa contribution est de loin la plus importante. Il dévoile en partie son grand projet de reconstruire entièrement la philosophie dans son livre inachevé et publié après sa mort, *Règles pour la direction de l'esprit*. Il y pose le principe fondamental : la philosophie, comme les mathématiques, doit atteindre la certitude. Le moyen d'y parvenir est exposé dans ses livres suivants, notamment dans le *Discours de la méthode* (1637) – qui devait servir d'introduction à ses travaux scientifiques – et dans les *Méditations métaphysiques* (1641). Avant la parution de ce dernier livre, il l'envoya à plusieurs philosophes, parmi lesquels figuraient Mersenne, Gassendi, Arnauld et Hobbes. Leurs «objections» suivies des réponses de l'auteur furent incorporées à la première édition du livre.

LE DOUTE
Le projet de Descartes repose sur le doute méthodique. Il examine soigneusement chacune de ses opinions, en les classant d'après la façon dont il les a acquises, et s'efforce de

Cogito ergo sum

*La formule célèbre : «Cogito ergo sum»,
je pense donc je suis, rend de manière
trompeuse ce que Descartes voulait
vraiment dire. Dans les* Méditations,
*il la modifia en : «Je suis, j'existe,
est nécessairement vrai toutes les fois
que je le prononce ou que je le conçois
en mon esprit.»*

les mettre en doute. Après être allé le plus
loin possible dans cette voie, chaque opinion
qui subsiste sera considérée comme sûre. En
fait la seule qui demeure au terme de
l'épreuve est la certitude de sa propre existence et cela constitue la base solide sur
laquelle il entreprend de construire l'édifice
du savoir.

DIEU

Cependant, pour y parvenir, Descartes a
besoin d'établir l'existence d'une réalité
objective et indépendante de lui-même, ce
pour quoi il a besoin de Dieu. Et c'est là malheureusement que son projet échoue. Il
propose deux arguments pour prouver l'existence de Dieu. Le premier est une reprise de
l'argument cosmologique, le second une
reprise de l'argument ontologique. Ni l'un ni
l'autre n'est valide, ce qui fait que l'intérêt
que l'on porte à son projet cesse aussitôt.
Mais il y a bien d'autres choses chez
Descartes que ce projet pris comme un tout.
Notamment l'examen de la question de la
dualité âme-corps.

LE DUALISME

Le dualisme de Descartes est l'un des aspects
de sa pensée qui est souvent mal compris et
mal exposé. Contrairement à ce que lui ont
fait dire des critiques pressés ou peu scrupu-
leux, il n'a jamais prétendu qu'une personne
se compose d'une âme qui se sert du corps
comme véhicule temporel. En réalité, il a
explicitement contesté cette thèse. Pour lui,
chaque personne est une combinaison d'âme

et de corps, les deux étant nécessaires à des
aptitudes aussi cruciales que la perception, la
mémoire, l'imagination et les émotions. Il
pense, en bref, que l'âme et le corps peuvent
exister séparément sur le plan logique et que,
par conséquent, rien ne pouvant être séparé
de soi-même, l'âme et le corps ne peuvent
être la même chose. C'est une argumentation
subtile et forte, que ses détracteurs tendent
à ignorer ou à déformer au lieu de l'affronter.

LES ANIMAUX

Faisons justice à un dernier malentendu (de
tous les philosophes, Descartes est la plus
fréquente victime de critiques infondées) ; il
n'a jamais prétendu que les animaux ne sont
que des automates insensibles. Sa pensée,
comme d'habitude, est complexe, mais il l'expose clairement en 1649 dans une lettre à
Henri More : «Bien que je considère comme
établi que nous ne puissions prouver que les
animaux ont une pensée, je ne pense pas
qu'on puisse prouver qu'ils n'en ont pas,
puisque l'esprit humain ne pénètre pas
jusque dans leur cœur.»

*Descartes chercha
à reconstruire la philosophie.
En se concentrant sur
la question
de la connaissance vraie
et certaine, il prit
l'épistémologie comme
point de départ.*

*Le bon sens est la chose
du monde la mieux
partagée, car chacun
pense en être si bien
pourvu, que ceux même
qui sont les plus difficiles
à contenter en toute
autre chose n'ont point
coutume d'en désirer plus
qu'ils n'en ont.*

Discours de la méthode pour
bien conduire sa raison et
chercher la vérité dans les
sciences

ANTOINE ARNAULD

| **NÉ** en 1612 à Paris | **MORT** en 1694 à Bruxelles |

PRINCIPAUX INTÉRÊTS Logique, langage, métaphysique

INFLUENCÉ PAR Augustin, Descartes, Pascal, Malebranche

A INFLUENCÉ Leibniz, Reid, Chomsky

ŒUVRES PRINCIPALES

Quatrièmes
Objections aux
Méditations
de Descartes

*La Logique ou l'art
de penser* (avec
Pierre Nicole)

*Traité des vraies et
des fausses idées*

*Correspondance
avec Leibniz*

*Je suis d'un tel pays ;
donc je dois croire qu'un tel
saint y a prêché l'Évangile.
[...] De quelque ordre
et de quelque pays que
vous soyez, vous ne devez
croire que ce qui est vrai,
et que ce que vous seriez
disposé à croire si vous
étiez d'un autre pays,
d'un autre ordre,
d'une autre profession.*

La Logique ou l'art
de penser, III, 20, I

Né dans une famille éminente, Arnauld fit ses études à la Sorbonne. Après son doctorat, il fut ordonné prêtre en 1641. Sa famille, opposée aux jésuites, était janséniste. Partageant les mêmes idées, il défendit le jansénisme dans son livre *De la fréquente communion* (1643). Cela lui valut d'être privé de son doctorat et chassé de la Sorbonne en 1656. Il chercha refuge à l'abbaye janséniste de Port-Royal des Champs, dont sa sœur avait été l'abbesse avant que la communauté ne s'installe à Paris.

À Port-Royal, Arnauld écrivit avec Pierre Nicole (1625-1695) son célèbre ouvrage *La Logique ou l'art de penser* (1662), connu sous la dénomination de *Logique de Port-Royal*. Il avait quatre objectifs principaux : présenter l'épistémologie, la métaphysique et la physique de **Descartes** ; attaquer les thèses des empiristes comme **Hobbes** et **Gassendi** ; attaquer le scepticisme de Montaigne ; et présenter une réponse janséniste à l'enseignement des catholiques orthodoxes et des protestants sur toute une série de sujets allant de la grâce à la liberté de la volonté. Le livre aborde donc une grande variété de questions et, sans être d'une grande originalité, il eut une énorme influence et fut étudié à l'université jusqu'à la fin du XIXᵉ siècle. Certains auteurs contemporains le considèrent même comme le premier traité de linguistique authentiquement moderne.

En 1669, le pape Clément IX voulut mettre un terme au conflit qui opposait les jésuites et les jansénistes. Il s'agissait de faire cesser la per-

En bref :

*Arnauld fut principalement
le catalyseur des idées philosophiques
des autres.*

sécution de ces derniers en échange de leur soumission à l'autorité de l'Église. Arnauld revint à Paris où il parut pendant quelque temps jouir d'une vie tranquille et être respecté par l'Église et par l'État. Toutefois, après une période où il se contenta d'écrire des textes hostiles au protestantisme, il ne put s'empêcher de s'en prendre aux jésuites, ce qui l'obligea à s'enfuir en Belgique en 1679.

Dans ce pays, il engagea avec Leibniz, sur des points fondamentaux de la métaphysique, une correspondance qui donna naissance au *Discours de métaphysique* et constitua une étape importante dans la carrière philosophique de Leibniz. En fait, la participation d'Arnauld se fit à son corps défendant car, à cette époque, il s'intéressait plutôt aux questions religieuses. Autrefois ami de Malebranche, il avait entamé avec lui un débat tendu. Dans son *Traité des vraies et des fausses idées* (1683), il critique les thèses de Malebranche sur la grâce et sur la «vision en Dieu». Ce désaccord ne fut pas seulement aigre, il entraîna des manœuvres politiques et ne s'acheva que par la mort d'Arnauld.

VUE GÉNÉRALE
L'ESPRIT
ET LE CORPS

La philosophie de l'esprit porte sur notre compréhension de ce qu'est l'esprit et sur sa place dans le monde physique. Dans la philosophie occidentale, cette interrogation se présente comme le problème de l'âme et du corps, c'est-à-dire comme le problème des relations entre l'âme et le monde physique. Les réponses s'orientent dans deux directions différentes : le *dualisme*, pour lequel l'âme (ou l'esprit) et le corps sont deux réalités différentes ayant des propriétés différentes, et le *monisme*, qui identifie les deux entités ainsi que leurs propriétés. Bien qu'il y ait eu des monistes qui aient pensé que cette entité unique était de nature mentale (par exemple **Berkeley**), la thèse moniste correspond le plus souvent à un matérialisme ou physicalisme.

Est-ce notre intellect qui nous distingue des animaux ?

LES DUALISMES
Pour **Platon**, l'âme est la part immortelle de nous-même. Contrairement au corps, elle a des affinités avec l'éternel et l'immuable, et possède les vérités éternelles. **Aristote** a voulu donner une explication naturelle de la *psyché* en présentant les différentes facultés : la nutrition et la reproduction, que l'on trouve chez les plantes, le mouvement, la sensation et la perception, que l'on trouve chez l'animal, et l'imagination, que l'on trouve chez l'homme. Mais ce qui distingue l'homme des autres animaux, c'est le *noûs*, ou intellect, qui est ce qu'il y a d'immortel en nous. Chez **Descartes**, l'âme et le corps sont distincts par essence ; l'essence de l'âme est la pensée, l'essence du corps est l'étendue. Il est plus proche de Platon que d'Aristote, l'âme et le corps étant deux substances qui n'ont rien de commun.

La thèse de **Spinoza** sur l'âme est considérée comme un monisme opposé au dualisme de Descartes. Cette présentation peut cependant se révéler trompeuse car la métaphysique de Spinoza comporte une dualité fondamentale. Pour lui, l'âme et le corps ne sont pas des substances individuelles mais des modifications de la substance unique (qu'il appelle Dieu ou nature) sous les attributs de la pensée et de l'étendue, chaque attribut étant en lui-même absolument irréductible et distinct de tout autre attribut. La relation de l'âme et du corps à la substance unique est une relation de dépendance, à la fois causale et explicative.

LE PHYSICALISME
Aux divers dualismes s'opposent différentes doctrines matérialistes/physicalistes de l'esprit. À l'aube du xxe siècle apparaît la théorie behavioriste selon laquelle avoir un esprit n'est rien d'autre qu'être apte à se comporter d'une certaine façon. À tout discours sur l'esprit peut se substituer un discours sur le comportement. Une telle thèse s'efforce de rendre compte de l'esprit d'un point de vue purement extérieur. Il en résulte cette absurdité que nul ne peut souffrir en silence. Le behaviorisme a été, dans une certaine mesure, remplacé par le physicalisme dont la thèse est que les phénomènes mentaux *sont* des phénomènes physiques relevant d'une réalité physique ou biologique : le cerveau. On a avancé que si l'hypothèse dualiste de Descartes était compréhensible en son temps, il s'est avéré depuis que l'esprit n'existe pas autrement que comme phénomène biologique.

Le physicalisme est actuellement la théorie dominante, et elle prend plusieurs formes. D'après le physicalisme non réductionniste, bien qu'il n'y ait qu'une seule réalité, disons le cerveau, les termes utilisés pour la décrire ne sont pas équivalents. Ainsi, bien que le mot « douleur » et l'expression « processus cérébral » renvoient à la même réalité, les descriptions mentale et physique du phénomène obéissent à des règles différentes. Une autre façon de présenter le non-réductionnisme, qui s'accorde avec le fonctionnalisme, consiste à considérer que l'activité mentale est caractérisée par le rôle fonctionnel qu'elle joue dans la chaîne causale et par ses réalisations multiples, que ce soit dans un système biologique ou dans un ensemble compliqué de puces électroniques.

WANG FUZHI

| **NÉ** en 1619 dans le Hunan | **MORT** en 1693 |

PRINCIPAUX INTÉRÊTS Éthique, politique, métaphysique, épistémologie

INFLUENCÉ PAR Confucius, Zhang Zai, Zhu Xi

A INFLUENCÉ Yen Yuan, Taï Chen, Tan Ssut'ung, Tang Chuni

**ŒUVRES
PRINCIPALES**
*Œuvres
posthumes
du maître
Chuanshan*

*Ce que signifie la Voie,
c'est la gestion
des choses concrètes. [...]
Lao-Tseu s'aveuglait
sur ce point lorsqu'il
disait que la Voie existe
dans le vide. [...] Bouddha
s'aveuglait sur ce point
lorsqu'il disait que la Voie
existe dans le silence. [...]
On peut tenir à l'infini
des propos extravagants
de cette sorte,
mais personne
n'échappera jamais
à la réalité concrète.*

Wang Fuzhi

Wang Fuzhi était le fils d'un lettré de la province du Hunan sous la dynastie Ming. Il avait trente-quatre ans et venait de passer ses examens de fonctionnaire lorsque la Chine fut envahie par les Mandchous, qui établirent la dynastie Qing. Loyal envers les empereurs Ming, il passa sa vie à combattre les Mandchous puis à se cacher pour leur échapper. Il écrivit plus de cent livres, dont beaucoup ont été perdus.

Wang était confucéen, mais il considérait que le néo-confucianisme alors dominant était une déformation de l'enseignement authentique de Confucius. Cela le conduisit à rédiger de nombreux commentaires des classiques du confucianisme (il en écrivit cinq sur le seul *Yi Jing*, ou Livre des changements) puis à élaborer son propre système philosophique.

La position métaphysique de Wang est une sorte de matérialisme. Seul existe le *qi* (énergie, force matérielle), et la catégorie confucéenne fondamentale de *li* (principe, forme ou idée) est simplement le principe du *qi*, et donc n'existe pas par elle-même. Comme le *qi* a toujours existé, il en est de même de l'Univers. Cela conduit à une conception de l'éthique dans laquelle les vertus et les valeurs viennent des hommes, la nature en étant dépourvue. Ce qu'est l'homme dépend de la condition de la personne à sa naissance et des changements qui se produisent en elle tout au long de sa vie, changements qui proviennent de ses relations, en tant qu'être moral, avec les autres et avec les biens. Ces relations reposent en

En bref :

Nous vivons dans un monde matériel, et devons réagir au présent, non au passé.

grande partie sur les désirs, lesquels ne sont pas mauvais, mais inévitables et même bénéfiques. Le mal provient de notre manque de modération. Notre morale s'enracine dans notre nature d'homme, dans nos sentiments. Pour Wang, il faut que le savoir provienne à la fois des sens et de la raison. Nous acquérons graduellement ces deux formes de connaissance, car savoir et agir sont liés, l'action étant le fondement de la connaissance.

Si Wang est tant apprécié dans la Chine contemporaine, c'est surtout à cause de ses écrits historiques et politiques. Il prône une augmentation des impôts pour réduire le pouvoir des grands propriétaires terriens et pour encourager les petits paysans indépendants. Le gouvernement doit se faire au profit des gouvernés, non des gouvernants. L'histoire se renouvelle sans cesse. Les progrès de la civilisation, dans un contexte cyclique de prospérité et de chaos, sont la conséquence de la vertu de l'empereur et de celle du peuple. Ce cycle et ce progrès ne dépendent pas du destin, mais d'une lente élaboration des lois que doivent suivre les individus et la société. Il n'y a jamais eu d'âge d'or qu'il nous soit possible de retrouver ou même d'imiter.

ANNE FINCH CONWAY

NÉE en 1631	MORTE en 1679

PRINCIPAL INTÉRÊT   Métaphysique

INFLUENCÉE PAR   Platon, Plotin, More, Hobbes, Descartes, Spinoza

A INFLUENCÉ   Leibniz

**ŒUVRE
PRINCIPALE**
*Les Principes
de la
philosophie
antique
et moderne*

*Quand le concret
est tellement divisé
qu'il se perd en monades
physiques, comme
s'il était dans le premier
état de sa formation,
alors il est prêt
à reprendre son activité
et à devenir esprit,
comme cela se passe
pour notre nourriture.*

Les Principes de la philosophie
tique et moderne, *chap. III, S. 9*

Née en 1631, une semaine après la mort de son père (sir Heneage Finch, président de la Chambre des communes), elle fut instruite par des précepteurs. Elle apprit le latin, puis le grec et l'hébreu, et manifesta à un degré élevé curiosité et aptitudes intellectuelles. Le platonicien Henri More avait eu pour élève l'un de ses frères à Cambridge. Anne correspondit avec lui sur la philosophie de Descartes et cette correspondance se poursuivit après son mariage avec Edouard Conway en 1651, mais leur relation passa d'un rapport maître-élève à celui de deux égaux.

Le parcours d'Anne Conway est inhabituel, non seulement pour une femme mais aussi pour quiconque dans l'Angleterre du XVIIᵉ siècle. Hormis la philosophie cartésienne, elle s'intéressa à la pensée kabbalistique d'Isaac Luria (1534-1572) ainsi qu'à la secte des quakers (généralement détestée et crainte à cette époque), à laquelle elle adhéra. Son travail philosophique avait aussi une autre origine, sa propre douleur physique. Depuis l'enfance, elle souffrait de maux de tête si intenses qu'elle était prête à recourir aux moyens les plus extrêmes, y compris la trépanation, mais personne ne voulut tenter l'opération ; au lieu de cela, on lui ouvrit les jugulaires. Rien n'y fit. Cet état orienta sa pensée philosophique en ceci qu'elle voulut construire une théodicée afin de concilier l'existence de Dieu avec celle de la souffrance et du mal dans le monde. Son unique ouvrage fut publié après sa mort, et eut lui-même une histoire difficile. Elle l'écrivit sans doute en

anglais entre 1671 et 1675. Une traduction latine parut en 1690 mais, le manuscrit original ayant été perdu, la publication en anglais, sous le titre *Les Principes de la philosophie antique et moderne*, dut se faire à partir d'une traduction du texte latin.

Dans ce livre, elle adopte un monisme spirituel associé à un platonisme chrétien. Pour elle, le monde est la dégénérescence matérielle d'un principe spirituel. Ainsi, le matériel et le spirituel sont les deux formes d'une même substance, qui retournera un jour à son état purement spirituel. Cela constitue la base de sa théodicée. Pour elle, toute chose dans le monde est susceptible d'amélioration, depuis la plus matérielle (la pierre, par exemple) jusqu'à la plus spirituelle (l'homme). Ce qui prouve la bonté de Dieu, c'est la création d'un monde qui peut finalement s'élever, non jusqu'à Dieu, mais jusqu'au niveau des anges.

En bref :
*Il n'y a qu'une sorte de matière,
la matière spirituelle, qui se dégrade
en matérialité lors de la Chute
et qui finira par retrouver
son état de pureté.*

BARUCH **SPINOZA**

NÉ en 1632 à Amsterdam	**MORT** en 1677 à La Haye

PRINCIPAUX INTÉRÊTS Éthique, épistémologie, métaphysique

INFLUENCÉ PAR Avicenne, Maïmonide, Nicolas de Cues, Hobbes, Descartes

A INFLUENCÉ Conway, Kant, Hegel, Davidson

**ŒUVRES
PRINCIPALES**
*Tractatus
theologico-politicus*
Éthique

*Pour Spinoza, dans son
argument en faveur
du monisme, les ondulations
à la surface d'un lac
illustrent les modifications
temporaires de la substance
unique qui constitue
le monde.*

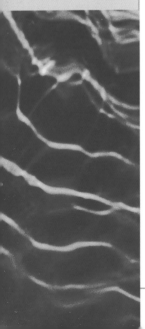

Baruch Spinoza naquit à Amsterdam dans une famille juive qui, en quête de tolérance religieuse, avait quitté le Portugal pour la Hollande. Élevé dans la tradition juive, il connaissait bien les théologies ainsi que les philosophies juive et arabe, mais il se sentit de plus en plus attiré par la philosophie rationaliste moderne, en particulier par **Descartes** et **Hobbes**. Sa pensée s'éloigna progressivement du dogmatisme juif, au point qu'il fut excommunié en 1656. Bien qu'il ait donné quelques leçons, ses revenus provenaient principalement de la taille des verres de lunettes. Son amitié pour Jean de Witt, homme politique opposé à la maison d'Orange, l'amena à s'impliquer dans la vie politique, ce qui l'exposa au danger par deux fois. La première quand il protesta publiquement contre l'assassinat des frères de Witt et la seconde lors d'une mission diplomatique auprès de l'armée française qui venait d'envahir le pays.

Ce qui caractérise sa vie, c'est son intégrité. Il vivait modestement et refusa un poste de professeur à l'université de Heidelberg puis une pension du roi de France. Dans les deux cas, il ne voulait pas risquer de perdre son indépendance intellectuelle. Tous les témoignages évoquent sa droiture, mais aussi sa simplicité, son courage et son charme. Il mourut à l'âge de quarante-cinq ans d'une maladie pulmonaire, conséquence probable de son activité de tailleur de lentilles.

Les premières œuvres de Spinoza lui valurent beaucoup d'hostilité, notamment le *Tractatus theologico-politicus* (1670) dont l'argumentation en faveur de la tolérance, d'une interprétation libre de la Bible, et du gouvernement civil déplut autant aux autorités religieuses qu'aux autorités laïques et provoqua des attaques de la part des philosophes cartésiens, soucieux de le tenir à distance. D'une manière bien à lui, il ne réagit ni par la peur ni par l'outrage mais par le souci de ne plus causer d'hostilité et d'agitation. C'est pour cette raison que son œuvre majeure, l'*Éthique*, ne fut publiée qu'après sa mort. Ce livre se présente, comme les *Éléments* d'Euclide, sous la forme de propositions, d'axiomes et de définitions numérotés et accompagnés de démonstrations. Cela peut induire en erreur. Même si, pour Spinoza, la philosophie doit être aussi claire et ordonnée que les mathématiques, ce n'est pas le cas ici et l'*Éthique*, d'une lecture difficile, exige un examen critique.

MONISME DE LA SUBSTANCE, DUALISME DES ATTRIBUTS

Le système de Spinoza part d'un argument en faveur du monisme : l'existence d'une substance unique, concevable selon différents attributs. Quand nous la considérons selon l'attribut de l'étendue, nous appelons cette substance « le

En bref :
Nous avons le devoir moral fondamental d'accroître notre compréhension et nos connaissances dans tous les domaines possibles.

Qu'est-ce que le panthéisme ?

Le panthéisme consiste à croire que Dieu est dans tout et que tout est Dieu. Cette thèse a été critiquée par des auteurs comme Schopenhauer, qui font valoir que cela fait de «Dieu» un synonyme superflu de «monde». Il faut distinguer le panthéisme du panpsychisme (pour lequel tout être est de nature psychique) et du panenthéisme, qui considère que le monde est Dieu, mais que Dieu est plus que le monde.

monde», mais quand nous la considérons selon l'attribut de la pensée, nous l'appelons «Dieu» (cette idée valut à Spinoza d'être accusé d'athéisme par certains et de panthéisme par d'autres). Il en découle que les entités individuelles sont des modifications temporelles de la substance unique, comme des nœuds dans un tapis ou des ondulations à la surface d'un lac. De même que la substance prise comme un tout peut être considérée selon les attributs de la pensée ou selon ceux de l'étendue, de même chacune de ses modifications peut l'être, et ainsi chaque individu est à la fois une réalité physique et une réalité mentale. Pour l'être humain, cela signifie que nous sommes à la fois âme et corps, et que ce ne sont pas deux choses différentes, comme le pensait Descartes. C'est une réalité unique selon des attributs différents. C'est pourquoi on appelle parfois le spinozisme un dualisme des attributs, par opposition au dualisme de la substance du cartésianisme.

Cette position philosophique provient en partie de ce que Spinoza était convaincu, comme beaucoup d'autres, que le dualisme de la substance comportait une difficulté, à savoir : comment deux substances différentes, n'ayant aucune propriété en commun, peuvent-elles agir causalement l'une sur l'autre (en réalité, dans le dualisme de Descartes, on ne voit pas bien en quoi la causalité présenterait une difficulté) ? Chez Spinoza, l'interaction est impossible puisqu'il n'existe pas deux éléments capables d'interagir. Une version moderne de cette conception est représentée au xxe siècle par la *théorie du double aspect*. Mais celle-ci

se limite au problème de l'esprit et du corps au lieu de s'appliquer à l'ensemble du monde comme dans le système de Spinoza, et il faut aussi préciser que pour Spinoza les attributs ne sont pas de simples aspects.

L'ÉPISTÉMOLOGIE

Il y a trois genres de connaissance : la perception, la raison et l'intuition. Dans la perception, notre corps est affecté par des objets extérieurs. Tant que nous prenons soin de ne pas considérer que le monde est tel que nous le percevons, nos opinions sont vraies. L'erreur vient de notre inattention. La raison nous donne une connaissance authentique parce qu'elle suppose la compréhension et non une simple opinion. Il en va de même de l'intuition, mais elle procède en établissant des relations entre les objets plutôt que par inférence. Seule la connaissance mathématique se réalise par intuition, tout le reste repose sur notre raison.

Dieu, étant tout ce qui existe, possède (ou est) toute la connaissance. En tant qu'être humain, notre but doit être d'accroître nos connaissances autant que possible, car plus nous connaissons, plus nous devenons semblables à Dieu, et plus nous sommes libres.

Jean de Witt, ami très proche de Spinoza, était un homme d'État hollandais qui protégeait les sciences. Dirigeant du parti républicain, il fut l'un des principaux opposants à la maison d'Orange. Cependant, le sentiment populaire finit par se tourner contre lui, accordant sa préférence à Guillaume d'Orange. Jean de Witt démissionna et échappa à une accusation de trahison. Mais il fut tué par la foule alors qu'il rendait visite à son frère, Cornelis de Witt, dans sa prison.

L'esprit et le corps sont une seule et même entité individuelle, qui est tantôt conçue selon l'attribut de la pensée et tantôt selon l'attribut de l'étendue.

Éthique

JOHN **LOCKE**

| **NÉ** en 1632 à Wrington (Somerset) | **MORT** en 1704 à Oates (Essex) |

PRINCIPAUX INTÉRÊTS Politique, épistémologie, sciences

INFLUENCÉ PAR Aristote, Ockham, Hobbes, Descartes, Gassendi, Malebranche

A INFLUENCÉ Berkeley, Montesquieu, Reid, Hume, Rousseau, Kant, Rawls

ŒUVRES PRINCIPALES
Essai sur l'entendement humain
Deux Traités du gouvernement civil

John Locke était le fils d'un homme de loi qui servit comme capitaine de cavalerie dans l'armée du Parlement. Ses deux parents moururent alors qu'il était encore jeune. Il fit ses études à Westminster School et Christ Church à Oxford et obtint un poste de chargé de cours en 1659. Pendant trois ou quatre ans, il y enseigna le grec, la rhétorique et la philosophie morale. Cependant, ayant trouvé l'enseignement de la philosophie d'un aristotélisme conventionnel, il s'orienta vers la médecine, obtint un diplôme en 1674 et, un an plus tard, reçut une bourse de médecine. Bien que n'ayant pas le titre de docteur, il pratiqua quand même la médecine, ce qui entraîna un changement important dans sa vie car il opéra avec succès lord Shaftesbury et devint son conseiller, son médecin et son ami. Homme politique important, Shaftesbury put faire profiter Locke de divers émoluments. Toutefois, Shaftesbury tomba en disgrâce et non seulement Locke perdit un protecteur puissant, mais il se sentit menacé au point de quitter l'Angleterre pour la France. Dans certains cercles, ses conceptions antiroyalistes lui avaient valu des inimitiés, de sorte que sa prudence était sans doute fondée.

Lorsque Shaftesbury rentra brièvement en grâce, Locke retourna en Angleterre, mais il dut bientôt repartir, pour la Hollande, cette fois. Il y vécut cinq ans avant de revenir en Angleterre lors de l'accession au trône de Guillaume III et Marie II. C'est pendant son séjour en Hollande qu'il écrivit la *Lettre sur la tolérance* et acheva ses deux livres les plus importants, l'*Essai sur l'entendement humain* et les *Deux Traités du gouvernement civil*.

En Angleterre, le nouveau régime honora Locke de divers postes gouvernementaux. Il s'installa en Essex et c'est là qu'il mourut à l'âge de soixante-douze ans, probablement à la suite d'un voyage à Londres effectué à la demande du roi Guillaume.

LA SCIENCE

Les intérêts philosophiques de Locke se partagent entre la politique, l'épistémologie et les sciences. Dans ce dernier domaine, il fut fortement influencé par son ami, le savant irlandais Robert Boyle, qu'il aida dans ses expérimentations et dont la théorie corpusculaire de la matière fut reprise par Locke dans son *Essai*. Selon cette théorie, tout être physique est composé de particules indivisibles et microscopiques, ou corpuscules, et toutes les propriétés d'un objet découlent de l'agencement de ces particules. Il existe deux sortes de propriétés ou qualités, les premières et les secondes. Ce sont elles qui donnent à un objet le pouvoir de produire des idées en nous mais, alors que les qualités premières engendrent des idées qui

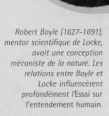

Robert Boyle (1627-1691), mentor scientifique de Locke, avait une conception mécaniste de la nature. Les relations entre Boyle et Locke influencèrent profondément l'Essai sur l'entendement humain.

Christ Church, à Oxford

À Christ Church, un «étudiant» est un «fellow» (chargé de cours) – c'est-à-dire un membre du conseil d'administration, ayant généralement une charge de tutorat. À l'époque de Locke, ce titre était attribué à vie (tant que l'étudiant ne se mariait pas), mais il lui fut retiré par le roi en 1684, au temps où le philosophe s'était exilé en Hollande.

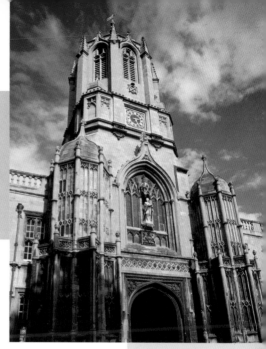

Christ Church College, à Oxford.

ressemblent à l'objet, il n'en va pas de même des idées produites par les qualités secondes.

Les qualités premières sont spatio-temporelles et quantitatives (par exemple, la taille et la forme), alors que les qualités secondes sont non spatio-temporelles et qualitatives (par exemple, la couleur et le goût). Les qualités secondes dépendent des agencements de corpuscules dans les qualités premières de l'objet, en même temps que de l'agencement des corpuscules chez celui qui les perçoit, et aussi (dans le cas de la vue et de l'ouïe) des corpuscules qui constituent la lumière ou l'air. Bien entendu, les corpuscules eux-mêmes ont des qualités premières mais pas de qualités secondes. Cette distinction se trouve déjà chez Galilée et chez Descartes, mais ils considéraient que les qualités secondes étaient subjectives, seulement présentes dans l'esprit de l'observateur (et donc sans intérêt pour la science), alors que Locke les tient pour des qualités objectives, qui appartiennent vraiment au monde.

LA CONNAISSANCE

Toute connaissance, pense Locke, vient des sens. Il ne peut pas y avoir d'idées innées ; Dieu n'a placé aucune connaissance en nous à la naissance. Chacun d'entre nous est en naissant une *tabula rasa* sur laquelle l'expérience écrit. Il admet que nous avons des aptitudes innées, telle la capacité de raisonner, mais rien de plus. Ce qui ne veut pas dire que nous puissions atteindre la connaissance par la seule observation. Le prétendre serait absurde puisqu'il est certain que nous pouvons nous servir de la raison pour aller au-delà de l'expérience – ainsi dans notre connaissance des corpuscules. Mais la raison ne peut pas se ubstituer à l'expérience. Ici, l'influence de Gassendi est évidente ; pourtant Locke, bien qu'il soit souvent en désaccord avec Descartes, est essentiellement un philosophe cartésien, qui suit la voie tracée par Descartes et qui fait des idées de Descartes le point de départ de sa propre pensée.

LA POLITIQUE

Locke tenait beaucoup à combattre l'idée de monarchie de droit divin, cette justification religieuse de la monarchie absolue. Il entreprit de montrer comment l'état politique fut établi et justifié. Dans l'état de nature originel, prépolitique, les hommes découvrent qu'ils ont besoin de s'associer pour protéger leurs droits naturels. Autrement dit qu'il leur faut quelqu'un qui soit un arbitre impartial et un défenseur de leurs droits. À cet arbitre, agréé par le peuple, ils doivent remettre volontairement leur droit personnel de punir celui qui se conduit mal. Ainsi, la société est fondée sur un contrat. Si l'arbitre rompt les termes du contrat, le peuple a le droit de se révolter et de choisir un autre gouvernement.

Expérience : c'est là le fondement de toutes nos connaissances ; et c'est de là qu'elles tirent leur première origine.

Essai sur l'entendement humain, II, ch. 1, § 2

En bref :

La connaissance vient de l'expérience ; la religion et la morale peuvent être prouvées, comme les mathématiques.

NICOLAS MALEBRANCHE

NÉ en 1638 à Paris	**MORT** en 1715 à Paris

PRINCIPAUX INTÉRÊTS Métaphysique, épistémologie

INFLUENCÉ PAR Platon, Augustin, Descartes

A INFLUENCÉ Locke, Leibniz, Berkeley, Montesquieu, Hume, Rousseau, Kant

ŒUVRES PRINCIPALES

De la recherche de la vérité

Entretiens sur la métaphysique et sur la religion

Traité de la nature et de la grâce

L'Index des livres interdits, publié par l'Église catholique, était une liste de livres considérés comme dangereux pour la foi et la morale. Les catholiques avaient interdiction de les lire sous peine d'excommunication. Sa publication fut officiellement interrompue en 1966, mais avait effectivement cessé depuis 1948.

Dernier enfant d'une grande famille, Malebranche souffrait d'une déformation de la colonne vertébrale et avait une constitution fragile. Pour cette raison, il reçut sa première instruction chez lui, avant d'entrer au collège de la Marche, puis à la Sorbonne, où il fit des études de théologie. Cet enseignement lui déplaisait (et ses professeurs le trouvaient médiocre), ce qui le poussa, n'ayant pas obtenu son diplôme, à poursuivre ses études chez les Oratoriens. Il fut ordonné prêtre en 1664. Sa carrière ne connut ensuite que succès et honneurs. En 1674, il devint professeur de mathématiques à l'Oratoire ; en 1699, il fut élu à l'Académie des sciences, principalement pour son *Traité des lois de la communication du mouvement*, 1682. Il avait aussi publié plusieurs autres ouvrages de mathématiques et de sciences, notamment les *Réflexions sur la lumière, les couleurs et la génération du feu* (1699).

L'année où il fut ordonné prêtre, il découvrit par hasard chez un libraire le *Traité de l'homme* de Descartes, et cela changea sa vie. La lecture de ce livre eut sur Malebranche un effet semblable à celui d'une conversion religieuse. Elle l'initia à un monde nouveau, celui des mathématiques et de la philosophie, dont il avait été jusque-là tenu à l'écart par son éducation. À partir de ce moment, il consacra sa vie à la tâche philosophique de prolonger le cartésianisme à la lumière de l'augustinisme et vice versa. La publication en trois volumes de la *Recherche de la vérité* (1674-1675) le mit sur le chemin, et il ne fit ensuite que déve-

En bref :

Le cours quotidien du monde et la perception que nous en avons dépendent de Dieu.

lopper les idées et les arguments de cet ouvrage, notamment dans son *Traité de la nature et de la grâce* (1680) et ses *Entretiens sur la métaphysique et sur la religion* (1688). Son opposition au jansénisme entraîna une longue et âpre querelle avec **Arnauld**, qui dura de 1680 jusqu'à la mort de celui-ci en 1694. Cette dispute fut en grande partie responsable de la mise à l'Index en 1690 du *Traité de la nature et de la grâce*, puis en 1709 de la *Recherche de la vérité*.

L'OCCASIONNALISME

Les écrits de Malebranche abordent trois grandes questions philosophiques : l'occasionnalisme, la vision en Dieu et la théodicée. La thèse qui l'a rendu célèbre, l'occasionnalisme, est (comme le dualisme de l'attribut chez Spinoza) une réponse à ce qui était considéré comme un problème posé par le dualisme de Descartes : comment l'âme et le corps peuvent-ils agir l'un sur l'autre alors qu'ils ne partagent aucune propriété ? La réponse de Malebranche consiste à nier que toute réalité créée et finie – qu'elle soit physique ou mentale – puisse avoir un effet causal. Seul Dieu est actif, seul Dieu peut être une cause. Lorsqu'une raquette frappe une balle et que

Une théodicée est une tentative de concilier l'idée d'un Dieu bienveillant, omnipotent et omniscient avec l'existence du mal dans le monde. Le terme fut créé par **Leibniz** qui en fit le titre de l'un de ses livres.

[...] il n'y a que Sa volonté [celle de Dieu] qui puisse remuer les corps.

De la recherche de la vérité, VI, II, 3

Le départ d'une balle frappée par une raquette est l'occasion de son déplacement, mais sa cause réside dans la puissance de Dieu.

celle-ci s'envole, leur choc n'est que l'*occasion* du départ de la balle, non sa cause. La force causale vient de Dieu. **Al-Ghazali** défendait un point de vue très proche. Cette position entraîne une interrogation sur la notion de volonté. Malebranche l'aborde, sans être très convaincant. Toutefois, sa critique de la notion de cause est pénétrante et anticipe celle de **Hume**.

LA VISION EN DIEU

La doctrine de la vision en Dieu découle de l'occasionnalisme. Malebranche pense que, puisque nos idées ne peuvent à l'évidence venir des sens – ne peuvent être causées par le monde –, elles doivent nécessairement venir de Dieu. Ainsi, bien que Descartes ait eu raison de placer les idées au centre de toute perception et de toute connaissance, ces idées ne proviennent pas d'une modification de l'âme, mais sont des essences ou des archétypes dans l'esprit de Dieu. Cette conception (qui rappelle beaucoup la théorie des Idées de **Platon**) a aussi pour but d'expliquer notre connaissance des vérités éternelles et nécessaires, car, même si Malebranche s'intéresse d'abord à la perception, cette théorie s'applique à toutes nos idées (à quelques exceptions près : l'idée de moi et celle de Dieu) et comprend les concepts

généraux qui rendent la perception possible. En défendant cette position, Malebranche examine les différentes thèses, ce qui l'amène à présenter une argumentation détaillée et importante contre la notion d'idées innées. C'est cette théorie de la vision en Dieu qui provoqua la querelle avec Arnauld, mais la principale objection d'Arnauld portait sur la conception de la grâce chez Malebranche.

LA THÉODICÉE

La théodicée de Malebranche comporte l'affirmation que Dieu, qui aurait pu créer le meilleur des mondes possibles, comme le pensait Leibniz, ne l'a pas fait car un tel monde aurait été trop complexe et donc moins en accord avec la nature éminemment simple de Dieu. Dieu ne peut pas non plus intervenir pour améliorer le monde, puisque cela voudrait dire qu'il a changé d'avis, or Dieu est immuable : ce qu'il veut, il le veut éternellement. Ainsi, Dieu ne veut pas ou même ne *permet* pas le mal. Il faut plutôt dire que le mal, tout comme le bien, est une conséquence inévitable de ce que Dieu veut.

GOTTFRIED WILHELM LEIBNIZ

NÉ en 1646 à Leipzig	**MORT** en 1716 à Hanovre

PRINCIPAUX INTÉRÊTS Métaphysique, logique, langage

INFLUENCÉ PAR Ockham, Suarez, Hobbes, Descartes, Arnauld, Malebranche

A INFLUENCÉ Kant, Frege, Russel, Wittgenstein, Strawson, Lewis

ŒUVRES PRINCIPALES
Discours de métaphysique
La Monadologie
Nouveaux Essais sur l'entendement humain
Essais de théodicée
Système nouveau de la nature

Leibniz fut entraîné dans une querelle avec Newton sur la question de savoir lequel avait été le premier inventeur du calcul différentiel. Il est probable que ce fut Newton (mais la question est fort compliquée), néanmoins, c'est la notation de Leibniz que les mathématiciens ont adoptée. Les travaux mathématiques de Leibniz, qui comprennent aussi l'invention de l'arithmétique binaire, auraient suffi à ce que son nom demeure.

En bref :
Le monde étant construit rationnellement, la raison peut découvrir ses secrets.

Fils d'un professeur de droit et de morale, Leibniz devint plus qu'un philosophe : un mathématicien, un juriste, un historien, un savant, un diplomate, un poète, un inventeur et un courtisan. Après des études de mathématiques, de philosophie et de droit aux universités de Leipzig, Iéna et Altdorf, il renonça à une carrière universitaire pour entrer au service du baron von Boyneburg. Il fut tour à tour secrétaire, bibliothécaire et même émissaire politique. Cette dernière fonction le conduisit en 1672 à Paris où il noua d'utiles relations avec des mathématiciens, des savants et des philosophes aussi éminents qu'Arnauld, Malebranche et Huygens. La même année, une mission identique lui permit de rencontrer Hooke et Boyle à Londres et de faire une démonstration de sa machine à calculer (encore inachevée) devant la Société royale. Il fut un peu plus tard élu membre de cette société savante.

La dernière étape de la vie de Leibniz commença en 1676, lorsqu'il accepta de devenir le bibliothécaire et le conseiller du duc de Hanovre. Dès lors, il voyagea peu et se fixa définitivement à Hanovre, travaillant pour divers employeurs. Ses tâches, surtout administratives, ne l'empêchèrent pas de se consacrer à de nombreux projets académiques ou pratiques. Ses recherches sur les pompes hydrauliques ou atmosphériques destinées aux mines l'amenèrent à la géologie. Il pensait que la Terre était à l'origine un soleil dont la surface s'était durcie en refroidissant, et que les fossiles étaient les restes d'organismes vivants. Il étudia également la dynamique. Parmi ses autres entreprises, il faut noter une monumentale histoire de la famille de Brunswick, restée inachevée.

Si l'œuvre non philosophique de Leibniz est impressionnante, sa philosophie présente des traits inhabituels, le moindre n'étant pas qu'elle est disséminée dans une foule de petits écrits. Il n'écrivit que deux véritables livres : les *Nouveaux Essais sur l'entendement humain* (1705) et *Essais de théodicée* (1710). Malgré leur importance, ni l'un ni l'autre ne donne une présentation complète de son système. Il faut recourir à ses opuscules, notamment le *Discours de métaphysique* (1686), le *Nouveau Système de la nature* (1695) et *Monadologie* (1714), ainsi qu'à sa correspondance. Celle-ci est particulièrement étendue, Leibniz ayant plus de six cents correspondants, parmi lesquels figuraient les plus grands savants, mathématiciens et philosophes de son temps. La correspondance avec Arnauld, au sujet du *Discours de métaphysique*, est d'une particulière importance, tout comme celle avec Newton.

Un arc-en-ciel est un phénomène bien fondé – ce n'est pas une hallucination et il n'existe pas vraiment d'arc coloré dans le ciel, mais il participe de notre expérience.

LE SOUBASSEMENT LOGIQUE

Le système philosophique de Leibniz est construit sur un petit nombre de principes, dont les plus connus sont le principe de raison suffisante et le principe d'identité. Le premier dit qu'il y a toujours une raison pour qu'une chose soit comme elle est et non autrement. Rien ne se produit sans raison. C'est ainsi que Leibniz considère que, puisqu'il n'y a aucune raison pour que le monde ait été créé à un moment plutôt qu'à un autre, il n'a pas été créé à un moment précis. Le second principe dit que si deux choses sont identiques, toutes leurs propriétés sont communes. Il en résulte ce corollaire que si deux choses ont les mêmes propriétés, elles sont identiques. Autrement dit, deux réalités différentes ne peuvent avoir les mêmes propriétés.

LES MONADES

Alors que pour Spinoza il existe une substance unique, pour Leibniz, le monde est composé d'une infinité de substances simples, qu'il appelle des *monades*. Ces monades ne sont pas soumises à des relations causales, elles « n'ont point de fenêtres par lesquelles quelque chose y puisse entrer ou sortir » (*Monadologie*, § 7). Leibniz présente une version personnelle de l'occasionnalisme de Malebranche : le principe de l'harmonie préétablie, selon lequel Dieu a créé les monades de telle sorte que leurs actions et perceptions s'harmonisent parfaitement à la manière de deux pendules qui donnent toujours la même heure sans qu'il y ait de relations causales entre elles.

LES PHÉNOMÈNES BIEN FONDÉS

Leibniz réinterprète notre compréhension ordinaire du monde d'une autre façon encore. On trouve de nombreux exemples de ce qu'il appelle des *phénomènes bien fondés*, c'est-à-dire des apparences qui, bien que fondées sur la réalité, ne donnent pas une représentation exacte du monde. Ainsi, un arc-en-ciel n'est pas une hallucination, mais il n'est pas non plus un arc coloré fixé dans le ciel. D'une manière identique, dit Leibniz, l'espace, le temps, les corps et les causes sont des phénomènes bien fondés. Le monde *correspond* effectivement à notre expérience, mais son agencement n'est ni spatial, ni temporel, ni matériel, ni causal. Il est évident que, comme il n'y a pas de relations causales entre les monades, nous n'avons pas vraiment l'expérience de la façon dont elles sont agencées. Chaque monade contient bien une représentation complète de la totalité, mais leur agencement est trop confus et indistinct pour permettre la perception et la connaissance. Néanmoins, nous pourrions en théorie accéder à la connaissance de la totalité du monde, simplement en suivant les connexions que nous découvrons dans notre esprit.

De même qu'un horloger peut fabriquer deux pendules qui donneront la même heure, sans qu'il existe entre elles des relations causales, Dieu a créé les monades de telle sorte que leurs actions et perceptions s'accordent les unes avec les autres.

[...] si ce n'était le meilleur des mondes possibles, Dieu n'en aurait produit aucun. [...]

Essais de théodicée, *Livre I, § 8*

GEORGES **BERKELEY**

| **NÉ** en 1685 à Kilkenny en Irlande | **MORT** en 1753 à Oxford |

PRINCIPAUX INTÉRÊTS Métaphysique, épistémologie

INFLUENCÉ PAR Ockham, Descartes, Malebranche, Locke

A INFLUENCÉ Reid, Hume, Kant

ŒUVRES PRINCIPALES

Traité des principes de la connaissance humaine

Trois Dialogues entre Hylas et Philonoüs

Par-dessus tout, je suis enclin à penser que la plus grande part, et de loin, de ces difficultés qui ont jusqu'ici occupé les philosophes et empêché l'accès à la connaissance tiennent entièrement à nous. Nous avons commencé par soulever la poussière avant de nous plaindre de n'y rien voir.

Traité des principes de la connaissance humaine, *Introduction, § 3*

Né en Irlande, Berkeley fit ses études supérieures à Trinity College, à Dublin. Il fut nommé chargé de cours en 1707 et ordonné prêtre en 1709. Ses pensées d'étudiant en philosophie furent publiées en 1871, d'abord sous le titre : *Le Livre des lieux communs*, puis *Commentaire philosophique*. Cette œuvre de jeunesse révèle l'influence de l'*Essai sur l'entendement humain* de Locke. À cette époque, le cartésianisme était dominant à Trinity College. De plus, Berkeley confie dans son *Commentaire* : «À huit ans, j'étais déjà porté au doute et donc disposé par nature à cette nouvelle doctrine.» À l'âge de vingt-cinq ans, il avait publié l'*Essai pour une nouvelle théorie de la vision* (1709) et son œuvre la plus connue, le *Traité des principes de la connaissance humaine* (1710).

En 1713, Berkeley se rendit en Angleterre, où il publia les *Trois Dialogues entre Hylas et Philonoüs*, puis il fit deux voyages en Europe continentale. À Paris il s'entretint de philosophie avec Malebranche.

Après un bref séjour en Irlande, il retourna à Londres en 1724 et, pendant huit ans, se consacra au projet de créer un collège aux Bermudes. Il se rendit à Newport (Rhode Island) en 1728 et y vécut quatre ans. Lorsqu'il devint évident que l'aventure des Bermudes était compromise, il rentra en Angleterre, où il publia un livre écrit en Amérique, *Alciphron ou le petit philosophe* (1732), suivi par la *Nouvelle Théorie de la vision* (1733) et l'*Analyste* (1734).

En bref :

Le monde est une idée dans l'esprit de Dieu.

Nommé évêque de Cloyne en 1734, il passa le reste de ses jours à écrire des ouvrages non philosophiques, comme le célèbre *Siris* (1744), livre étrange et confus dans lequel il vante les vertus curatives de l'eau de goudron.

Berkeley est bien connu pour son idéalisme. Il pense que le monde est constitué d'idées et d'esprits finis, les unes et les autres dépendant de l'esprit infini de Dieu. Dès lors, la croyance en l'existence du monde extérieur est une erreur philosophique. C'est là, en partie, une réponse à ce problème posé par le dualisme cartésien qui préoccupait également Malebranche et **Spinoza** : comment une relation causale entre l'âme et le corps est-elle possible ? Mais la thèse de Berkeley vient également d'une réflexion sur ce que les sceptiques ont appelé le «voile de la perception». Puisque notre expérience du monde extérieur n'est pas directe, mais passe par les sens, nous ne pouvons jamais être assurés qu'elle est exacte. En écartant les corps matériels et en déclarant, selon sa formule célèbre, que «être, c'est être perçu», Berkeley pensait avoir résolu les deux problèmes.

ANTHONY WILLIAM AMO

| NÉ en 1703 à Awukenu, Ghana | MORT en 1784 au Ghana |

PRINCIPAUX INTÉRÊTS   Métaphysique, épistémologie, logique

INFLUENCÉ PAR   Descartes, Leibniz, Wolff

A INFLUENCÉ   La philosophie africaine moderne

ŒUVRES PRINCIPALES

Sur l'absence de sensation dans l'esprit humain

Traité de l'art de philosopher avec mesure et précision

Celui qui sent vit; celui qui vit dépend de la nourriture; celui qui vit et dépend de la nourriture croît; tout ce qui est de cette nature finit par retourner à ses éléments de base; tout ce qui retourne à ses éléments de base est complexe; tout ce qui est complexe a des parties constituantes. [...]ut être pour qui cela est [v]rai est un corps divisible. [...], par conséquent, l'esprit humain sent, il s'ensuit [q]u'il est un corps divisible.

Antonius Guilelmus Amo Afer, comme il s'appelait lui-même, appartenait à l'ethnie Nzema du Ghana. On possède peu de renseignements sur son enfance, mais il semble qu'il ait été emmené en Europe comme esclave à l'âge de cinq ans et qu'il ait été offert au duc de Brunswick en 1708. À son arrivée en Basse-Saxe, il fut baptisé puis confirmé avant d'entrer au service du duc. À la cour, il fut accueilli chaleureusement, traité comme un membre de la famille et il reçut une instruction qui lui permit de s'inscrire à l'université de Halle en 1727. Après deux années d'études, il rédigea une dissertation sur «Les droits des Maures en Europe».

Puis Amo poursuivit à l'université de Wittenberg des études sur la logique, la métaphysique, la physiologie, l'astronomie, l'histoire, le droit, la théologie, la politique et la médecine. Il connaissait six langues : le grec, le latin, l'allemand, le français, le hollandais et l'anglais. En 1734, il présenta son mémoire de fin d'études, qui fut publié sous le titre : *Sur l'absence de sensation dans l'esprit humain et sur sa présence dans le corps organique vivant.* C'était un examen critique du dualisme cartésien et une défense d'un certain type de matérialisme. Pour lui, il existe bien quelque chose qu'on peut appeler «esprit» ou «âme», mais c'est le corps et non l'esprit qui est le lieu de la perception et de la sensation.

En 1735, Amo retourna à Halle. Il y donna des cours de philosophie et devint professeur en 1736. Sa conviction d'un lien étroit entre phi-losophie et sciences naturelles, déjà apparente dans sa première œuvre, devint encore plus explicite dans le livre rédigé à partir de ses cours : *Traité de l'art de philosopher avec mesure et précision* (1738). Il y expose une épistémologie très proche de celles de **Locke** et de **Hume**, selon laquelle il ne peut rien y avoir dans l'esprit qui n'ait d'abord été perçu par les sens. Il examine également les travers intellectuels, tels que la mauvaise foi, le dogmatisme et le préjugé.

En 1740, Amo partit à l'université d'Iéna pour y donner des cours de philosophie. Cependant, il n'y fut pas heureux. Son protecteur, le duc de Brunswick, était mort. Le climat moral et intellectuel devenait plus étriqué et intolérant en Allemagne. Il y a de bonnes raisons de considérer que le concept de race fut inventé au XVIIIe siècle, et avec la race vint le racisme. Amo retourna au Ghana en 1746. Ce qui se passa ensuite est mal connu. Il se peut qu'il ait été placé dans une forteresse hollandaise, où il serait mort.

En bref :
La philosophie et la science doivent être nos armes contre la superstition et l'esclavage.

MONTESQUIEU

| **NÉ** en 1689 à La Brède | **MORT** en 1755 à Paris |

PRINCIPAL INTÉRÊT Politique

INFLUENCÉ PAR Aristote, Hobbes, Descartes, Malebranche, Locke

A INFLUENCÉ Hume, Burke, Hegel

ŒUVRES PRINCIPALES

Les Lettres persanes

De l'esprit des lois

Il est impossible que nous supposions que ces gens-là [les esclaves africains] soient des hommes ; parce que, si nous les supposons des hommes, on commencerait à croire que nous ne sommes pas nous-mêmes chrétiens.

De l'Esprit des lois, XV, ch. V

Charles Louis de Secondat, baron de Montesquieu, naquit au château familial de La Brède, près de Bordeaux. C'était un homme agréable, qui fut président du parlement de Bordeaux de 1716 à 1728 et voyagea beaucoup, surtout en Angleterre où il étudia les institutions politiques, assista aux séances du parlement et rencontra **David Hume** et lord Chesterfield. Connu pour ses qualités d'écrivain, il fut élu à l'Académie française en 1728 et à la Société royale en 1730. Ces honneurs étaient surtout dus au succès de ses *Lettres persanes* (1721) qui donnaient une vision critique de la politique, de la culture, de la littérature, de la religion et finalement de la France de son époque. En se servant, comme personnages, de voyageurs fictifs qui s'étonnent des étranges coutumes du pays qu'ils visitent, il a créé un modèle que beaucoup de livres satiriques ont imité.

Son ouvrage *Considérations sur les causes de la grandeur des Romains, et de leur décadence* (1734) fut bien accueilli, mais son chef-d'œuvre philosophique est sans aucun doute *De l'esprit des lois* (1748). Malgré son succès extraordinaire, ce dernier livre suscita aussi de vives critiques et failli être censuré par la Sorbonne et par l'Assemblée des évêques. Montesquieu écrivit en 1750 une *Défense de «l'esprit des lois»* puis quelques autres textes qui ne parurent qu'après sa mort et il donna une édition augmentée des *Lettres persanes*. Il mourut d'une fièvre à Paris, à l'âge de soixante-six ans.

En bref :

Le monde, y compris le monde politique, est soumis à des lois naturelles, et pour en comprendre une partie, il faut étudier comment elle est reliée au reste en fonction de ces lois.

LA FONDATION DES ÉTATS

De l'esprit des lois est un classique de la philosophie politique. Inspiré par **Locke** et **Machiavel**, pour ce qui est de la réflexion politique, Montesquieu l'est par Descartes pour la méthode scientifique. Cela explique que Durkheim l'ait considéré comme le fondateur de la sociologie moderne. Il donne une classification des gouvernements en fonction de leurs principes constitutifs. Pour une république démocratique, c'est la vertu ; pour une république aristocratique, la modération ; pour une monarchie, l'honneur ; et pour le despotisme, la peur. Chaque société, dans son origine et ses transformations, doit être comprise au moyen du principe qui la constitue, mais aussi de sa situation physique (climat, géographie), de ses conditions sociales (liberté, religion, commerce) et de la psychologie humaine. Tous ces facteurs forment un tout obéissant à des lois causales dans un processus de développement entièrement naturel et mécanique.

La Chambre des communes à Londres en 1742. Montesquieu a pris la Constitution anglaise du XVIII⁰ siècle comme modèle de son organisation politique idéale.

La Constitution et le système politique américains se sont profondément inspirés des idées de Montesquieu.

LA SÉPARATION DES POUVOIRS

En dehors de l'arrière-plan métaphysique de sa théorie politique, c'est la thèse de la séparation des pouvoirs qui a eu la plus forte influence. Selon lui, les trois fonctions du pouvoir d'État – le législatif (qui énonce l'action politique), l'exécutif (qui la met en œuvre) et le judiciaire (qui fait appliquer la loi) – doivent être strictement séparées, chacune contrôlant les autres. Elles doivent être non seulement des organisations séparées légalement, mais aussi socialement, chacune étant associée à une classe sociale. L'exécutif revient au monarque, le législatif, divisé en deux chambres, revient à la bourgeoisie, et le judiciaire représente toutes les classes et aucune.

C'est ainsi que les pouvoirs s'équilibrent, chacun ayant un contrepoids. Cette conception prend pour modèle le système constitutionnel anglais du XVIII⁰ siècle, mais, comme l'ont suggéré certains auteurs, la compréhension de ce système est quelque peu idéalisée.

Bien que Montesquieu ait eu en réalité le souci de défendre l'aristocratie contre les empiétements du monarque et du peuple, et qu'il ait considéré que le meilleur système de gouvernement était une monarchie aristocratique et constitutionnelle, ses idées ont été largement reprises lors de l'élaboration de la Constitution américaine.

Le lecteur actuel est souvent surpris par les propos étonnamment modernes de Montesquieu. Ainsi sa critique sarcastique de l'esclavage. Mais, en contrepartie, on trouve chez lui un défaut souvent souligné par ses contemporains : une tendance à substituer à l'argumentation des anecdotes frappantes mais parfois erronées sur les pratiques des divers peuples de la Terre, en une sorte d'anthropologie de salon.

VUE GÉNÉRALE
LE SENS COMMUN

La notion de sens commun a notablement changé au cours des siècles et cela n'est pas sans rapport avec la philosophie. Pour Aristote, et ses disciples du Moyen Âge comme Thomas d'Aquin, le sens commun est la faculté mentale qui unifie les informations relatives aux *sensibles communs* qui nous viennent des sens. Les sensibles communs sont les propriétés que nous pouvons percevoir par plusieurs sens, par exemple la forme ou la taille. De telles propriétés sont perçues telles qu'elles sont, à la différence de celles qui ne sont perçues que par un seul sens, par exemple la couleur ou le goût. Ceci préfigure la distinction de Locke entre qualités premières et qualités secondes. Mais, chez Aristote, le sens commun a aussi pour fonction de faire la synthèse des données des sens, de sorte que nous puissions juger d'une chose qui est à la fois ronde et rouge.

L'ÉCOLE ÉCOSSAISE

Dans un sens moins technique, on trouve aussi cette expression chez les auteurs latins. Le «sens commun», ce sont les opinions de la foule vulgaire, auxquelles s'opposent les conceptions raffinées et raisonnées des philosophes. Dans l'école écossaise de la philosophie du sens commun, qui commence avec **Thomas Reid**, la formule est moins péjorative. Elle désigne l'ensemble des principes préréflexifs de tout esprit humain normal. De tels principes sont fondamentaux et, comme ils ont été créés par Dieu, on peut leur faire confiance. Lorsque la philosophie les contredit, c'est nécessairement la philosophie qui se trompe. Cependant, la difficulté vient de ce que des personnes différentes à différentes époques ont des idées différentes sur ce que recouvre le sens commun. Qui plus est, pour ceux qui soit ne croient pas en Dieu, soit ne croient pas que Dieu joue ce rôle de garant de la vérité sur lequel Reid s'appuie, les principes du sens commun perdent leur utilité.

LES PRINCIPES DE BASE LIMITÉS

La conception du sens commun qu'avait Reid a été reprise par un philosophe du début du XXᵉ siècle, C. D. Broad (1887-1971), à propos de ce qu'on appelait alors la *recherche psychique*. Il introduit la notion de «principe de base limité». Ce sont des principes que nous tenons pour vrais dans la vie quotidienne et dans la pratique scientifique. Ils sont soit évidents en eux-mêmes, soit fondés sur des évidences telles qu'il ne nous vient pas à l'esprit de les mettre en doute.

G. E. Moore (1873-1958) fut un autre défenseur éminent du sens commun. Selon lui, les croyances naturelles des personnes ordinaires, qui s'appuient sur une confiance spontanée dans les données des sens, ont plus de probabilités d'être vraies qu'un scepticisme élaboré, surtout quand ces croyances portent sur l'existence et le contenu du monde extérieur.

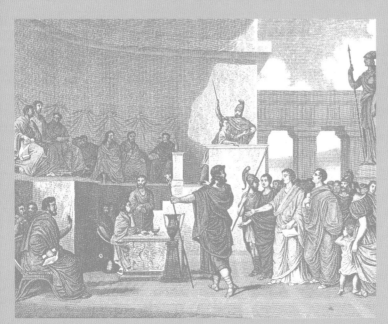

Le sens commun a été l'objet de nombreuses discussions, dès les commencements de la philosophie. À l'époque romaine, on considérait qu'il représentait les croyances de la foule, auxquelles s'opposaient les conceptions rationnelles des philosophes.

THOMAS REID

NÉ en 1710 à Strachan	MORT en 1796 à Glasgow

PRINCIPAL INTÉRÊT Épistémologie

INFLUENCÉ PAR Arnauld, Locke, Berkeley, Hume

A INFLUENCÉ Hamilton, Peirce, Moore, Austin

ŒUVRES PRINCIPALES

Recherches sur l'entendement humain d'après les principes du sens commun

Essai sur les facultés intellectuelles

Essai sur les facultés pratiques

La forme de l'expression « je ressens de la douleur » peut paraître impliquer que le fait de ressentir est différent de la douleur ressentie ; cependant, en réalité, il n'y a aucune différence. De même que l'expression « avoir une pensée » ne peut signifier rien d'autre que penser, ressentir une douleur ne signifie rien d'autre que souffrir.

Recherches sur
l'entendement humain

Reid fit ses études au Marischal College d'Aberdeen et devint pasteur presbytérien. Il avait adopté les thèses de Berkeley, jusqu'à sa lecture du *Traité de la nature humaine* de Hume. Considérant que la philosophie de Hume n'était que la suite logique de celle de Berkeley, il rejeta les deux. Sa réponse au scepticisme qu'il avait trouvé dans le *Traité*, et aux théories qui l'étayaient, fut publiée en 1748 sous le titre : *Essai sur la quantité*. Grâce à ce travail, il fut nommé professeur au King's College d'Aberdeen. En 1764, il écrivit *Recherches sur l'entendement humain d'après les principes du sens commun* et obtint la même année la chaire de philosophie morale de l'université de Glasgow. Puis, les tâches universitaires gênant son travail d'écrivain, il démissionna pour se consacrer à deux autres livres, l'*Essai sur les facultés intellectuelles* (1785) et l'*Essai sur les facultés pratiques* (1788).

Reid fait remonter à la théorie de la perception de **Locke** le problème qui réapparaît dans le scepticisme de Hume. Locke, suivi par Berkeley et Hume, plaçait les idées entre le monde et nous et faisait de la perception une expérience des idées plutôt que du monde. Dès lors, le scepticisme devenait inévitable car quelle garantie avons-nous que nos idées correspondent exactement au monde ? Nous sommes aussi condamnés au solipsisme, puisque ce qui paraît être notre expérience des autres se révèle n'être que l'expérience de notre propre esprit. En lieu et place de la thèse de Locke, Reid élabore une forme de réalisme qu'on appelle maintenant le *réalisme direct*. Le monde existe indépendamment de l'expérience que nous en avons, et nous le connaissons par l'intermédiaire des sensations, lesquelles sont l'expression directe du monde dans notre esprit. Du moins pour les *qualités premières* ; les choses sont plus compliquées et moins directes pour les *qualités secondes*.

La conception du sens commun chez Reid n'est pas simple. Il pense que certaines croyances nous sont imposées par notre nature d'êtres humains. Ces croyances sont admises universellement, ou le seraient si nous n'en étions parfois détournés par la magie des mots propre à des philosophes comme Locke. Ces principes du sens commun ont quelque chose qui les apparente aux principes fondamentaux, aussi ne peut-on les justifier au moyen de principes plus généraux ou plus profonds. Leur justification vient plutôt de ce que notre nature humaine a été créée par Dieu. Reid s'efforce d'avancer entre deux écueils, celui qui consisterait à faire des idées de la foule un critère de vérité et celui qui ferait reposer notre connaissance sur le genre d'idées innées que Locke a combattu.

En bref :

L'influence de Reid s'est entendue au-delà de l'école écossaise du sens commun et a marqué la pensée philosophique européenne, aussi bien que le pragmatisme américain.

DAVID HUME

NÉ en 1711 à Edimbourg	MORT en 1776 à Édimbourg

PRINCIPAUX INTÉRÊTS   Épistémologie, éthique

INFLUENCÉ PAR   Francis Bacon, Descartes, Malebranche, Newton, Locke, Berkeley

A INFLUENCÉ   Tous ceux qui sont venus après lui

ŒUVRES PRINCIPALES

Traité de la nature humaine

Enquêtes sur l'entendement humain

Enquêtes sur les principes de la morale

Dialogues sur la religion naturelle

Ce qui élève l'homme au-dessus de la nature, c'est sa capacité de sympathie. Ce trait nous permet de formuler des jugements moraux qui ne se limitent pas à des individus ou à des cultures.

Nous disposons d'assez peu de documents sur la jeunesse de Hume. Né à Édimbourg, il partagea ses premières années entre cette ville et le domaine familial de Ninewells, près de Berwick-upon-Tweed. Son père étant mort en 1713, il fut élevé et instruit par sa mère. Il semble avoir manifesté très tôt ses dons intellectuels et commença à s'intéresser à la philosophie vers l'âge de seize ans. Destiné d'abord à une carrière juridique (sa mère appartenait à une famille d'hommes de loi), il poursuivit ses études par lui-même en lisant toutes sortes d'ouvrages dans un large registre allant de la philosophie aux mathématiques en passant par les sciences, l'histoire et la littérature.

Entre 1726 et 1739, la pensée de Hume évolua beaucoup avant d'atteindre son point de maturité. Le résultat de ses efforts, son *Traité de la nature humaine*, qui devait dans son esprit soulever la controverse et l'indignation par ses idées révolutionnaires et son style direct, «tomba mort-né de la presse», dit-il dans *Ma Vie*, et fut soit ignoré, soit l'objet d'une incompréhension sarcastique.

Hume s'en attribua la faute, pensant qu'il l'avait publié trop vite. Il se remit au travail et transforma le livre I du *Traité* pour en faire les *Enquêtes sur l'entendement humain* (1748) et fit du

En bref :

On ne devrait croire que ce que l'on a de bonnes raisons de croire.

livre II les *Enquêtes sur les principes de la morale* (1751). Les nouveaux livres différaient en bien des points du premier. Ils laissaient de côté des considérations psychologiques sur l'origine de concepts comme ceux d'espace et de temps et introduisaient des développements sur les implications religieuses de sa théorie. Car, malgré son désir de choquer le lecteur, il avait eu la prudence d'omettre ces derniers dans le *Traité*.

Les *Dialogues sur la religion naturelle* furent le seul autre ouvrage philosophique important de Hume, qu'il fut également assez prudent pour ne pas publier, et qui ne parut (selon ses instructions) qu'après sa mort, en 1779. Dans l'atmosphère tolérante d'Édimbourg au XVIIIe siècle, cette prudence n'était pas motivée par la crainte pour sa sécurité, mais par un souci de rang social. Hume était apprécié dans la bonne société et dans les cercles littéraires, aussi bien en Écosse qu'en France, et il se plaisait dans cette compagnie, surtout dans celle des femmes.

Bien qu'il n'ait guère publié dans le domaine philosophique entre 1751 et sa mort, il fut loin de rester inactif. Il ne réussit jamais à obtenir un poste universitaire (sa candidature

fut repoussée à Glasgow et à Édimbourg), mais remplit de nombreuses fonctions politiques et diplomatiques. Il fut secrétaire privé de l'ambassadeur de Grande-Bretagne à Paris, puis chargé d'affaires dans cette ville. Il fut aussi bibliothécaire de l'ordre des avocats d'Édimbourg, ce qui lui permit d'écrire les six volumes de l'*Histoire de la Grande-Bretagne* (1754-1762), qui feraient sa renommée s'il n'avait rien écrit en philosophie. En son temps, d'ailleurs, il était plus connu comme historien que comme philosophe. Outre divers courts essais, Hume publia des *Discours politiques* en 1752. Son autobiographie, *Ma Vie*, parut après sa mort, en 1777.

IMPRESSIONS ET IDÉES

Pour Hume, tout le contenu de l'esprit se partageait entre les impressions et les idées. Les impressions recouvraient ce que nous appellerions aujourd'hui les «données sensorielles», mais elles incluaient aussi des impressions intérieures comme les émotions. Le monde «s'imprime» en nous par l'intermédiaire de la lumière, de l'air, des ondes, etc. Nous ne disposons d'aucun contrôle sur ces perceptions, hormis le moyen élémentaire qui consiste à fermer les yeux et à se boucher les oreilles. Les idées sont des impressions atténuées, les restes persistants de la perception. Néanmoins, nous pouvons les contrôler en les combinant pour former des idées complexes (comme l'idée de licorne). Il en découle que, pour toute idée véritable, on peut remonter à l'impression qui l'a produite. C'est là, pour Hume, le principal critère pour légitimer nos idées et nos croyances. Il l'applique à toute une série d'idées, à celles de causalité, de miracle et de moi, et, dans chaque cas, il montre qu'on ne trouve pas d'impression pertinente.

Ensuite, Hume pose deux questions : d'abord, d'où viennent les concepts, sinon de l'expérience ? Ensuite, en avons-nous besoin ? À la première question, il répond par la psychologie en montrant comment notre esprit fonctionne, notamment l'imagination. À la seconde, il répond tantôt «oui» (comme pour la causalité), tantôt «non» (comme pour les miracles). Dans tout ceci, ce qui intéresse Hume, c'est le problème épistémologique. Ainsi, il ne prétend pas que les miracles ne se sont jamais produits, mais que nous n'avons aucune raison de croire qu'ils se sont produits.

L'ÉTHIQUE

La théorie morale de Hume peut induire en erreur. Il semble penser que nos jugements moraux sont subjectifs et ne dépendent que de notre sensation de plaisir ou de déplaisir face à des actes, des événements ou des personnes. Mais ce qui l'élève au-dessus de ce subjectivisme élémentaire, c'est qu'il fonde ces sensations sur la *sympathie*, laquelle en tant que caractéristique humaine ne se limite pas à certains individus ou à certaines cultures. Le jugement «il est mal de torturer» n'est pas plus subjectif que «le ciel est bleu», bien que comprendre qu'il est mal de torturer, comme s'apercevoir que le ciel est bleu, dépende de ce que l'on soit un être humain disposant de facultés humaines normales.

Pendant la plus grande partie du XVIIIᵉ siècle, Édimbourg fut un haut lieu du mouvement européen des Lumières. Elle en abritait des figures importantes, comme le philosophe et économiste Adam Smith, le savant et sceptique James Hutton et l'ingénieur James Watt, ainsi que David Hume.

Le ridicule de nier une vérité évidente n'est pas loin de celui de déployer trop d'effort à la défendre; et aucune vérité ne m'apparaît plus évidente que celle qui consiste à dire que les bêtes sont douées de pensée et de raison aussi bien que les hommes.

Traité de la nature
humaine *I, iii, XVI*

JEAN-JACQUES ROUSSEAU

NÉ en 1712 à Genève	**MORT** en 1778 à Ermenonville

PRINCIPAUX INTÉRÊTS Éducation, politique

INFLUENCÉ PAR Machiavel, Hobbes, Descartes, Malebranche, Locke

A INFLUENCÉ Wollstonecraft, Hegel, Rawls

**ŒUVRES
PRINCIPALES**
Le Contrat social
Émile

*À l'état de nature,
avant la civilisation,
l'homme était
un «bon sauvage».
Il a été corrompu
par la société.*

Élevé dans un premier temps par son père, puis, avec moins de bonheur, par un oncle et une tante, Rousseau s'enfuit de Suisse à l'âge de seize ans et devint le secrétaire et compagnon d'une riche philanthrope catholique, Louise de Warens. Elle le persuada de se convertir au catholicisme, mais surtout l'aida à compléter son éducation. Cela lui permit de gagner sa vie comme précepteur, compositeur, auteur de théâtre, musicien et écrivain, d'abord à Lyon puis à Paris. En dehors de ses œuvres philosophiques, Rousseau a écrit des romans, des poèmes, des opéras, ainsi que des ouvrages sur la botanique, la musique et l'éducation.

En 1750, il remporta le prix de l'Académie de Dijon pour son *Discours sur les sciences et les arts*, dans lequel il montre que les sciences et les arts, loin de favoriser le bonheur et la vertu, ne font que corrompre l'homme. Son *Discours sur l'origine et les fondements de l'inégalité parmi les hommes* (1755) étendit son argumentation aux effets malfaisants de la société sur le bon sauvage vivant à l'état de nature. Sa thèse fut critiquée par Voltaire, ce qui entraîna un conflit aigu entre les deux hommes.

En 1762, Rousseau publia ses deux grands livres, *Émile*, dans lequel il expose sa conception de l'éducation, et *Le Contrat social*, qui est son œuvre philosophique la plus connue. Ils provoquèrent controverse et hostilité, aussi bien en France qu'en Suisse, ce qui amena Rousseau à partir pour la Prusse, puis pour l'Angleterre. Dans ce pays, il fut accueilli par Hume, mais l'état mental de Rousseau était devenu précaire et l'amitié entre les deux hommes ne survécut pas aux accusations de complot infondées de Rousseau. En 1768, il retourna en France sous un faux nom et y mourut dix ans plus tard après avoir écrit ses *Confessions*, pleines de révélations et d'une franchise étonnante, qui eurent une publication posthume en 1782.

LE CONTRAT SOCIAL

Rousseau ne partageait pas la conception de la nature humaine que l'on trouve chez des auteurs comme Hobbes et Locke, considérant que, voulant représenter les hommes à l'état de nature, ils ne faisaient que décrire des hommes modernes et socialisés situés dans un passé présocial imaginaire. Il pense que les humains ne sont pas naturellement égoïstes, mais qu'ils le deviennent lorsque la raison commence à influer sur leur vie (notamment lorsqu'ils se mettent à vivre en société), ce qui a pour effet d'étouffer la sympathie naturelle qu'ils portent aux autres. Pour lui, les hommes s'assemblent parce que la collaboration leur est nécessaire, et ils établissent un contrat par lequel ils abandonnent leurs droits naturels à la communauté. Lorsqu'elle est passive, cette communauté est appelée l'État ; quand elle est active, le souverain. Elle forme une sorte de personne politique avec une partie physique – le corps politique – et une partie mentale – *la volonté générale*. Cette volonté porte sur ce qui est bon pour la société prise comme un tout. Elle n'est pas une simple moyenne ou

Ce tableau allégorique montre que la Révolution considérait Rousseau comme son père spirituel.

une addition de ce que veut chaque citoyen, mais la véritable volonté de la communauté, à laquelle chaque individu appartient et de laquelle il est volontairement sujet.

LA LIBERTÉ

Pour Rousseau, seule la démocratie directe est une véritable démocratie. Dès que le peuple accepte d'être représenté, il perd sa liberté. En fait, la liberté est au cœur de sa philosophie politique, mais il prend soin de distinguer la liberté inférieure de l'individu qui fait ce qu'il veut et la liberté supérieure de celui qui appartient à un corps social, la liberté de l'autonomie, la liberté de vivre selon ses propres règles plutôt que sans règles. Voilà pourquoi, lorsqu'une personne va à l'encontre de la volonté générale, il faut la «forcer d'être libre». Si le souverain ne la contraint pas à suivre les règles qu'elle a contribué à établir, elle redeviendra esclave de ses passions. Plus exactement, elle vivra dans la contradiction de vouloir et de rejeter en même temps ce qui vaut le mieux pour la société, car la volonté générale a toujours raison, seuls les individus se trompent.

On a souvent fait remarquer que la théorie politique de Rousseau peut justifier le totalitarisme, mais cette critique n'est pas pertinente. Il admet que, dans une situation d'urgence, lorsque la lenteur du débat démocratique devient impraticable, on peut faire appel à un dirigeant unique dont le rôle s'approche de celui d'un dictateur totalitaire. Mais une telle situation n'est que temporaire et ne dure aussi longtemps qu'elle est nécessaire et, de surcroît, elle n'est admissible que dans un État tel que Rousseau l'envisage. Ce n'est en aucun cas une justification de la dictature en général.

Les écrits de Rousseau eurent beaucoup de succès auprès des Jacobins. Par là, ils pavèrent la voie de la Révolution. Sa théorie de l'éducation, qui prônait des méthodes permissives et favorisait la santé du corps plutôt que le développement intellectuel, eut une grande influence sur des théoriciens et praticiens de l'éducation comme Pestalozzi et Fröbel.

L'homme est né libre, et partout il est dans les fers. Tel se croit le maître des autres, qui ne laisse pas d'être plus esclave qu'eux.

Le Contrat social,
I, ch. 1

En bref :

La société nous a fait perdre notre liberté et notre bonté naturelle. Nous pouvons et nous devons les retrouver.

EMMANUEL KANT

| **NÉ**   en 1724 à Königsberg | **MORT**   en 1804 à Königsberg |

PRINCIPAUX INTÉRÊTS   Épistémologie, métaphysique, éthique

INFLUENCÉ PAR   Descartes, Malebranche, Leibniz, Spinoza, Locke, Berkeley, Hume

A INFLUENCÉ   Tous ceux qui sont venus après lui

ŒUVRES PRINCIPALES
Critique de la raison pure
Critique de la raison pratique
Prolégomènes à toute métaphysique future

Deux choses remplissent le cœur d'une admiration et d'une vénération toujours nouvelles et toujours croissantes à mesure que la réflexion s'y attache et s'y applique : le ciel étoilé au-dessus de moi et la loi morale en moi.

Épitaphe de Kant
(extraite de la Critique de la raison pratique, V, 161)

Kant naquit dans une famille pauvre de Königsberg, en Prusse orientale. Il étudia à l'université de cette ville, et après avoir été précepteur quelques années, il y enseigna pendant plus de quarante ans sans jamais s'éloigner de sa ville natale. Il enseignait les sciences et les mathématiques, mais aussi l'anthropologie et la géographie, étendant peu à peu ses intérêts à la métaphysique, à l'épistémologie et à l'éthique.

Pendant un quart de siècle, il écrivit sur des sujets scientifiques et philosophiques, et de nombreux arguments de ses œuvres ultérieures font leur première apparition au cours de cette période. Mais Kant hésitait entre deux conceptions de la philosophie. L'une étant rationaliste et l'autre mettant en doute les capacités de la seule raison.

C'est au cours de cette période d'incertitude qu'il relut **Hume**, lequel, dit-il plus tard en exagérant peut-être un peu, l'avait réveillé de son sommeil dogmatique. Ce réveil l'amena à écrire la monumentale *Critique de la raison pure* (1781), qu'on appelle la première critique. Elle fut suivie de toute une série de livres : *Prolégomènes à toute métaphysique future* (1783), *Fondements de la métaphysique des mœurs* (1785), une seconde édition presque entièrement réécrite de la première critique (1787), la *Critique de la raison pratique* (1788), la *Critique du jugement* (1790), *La Religion dans les limites de la simple raison* (1792-1793) et la *Métaphysique des mœurs* (1797). En 1799, sa

En bref :

Toute connaissance humaine commence avec l'expérience, mais la connaissance du monde dépend aussi de la nature de l'esprit humain.

mauvaise santé l'obligea à cesser son enseignement.

MÉTAPHYSIQUE ET ÉPISTÉMOLOGIE

En posant la question : comment la métaphysique est-elle possible ? Kant répond à Hume qui pense que la métaphysique ne peut augmenter nos connaissances car elle ne consiste qu'en ce qu'il appelle des relations entre les idées, et par là n'apporte que des vérités évidentes. Pour Kant, si la métaphysique peut étendre nos connaissances, comme il se propose de le faire, elle doit livrer des vérités nouvelles. Mais la métaphysique doit être a priori, c'est-à-dire indépendante de l'expérience, car le genre de connaissance auquel nous aspirons est non empirique. Si cette connaissance est *a priori*, alors elle doit aussi être nécessaire, car l'expérience « nous apprend qu'une chose est telle ou telle, mais pas qu'elle ne peut être autrement » (*Critique de la raison pure*). La nécessité et l'universalité sont les deux critères de la connaissance *a priori* selon Kant. Il aboutit donc à cette question : « Comment les jugements synthétiques *a priori* sont-ils possibles ? »

L'impératif catégorique de Kant est l'expression universelle et objective de notre nature d'êtres doués de raison. Si une chose est juste pour une personne, elle est juste pour tous. Nous débattons de principes moraux parce que nous voulons qu'ils soient universellement valables.

Cela l'amène à s'interroger sur les conditions de possibilité de la connaissance et à établir une distinction entre les conditions sensibles et les conditions conceptuelles. La connaissance suppose à la fois des concepts et des données sensorielles si elle doit être la connaissance des objets d'une expérience possible (les objets extérieurs ou monde phénoménal). L'espace et le temps sont des conditions nécessaires en tant que formes pures *a priori* de notre sensibilité, et les catégories de l'entendement, ou concepts purs *a priori* – notamment les concepts de substance et de causalité – sont les conditions conceptuelles nécessaires de la connaissance. Ces deux sortes de conditions forment la structure de l'expérience, les premières au niveau où les objets sont perçus, les secondes à celui où les objets perçus sont subsumés sous des concepts, et peuvent ainsi être compris ou pensés. Le fondement non empirique de ces concepts est l'unité du sujet conscient. C'est cette unité du sujet que Hume a cherchée désespérément sans pouvoir la trouver car son système philosophique n'acceptait que les fondements empiriques, lesquels ne peuvent constituer d'unité et d'identité dans le temps. Et sans unité du sujet Hume ne peut établir l'un de ses principes fondamentaux, celui relatif à la causalité.

PHÉNOMÈNES ET NOUMÈNES

Kant distingue ensuite entre le monde phénoménal et le monde en soi, indépendant de nous, ou monde nouménal, qui est l'objet de la spéculation métaphysique, ou raison pure. Il ne nie pas que le monde nouménal ne soit pensable ou intelligible, mais précise que ce qui est intelligible est au mieux un concept général (et non celui d'un objet particulier) soumis à une élaboration purement intellectuelle, hors de tout contexte spatio-temporel. Il ne nous fournit aucune connaissance, mais sert de concept-limite, autrement dit de concept fixant les limites de notre sensibilité.

L'ÉTHIQUE

À la différence de la métaphysique, la délibération morale s'appuie sur la raison pure pratique, ou bon vouloir intrinsèque. La philosophie morale de Kant est élaborée à partir des concepts corrélés de sujet, de devoir (savoir ce qui est bien), de liberté (au niveau de la raison) et d'autonomie (se diriger soi-même). Nous nous donnons à nous-mêmes une loi morale qui s'exprime dans un impératif catégorique, lequel est à la fois objectif et universel (il s'applique à tous les êtres raisonnables), parce qu'il est l'expression de notre nature d'êtres doués de raison. Son principe de base est que « devoir » suppose « pouvoir ». Chacun ne peut être moralement obligé de faire que ce qu'il est vraiment capable de faire.

Sans la sensibilité, aucun objet ne nous serait donné, sans l'entendement, aucun ne serait pensé. Des pensées sans contenu sont vides, des intuitions sans concepts sont aveugles.

Critique de la raison pure

De même qu'un appareil photo ne peut nous donner qu'une vision limitée du monde, de même le monde que nous voyons et connaissons par notre appareil sensoriel est lui aussi limité.

JEREMY BENTHAM

| **NÉ** en 1748 à Londres | **MORT** en 1832 à Londres |

PRINCIPAUX INTÉRÊTS Éthique, politique, droit

INFLUENCÉ PAR Épicure, Hobbes, David Hartley, William Blackstone

A INFLUENCÉ James Mill, J. S. Mill, Peirce, Singer

ŒUVRE PRINCIPALE

Introduction aux principes de la morale et de la législation

La nature a placé l'humanité sous le gouvernement de deux maîtres souverains, la douleur et le plaisir. Eux seuls doivent nous indiquer ce que nous devrions faire aussi bien que décider ce que nous allons faire.

Introduction aux principes de la morale et de la législation, *chap. I, § 1*

Bentham naquit dans une famille de juristes et, comme son successeur dans l'utilitarisme, J. S. Mill, il fut un enfant prodige. Il fit des études de droit, obtint son diplôme d'avocat mais n'exerça jamais cette profession. Dans le cours de ses études, ayant conçu une grande aversion pour la législation anglaise, il entreprit de la réformer. Son premier livre, *Fragment sur le gouvernement*, était une charge contre le modèle du juriste de l'époque, sir William Blackstone.

Bentham s'intéressait aussi à la réforme pénale, allant jusqu'à faire le plan d'une prison d'un type révolutionnaire, le *Panoptique*, ainsi nommée parce qu'elle permettait aux gardiens de surveiller en permanence les détenus. Il passa des années à faire campagne pour qu'on l'adopte. Quelques établissements furent construits de par le monde en s'en inspirant, mais il n'y eut jamais de véritable Panoptique.

Son livre le plus important et le plus connu est son *Introduction aux principes de la morale et de la législation* (1789), qui devait former l'introduction à un ouvrage sur la réforme pénale, mais fut publié séparément. C'est là qu'il présente sa théorie de l'utilitarisme, selon laquelle la moralité d'une action dépend de la quantité de plaisir et de douleur qu'elle produit. Il pense que l'on peut calculer précisément cette quantité de plaisir et de douleur, ce qui fait de la morale une discipline soumise à la mesure et authentiquement scientifique.

Il passa le reste de sa vie à développer cette théorie et à l'appliquer à la politique et au droit. Comme les individus sont les mieux placés pour savoir ce qui leur donne plaisir ou douleur, et que le bien de la société n'est que l'agrégation du plaisir ou de la douleur de chaque individu, cela implique la non-intervention de l'État.

Bentham exerça une influence considérable sur la politique et la législation anglaise, qu'il aida à réformer, ainsi que sur la philosophie morale et politique. Mais son influence fut encore bien plus grande en Europe continentale. La République française le fit citoyen d'honneur en 1792. Il traita de nombreux sujets, depuis le bien-être des animaux jusqu'à l'aide aux pauvres, en passant par l'extension du suffrage électoral et la décriminalisation de l'homosexualité.

À sa mort, Bentham laissa un double legs : une grande quantité de manuscrits non publiés et son corps. Parmi les premiers se trouvent des œuvres importantes de philosophie du droit. Quant au second, il est exposé à Londres dans une salle de University College, établissement créé par lui.

Dans le texte :

[À propos de notre responsabilité à l'égard des animaux :]
La question n'est pas : peuvent-ils raisonner ? Ni : peuvent-ils parler ? Mais : peuvent-ils souffrir ?

Introduction aux principes de la morale et de la législation,

MARY WOLLSTONECRAFT

| **NÉE** en 1759 à Londres | **MORTE** en 1797 à Londres |

PRINCIPAUX INTÉRÊTS Politique, éthique

INFLUENCÉE PAR Rousseau

A INFLUENCÉ J. S. Mill

ŒUVRES PRINCIPALES

Justification des droits de l'homme

Justification des droits de la femme

Les hommes et les femmes sont formés, à un degré élevé, par les opinions et les habitudes de la société dans laquelle ils vivent.

À chaque époque le courant de l'opinion dominante a tout emporté devant lui et donné un air de famille à son siècle. ›n peut donc en conclure que, tant que la société ne sera pas constituée ›fféremment, il ne faudra ›s attendre grand-chose de l'éducation.

Justification des droits de la femme, p. 102

Fille d'un tisseur de mouchoirs et agriculteur à l'occasion, Mary Wollstonecraft se déplaça beaucoup en Angleterre et au pays de Galles durant sa jeunesse. Il en résulta une éducation perturbée, mais un homme d'Église, voisin de ses parents dans le Yorkshire, qu'elle rencontra à l'âge de neuf ans, lui donna le goût de la vie intellectuelle. Lorsqu'elle dut quitter son foyer pour devenir la dame de compagnie d'une veuve âgée à Bath, elle continua à étudier par elle-même. Mais au bout de deux ans, elle dut revenir auprès de sa mère malade. Deux années plus tard, sa mère mourut et elle alla vivre avec son amie d'enfance, France Blood. En 1784, toutes deux ouvrirent une école à Islington, conjointement avec les deux sœurs de Mary.

C'est à cette époque qu'elle rencontra Richard Price, un pasteur local, qui dirigeait, avec son ami Joseph Priestley, un groupe dénommé les *Dissidents rationalistes*. Price était un philosophe qui avait écrit une défense de la conception rationaliste de la morale, *Les Principales Questions de la morale* (1758), dans laquelle il critiquait ceux qui, à l'instar de Hume, faisaient des passions le fondement de la moralité. Price était un homme connu à l'époque, à la fois pour ses conceptions religieuses et pour sa défense des révolutions américaine et française.

Mary Wollstonecraft se mit à fréquenter l'église de Price et à participer aux réunions qui se tenaient chez lui, où elle rencontrait des hommes de gauche comme Tom Paine,

William Godwin et l'éditeur Joseph Johnson, lequel la chargea d'écrire un pamphlet sur l'éducation, *Pensées sur l'éducation des filles* (1786). En 1789, en réponse à une attaque d'Edmund Burke contre Price à propos de la Révolution française et de la monarchie de droit divin, Mary écrivit une *Justification des droits de l'homme* (1790). Elle n'y traitait pas seulement de la révolution contre un mauvais roi, mais de questions plus générales, comme le commerce des esclaves, les inégalités sociales, et la nécessité de vaincre les préjugés par la raison. Puis, en 1792, elle publia son livre le plus important, *Justification des droits de la femme*, dont le ton et le contenu déclenchèrent une tempête. Elle y prônait l'égalité des hommes et des femmes, y compris le vote des femmes, et montrait comment la plupart des femmes étaient façonnées par une éducation conçue pour elles par les hommes et pérennisée par des structures sociales que les hommes imposaient. Elle y présentait le mariage comme une prostitution légale.

En 1797, Mary épousa William Godwin, mais elle mourut la même année des suites de son accouchement. Sa fille devait devenir célèbre sous le nom de Mary Shelley.

En bref :

Les inégalités sont créées et entretenues par la société, qu'il faut par conséquent changer.

Bien que cette période soit plus courte que les périodes antérieures abordées dans ce livre, et bien qu'elle soit, en philosophie, une période de transition entre l'époque moderne et l'époque contemporaine, le XIXe siècle a connu d'immenses progrès dans trois domaines principaux : l'éthique, la politique et les relations de la logique et du langage. Dans le même temps un engouement pour la philosophie s'est répandu dans toute l'Europe.

1770

1806

1813

1818

Celui qui réunit ces trois domaines en une seule œuvre est le philosophe empiriste anglais John Stuart Mill, qui élabora une théorie morale et politique utilitariste et un *Système de logique* très novateur dont l'influence fut considérable. Malheureusement, Mill fut d'abord négligé, sauf comme philosophe moral et politique, mais sa pensée eut un effet direct sur des penseurs ultérieurs comme Russell (dont il était le parrain) et Hempel. L'étude de la logique, en particulier, stagnait depuis longtemps. Les travaux de Mill

1804	Napoléon devient empereur des Français
1805	Batailles de Trafalgar et d'Austerlitz
1806	Fin du Saint Empire romain germanique
1807	L'Empire britannique abolit le commerce des esclaves

XIXᵉ SIÈCLE
1800 – 1899

1811	Mouvement des luddites
1812	Retraite de Russie
1816	Retour de l'île d'Elbe. Bataille de Waterloo
1818	Congrès d'Aix-la-Chapelle
1821	Mort de Napoléon à Sainte-Hélène
1825	Première ligne de chemin de fer, Stockton-Darlington
1830	Monarchie de Juillet
1832	Mort de Goethe et de Walter Scott. Morse invente le télégraphe
1834	Union douanière allemande
1837	Début du règne de la reine Victoria
1840	Victoria épouse le prince Albert de Saxe-Cobourg. Début de la guerre de l'Opium
1848	Mouvements révolutionnaires en Europe. Ruée vers l'or en Californie
1850	Révolte du mouvement Taiping contre la dynastie mandchoue
1851	Exposition universelle
1853	Le commodore Perry arrive au Japon. Début de la guerre de Crimée
1854	Chute de Sébastopol

1839

1837

1856	Fin de la guerre de Crimée
1857	Soulèvement en Inde
1859	Publication de *L'Origine des espèces* de Darwin
1860	Garibaldi et ses Chemises rouges s'emparent de la Sicile et de Naples
1861	Abraham Lincoln devient président. Début de la guerre de Sécession. Première bataille de Bull Run
1863	Soulèvement polonais contre la Russie. Bataille de Gettysburg
1864	Premier congrès socialiste international. Sherman s'empare d'Atlanta et de Savannah. Première convention de Genève
1865	Lee se rend à Grant. Assassinat de Lincoln. Abolition de l'esclavage aux États-Unis
1866	Publication des travaux de Mendel sur l'hérédité. La Russie vend l'Alaska aux États-Unis
1868	Abolition du shogunat au Japon
1869	Ouverture du canal de Suez
1870	Création de l'infaillibilité papale. La France déclare la guerre à la Prusse. Siège de Paris
1871	Commune de Paris
1876	Bell invente le téléphone
1878	La Turquie cède Chypre à la Grande-Bretagne
1879	Guerre des Zoulous
1881	Révolte de Mahdi au Soudan
1886	Capture de Géronimo. Toutes les tribus indiennes hostiles sont parquées dans des réserves
1894	Les Turcs massacrent les Arméniens. Poursuite des tueries pendant un quart de siècle
1895	Découverte des rayons X. Marconi envoie un message télégraphique à plus d'un mile
1897	Révolte de la Crète. Guerre gréco-turque. Jubilé de la reine Victoria
1898	Guerre hispano-américaine. Assassinat de l'impératrice d'Autriche. Découverte du radium
1899	Début de la guerre des Boers
1900	Révolte des Boxers. Mort de Nietzsche

eurent l'effet bénéfique d'une secousse, mais la figure dominante dans ce domaine fut sans aucun doute **Gottlob Frege**. En ce qui concerne ses théories morale et politique, la version de l'utilitarisme qu'elles présentaient agit en profondeur sur la pensée en dehors de la philosophie. Il aurait d'ailleurs fait remarquer à ce sujet, assez justement, qu'il ne faisait que reproduire et améliorer ce qui était déjà là.

LA PHILOSOPHIE POLITIQUE

Mill, comme **Karl Marx**, l'autre grand penseur politique du XIXᵉ siècle, était très influencé par la pensée politique de gauche qui avait commencé à s'épanouir sous différentes formes à la fin du siècle précédent et qui avait donné naissance à de nombreux mouvements politiques, dont le socialisme. À la différence de Marx, Mill a ceci de particulier qu'il a résisté – en grande partie par ignorance – au courant philosophique dominant du siècle, l'hégélianisme, et notamment l'idéalisme hégélien. La philosophie de **G. W. F. Hegel** s'étendit rapidement

dans toute l'Europe continentale (à l'exception notable de la France), devenant ainsi l'école philosophique dominante, surtout en Allemagne. Puis, comme son étoile pâlissait, elle franchit la Manche et s'installa dans les îles britanniques, faisant d'Oxford sa capitale. Mais l'hégélianisme britannique formait une espèce légèrement différente, modifiée par différents apports, locaux ou non, en particulier par le kantisme. Les hégéliens britanniques, comme Green, **Bradley** et Collingwood, eurent tendance à adopter les conclusions de Hegel plutôt que sa méthode philosophique, ce qui explique peut-être pourquoi ils n'acceptèrent généralement pas le qualificatif d'hégéliens.

Le XIXe siècle vit aussi la naissance de la philosophie américaine, avec l'apparition du pragmatisme. Les deux figures principales associées à cette école, **C. S. Peirce** et **William James**, créèrent le premier courant original de la philosophie américaine, dont beaucoup diront qu'il reflétait bien le caractère national des États-Unis à cette époque.

LA FRAGMENTATION DE LA PHILOSOPHIE

Cette époque marque la dernière tentative des créateurs de systèmes qui, tels Spinoza, Leibniz et Kant, tentèrent de donner un équivalent philosophique aux théories scientifiques générales. Hegel et ses épi-

1842   1844   1846   1848

Hegel est un penseur important, non seulement pour sa postérité mais aussi parce que la résistance à ses idées a formé des philosophes comme Schopenhauer et **Søren Kierkegaard**. Entre ces deux extrêmes, on trouve des penseurs qui ont adopté certains aspects de son œuvre et ont rejeté soit son idéalisme (Marx, par exemple) soit ses principes méthodologiques.

Une barricade sur la place Vendôme à Paris en mars 1871. La Commune de Paris ne dura que quelques mois, mais ce fut la première révolution ouvrière à réussir.

gones rencontrèrent l'opposition de ceux qui n'acceptaient pas leurs conclusions ou trouvaient des défauts à leurs méthodes, mais aussi celle de philosophes qui rejetaient l'idée de système soit parce qu'une telle construction était par nature source d'erreurs, soit parce qu'elle était impossible. La philosophie, comme le savoir humain en général, était devenue trop étendue pour être appréhendée par une seule personne. Ce fut le début d'une fragmentation à grande échelle de la philosophie qui conduisit à une spécialisation croissante au cours du XXe siècle.

GEORG WILHELM FRIEDRICH HEGEL

NÉ en 1770 à Stuttgart	MORT en 1831 à Berlin

PRINCIPAUX INTÉRÊTS Histoire, métaphysique, logique, éthique, politique

INFLUENCÉ PAR Parménide, Platon, Aristote, Spinoza, Montesquieu, Rousseau

A INFLUENCÉ Marx, Bradley, Dewey, Sartre, Iqbal, Radhakrishnan, Singer

ŒUVRES PRINCIPALES

La Phénoménologie de l'esprit

Les Principes de la philosophie du droit

La Science de la logique

Hegel considérait le christianisme comme la religion la plus haute parce qu'il pensait que l'Incarnation symbolisait la manifestation de l'Absolu dans le monde fini.

De même que l'essence de la matière est la pesanteur, de même nous pouvons affirmer que la substance, l'essence de l'esprit est la liberté [...].

La Raison dans l'Histoire

Hegel était l'aîné de trois enfants. Son père était fonctionnaire. Après avoir été à l'école secondaire à Stuttgart (et appris le latin avec sa mère, qui mourut quand il avait treize ans), il entra au séminaire. Tout en étant un bon élève, il ne se sentait pas fait pour la théologie, mais il se prit d'un grand intérêt pour la philosophie. Bien qu'ayant obtenu son doctorat en théologie, il ne devint pas pasteur, mais précepteur à Berne avec l'espoir d'y poursuivre ses études de philosophie. Il eut la chance d'être accueilli par une famille cultivée qui l'introduisit dans les cercles intellectuels de la ville et lui laissa l'usage de sa bibliothèque.

Après Berne, Hegel se rendit à Francfort, toujours comme précepteur, puis il poursuivit ses études à l'université d'Iéna, où il put ensuite enseigner la logique et la métaphysique. En 1806, les troupes françaises occupèrent Iéna, ce qui le contraignit à partir. Dans l'impossibilité de trouver un poste universitaire, il se tourna vers le journalisme, puis l'enseignement secondaire. Finalement, une chaire de philosophie à l'université de Heidelberg lui fut confiée. Il partit ensuite enseigner à Berlin, où il mourut à l'âge de soixante et un ans.

Hegel est parfois difficile à lire. Sa pensée reposant sur un système métaphysique, comprendre une partie de ses écrits suppose que l'on embrasse le système dans son ensemble. Néanmoins il exerça une influence considérable sur la pensée philosophique, surtout en Europe continentale.

En bref :

La réalité évolue par la réconciliation (synthèse) des contradictions (entre thèse et antithèse).

MÉTAPHYSIQUE ET ÉPISTÉMOLOGIE

Une conception de la vérité et de la connaissance est à la racine de la pensée de Hegel. Elle reprend et modifie la théorie de Kant sur le monde et sur la connaissance que nous en avons. Hegel admet que notre expérience et notre connaissance des choses sont le produit de la conscience et comme cela ne peut évidemment pas être celui de la conscience *individuelle* (chacun d'entre nous ne crée pas son propre monde), la vérité sur le monde procède d'une conscience partagée, issue de l'ensemble de l'expérience, de la pensée et du langage des hommes. Néanmoins, il y a une interaction entre le monde et nous. Certes, la vérité provient de notre pensée, mais le monde lui-même contribue à nous aider à produire nos pensées.

Cela reflète bien l'optimisme de l'Europe du XIXᵉ siècle en ce qui concerne l'homme et le monde. Pour Hegel, l'histoire humaine est un processus de progrès vers la liberté. La pensée exige la compréhension des penseurs antérieurs. Sans cela, il nous est impossible de comprendre l'évolution des êtres humains et notre place dans le monde.

Pour Hegel, la Révolution française symbolisait la marche vers la liberté. Le principe de liberté de la volonté s'affirmait lui-même contre les circonstances existantes.

HISTOIRE ET POLITIQUE

La conception hégélienne de la liberté s'appuie sur **Descartes**, **Rousseau** et **Kant**. Comme eux, il distingue la liberté comme simple absence de coercition ou d'intervention (ce qui est non seulement la forme inférieure de la liberté, mais aussi une forme souvent illusoire) de celle qui vient d'un choix rationnel, et qui est à la portée de tous les hommes. Dans une société vraiment libre, nous reconnaissons que nos concitoyens ne font pas peser une contrainte extérieure sur notre liberté. Une fois que nous avons compris ce qu'est notre véritable nature, nous nous apercevons que nos devoirs sociaux et notre intérêt propre s'accordent (ce qui rappelle la pensée de Rousseau sur la volonté générale et l'État idéal). Mais il ne s'agit pas ici simplement d'individus qui font le choix de former une société. Pour Hegel, ce n'est que par les interactions sociales que nous devenons des individus, de véritables êtres humains. La société existe avant les individus, elle ne peut donc résulter de choix individuels.

LE MAÎTRE ET L'ESCLAVE

Dans un célèbre chapitre de *La Phénoménologie de l'esprit*, Hegel analyse une relation sociale issue d'une lutte au terme de laquelle une partie asservit l'autre : la relation maître-esclave. L'esclave travaille tandis que le maître jouit de son loisir. Ainsi, l'esclave devient productif tandis que le maître verse dans la passivité et la simple consommation de ce que l'esclave produit.

Aucune des deux parties n'éprouve de respect pour l'autre, car elles sont enfermées dans des états d'esprit inconciliables. Toutefois, l'esclave agissant parvient à une conscience de soi qui le rend plus puissant que son maître passif et dégénéré, et il en vient à l'asservir, reproduisant le même schéma en l'inversant. Il faut donc que tous deux parviennent à résoudre la contradiction en se respectant mutuellement et en voyant dans l'autre une fin et non un moyen.

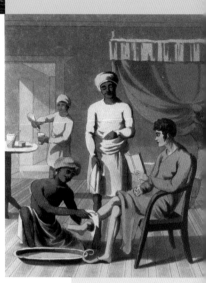

Ni le maître ni l'esclave ne peuvent être libres tant qu'ils ne se respectent pas mutuellement.

On trouve ce modèle dans les structures sociales, mais aussi dans l'essence même de la réalité, que Hegel nomme l'Absolu. Celui-ci obéit à un processus dialectique qui caractérise la nature, l'esprit humain et l'histoire (l'Absolu se manifestant dans la conscience). Hegel retrace son développement. D'abord simple conscience d'objets, puis conscience de soi, conscience rationnelle, conscience éthique et religieuse, et enfin savoir absolu, dans lequel le sujet se reconnaît lui-même comme identique à l'Absolu.

Comme la plupart des intellectuels de son temps, Hegel connut une pénible désillusion quand le nouveau régime issu de la Révolution laissa place à la Terreur ; même s'il n'avait pas pour habitude de s'accrocher à ses principes révolutionnaires.

JOHN STUART MILL

NÉ en 1806 à Londres	MORT en 1873 à Avignon

PRINCIPAUX INTÉRÊTS   Éthique, politique, logique, sciences, métaphysique

INFLUENCÉ PAR   Aristote, Hobbes, Hume, Bentham, James Mill, Wollstonecraft

A INFLUENCÉ   James, Frege, Russell, Popper, Ayer, Hare, Rawls, Kripke, Singer

---

ŒUVRES PRINCIPALES

Principes d'économie politique
Système de logique
La Liberté
L'Utilitarisme

Je me suis efforcé de lire Le Secret de Hegel de Stirling. Il est bon d'apprendre qui est Hegel et on ne l'apprend que trop bien dans le livre de Stirling. Je dis «trop bien» parce que j'ai découvert par expérience directe que la connaissance de sa philosophie déprave l'intellect.

Lettre à Alexander Bain

L'enfance de J. S. Mill est célèbre (certains pourraient dire «tristement») pour les particularités de sa première éducation. Son père, le philosophe et économiste écossais James Mill, commença à lui enseigner le grec ancien à l'âge de trois ans, lui fit étudier Hume et Gibbon à six ans, le latin et les dialogues de Platon à huit ans et toutes sortes d'autres matières, dont les mathématiques et la chimie. Il n'est peut-être pas étonnant qu'il ait eu une dépression nerveuse à l'âge de vingt ans. Après sa guérison, il s'éloigna de la présentation étroite de l'utilitarisme éthique, politique et économique à laquelle Bentham et son père avaient adhéré et il s'orienta vers une conception de l'utilitarisme plus humaine et plus réaliste.

Mill travailla pour la Compagnie des Indes orientales. D'abord dans le service de son père, puis comme responsable du bureau des examinateurs. Lorsque le gouvernement décida d'administrer directement les Indes en 1858, Mill prit sa retraite et alla vivre près d'Avignon. En 1865, il fut élu à la Chambre des Communes mais retourna en France en 1868, n'ayant pas été réélu. C'est là qu'il mourut, en 1873.

Deux choses ont agi sur sa vie et sa pensée : son intérêt passionné pour la justice sociale, notamment pour le bien-être de la classe ouvrière, et son amour tout aussi passionné pour Harriet Taylor. Il fit campagne en faveur de l'éducation pour tous, du droit des femmes, de la nationalisation des ressources naturelles et du contrôle des naissances. Ses relations avec Harriet Taylor étaient compliquées par le fait qu'elle était mariée. Mais à la mort de son mari, en 1849, il l'épousa.

Mill est l'un des philosophes les plus sous-estimés et les plus mal présentés de la tradition occidentale. Ses importants travaux en logique, épistémologie et métaphysique sont largement ignorés, et même ses théories éthique et politique sont présentées comme un utilitarisme sommaire. On lui attribue la formule «le plus grand bonheur pour le plus grand nombre», qu'il a toujours récusée.

SYSTÈME DE LOGIQUE (1843)

Les six volumes de cet ouvrage sont impressionnants par leur envergure et leur rigueur. Ils vont bien au-delà de ce qu'annonce le titre puisqu'ils traitent également d'épistémologie, de métaphysique et de sciences sociales. Mill y opère des distinctions (comme celle entre connotation et dénotation), élabore des théories et invente des concepts (tel celui de causation) qui ont été repris par les philosophes du XIXᵉ et du début du XXᵉ siècle.

> **Note:**
> *L'explanandum (pl. explananda) est ce qui a besoin d'être expliqué. L'explanans (pl. explanantia) est ce qui explique.*

La dénotation d'un terme comme «livre» est ce à quoi il se réfère – tout ce qu'on appelle un livre; la connotation est le sens de ce terme, à savoir ce qui justifie qu'on appelle un objet un livre (comporter des pages, être imprimé, façonné). Les noms propres, comme Peter J. King, ne disposent que d'une dénotation, alors que les noms comme «licorne» n'ont qu'une connotation. (Comparer avec la distinction de **Frege** entre Sinn et Bedeutung – sens et référence.)

L'analyse que fait Mill de l'explication scientifique est mieux connue parce qu'elle a été reprise par Carl Hempel (1905-1997). Une explication scientifique consiste en une relation logique entre un ensemble de conditions initiales – de c1 à cn – rapproché d'un ensemble de lois – de L1 à Ln (qui forment l'*explanans*) – et de l'*explanandum*, e. Une bonne explication prend la forme de cette argumentation valide :

Si L1, L2, L3... Ln
Et si c1, c2, c3... cn
Alors : e

Ce même modèle nous donne aussi la formule de la prédiction, de sorte que, si nous connaissons les lois et les conditions initiales, nous pouvons prédire e.

En ce qui concerne la théorie de la causation, Mill reprend celle de Hume et l'étend. Il en donne une présentation qui est à la fois moins compliquée que celle de **Hume** lorsque celui-ci nie que la cause soit autre chose qu'une succession régulière de deux faits, et plus compliquée en ce qu'il reconnaît la complexité de la causation.

L'UTILITARISME

Les conceptions éthiques et politiques de Mill, bien qu'influencées par diverses théories de gauche, y compris le socialisme à ses débuts, étaient fondamentalement utilitaristes. Pour l'utilitarisme, la moralité d'une action est simplement à juger d'après ses conséquences. Ce qui importe, c'est l'utilité d'une action, c'est-à-dire la quantité de bonheur, de plaisir significatif et – ce qui est particulièrement important dans ce contexte moral – l'absence de douleur qu'elle entraîne. Mill rejette le «calcul de félicité» de Bentham et prend en compte la qualité du bonheur et pas seulement sa quantité. Il est important de remarquer que Mill ne dit pas que la morale ne dépend que des conséquences. Certes, la moralité d'un acte est fonction de ses conséquences, mais la moralité d'une personne dépend aussi de ses intentions et de ses motivations.

La théorie politique de Mill a pour centre la liberté. Pour lui, la seule raison d'entraver la liberté de quelqu'un, c'est d'empêcher qu'il ne nuise à autrui, et ce principe s'applique aux gouvernements aussi bien qu'aux individus.

Il vaut mieux être un être humain non satisfait qu'un porc satisfait ; il vaut mieux être un Socrate non satisfait qu'un imbécile satisfait. Et si l'imbécile et le porc sont d'un autre avis, c'est parce qu'ils n'envisagent que leur propre point de vue.

L'Utilitarisme

SØREN AABYE KIERKEGAARD

NÉ en 1813 à Copenhague	**MORT** en 1855 à Copenhague

PRINCIPAUX INTÉRÊTS   Religion, métaphysique, épistémologie

INFLUENCÉ PAR   Platon, Kant, Lessing

A INFLUENCÉ   Jaspers, Wittgenstein, Heidegger, Sartre

ŒUVRES PRINCIPALES

Le Concept d'ironie

Ou bien... Ou bien...

Post-scriptum aux Miettes philosophiques

Crainte et Tremblement

C'est de la subjectivité que relève le christianisme, et c'est seulement dans la subjectivité que sa vérité existe, si toutefois elle existe ; objectivement, le christianisme n'a pas d'existence.

Post-scriptum aux Miettes philosophiques, p.116

En bref :

Les gens sont limités et faillibles, et ce n'est qu'en reconnaissant ce fait que nous pouvons espérer développer notre compréhension et éviter le désespoir.

Kierkegaard naquit dans une famille danoise prospère. Il était le plus jeune de sept enfants. Son enfance fut austère et stricte, son père, Michael, étant affecté par la mélancolie et par un lourd sentiment de culpabilité religieuse. Kierkegaard devait dire de lui-même qu'il était né vieux.

Il reçut une bonne formation classique, et était un excellent élève, surtout en latin, mais il semble avoir eu des difficultés en composition danoise (faiblesse qu'il mit longtemps à surmonter). À l'université de Copenhague, il étudia la théologie, la philosophie et la littérature. D'abord dissipé et négligent, il se mit au travail après la mort de son père et obtint son diplôme. Il avait le projet de devenir pasteur luthérien, mais avant qu'il entre au séminaire deux événements vinrent contrarier son intention.

Le premier, ce furent ses fiançailles avec Régine Olsen en 1840 ; le second, sa ferme résolution de devenir écrivain (il envisageait cette carrière depuis plusieurs années). Toutefois, l'écriture ne pouvait faire vivre son épouse et lui, même en y ajoutant sa part d'héritage. C'est cette considération, ainsi qu'un mystérieux secret par lequel Kierkegaard se sentait lié mais qu'il ne pouvait révéler à Régine, qui l'amena à rompre ses fiançailles en 1841. Cette courte période eut pour lui un retentissement considérable et il y reviendra tout au long de son œuvre.

La carrière littéraire de Kierkegaard fut intermittente et mit beaucoup de temps à prendre son essor. Sur le plan philosophique, il voulait rejeter le système hégélien qui était alors à la mode au Danemark. Cela faisait partie de son rejet des systèmes philosophiques en général, lesquels, disait-il, faisaient passer de la liberté et de la responsabilité au déterminisme et à la nécessité. Sa propre production philosophique se situait à l'opposé de l'esprit de système. Ainsi, il publiait ses écrits sous divers pseudonymes, puis en utilisait d'autres pour se critiquer lui-même.

À mesure que sa réputation d'écrivain grandissait, Kierkegaard s'impliqua de plus en plus dans des controverses. Il attaquait les autres auteurs, l'Église luthérienne, et la société de son temps en général. Peut-être est-ce à cause de cet état de guerre constant, s'ajoutant à un dur travail d'écriture, que sa santé s'altéra et qu'il mourut à l'âge de quarante-deux ans.

LES TROIS SPHÈRES DE L'EXISTENCE

Dans *Ou bien... Ou bien...* (1843), *Le Concept d'angoisse* (1844), *Étapes sur le chemin de la vie* (1845) et *Crainte et Tremblement* (1846),

ESTHÉTIQUE	ÉTHIQUE	RELIGIEUX
RECHERCHE DU PLAISIR	DEVOIR ET OBLIGATION	SOUMISSION À DIEU
↓	↓	↓
Échec et désespoir	Perte d'autonomie et de responsabilité morale	Liberté véritable

Kierkegaard montre qu'il y a dans la vie humaine trois sphères de l'existence entre lesquelles nous devons choisir. L'esthétique, l'éthique et le religieux. Dans l'esthétique, nous nous adonnons à la recherche du plaisir, dans une quête constante de nouveauté. Ce choix vient de la crainte de l'ennui et constitue une fuite devant le désespoir, mais il est condamné à l'échec car nous finirons par être la proie du désespoir et de la mélancolie. Le choix de l'éthique nous conduit à une vie de soumission au devoir et aux obligations.

Dans un premier temps, Kierkegaard a considéré que c'était là le bon choix. Mais il a fini par reconnaître que dans cette soumission il y a une perte d'autonomie, et de véritable responsabilité morale. Il a donc élaboré la troisième sphère, caractérisée par un «saut de la foi» : la sphère religieuse. Elle implique une soumission à Dieu, qui est en accord avec la véritable liberté et qui en est même une condition nécessaire. Cette sphère, située au-delà de la rationalité, est illustrée, selon Kierkegaard, par l'histoire d'Abraham et d'Isaac dans la Bible.

ABRAHAM ET ISAAC

Kierkegaard fait remarquer que lorsque Dieu ordonne à Abraham de tuer son fils, cette action est tout à fait en dehors de la morale habituelle, à la différence du sacrifice d'Iphigénie par Agamemnon. Quand il choisit d'obéir à cet ordre, Abraham est incapable de le comprendre, ni de justifier sa décision autrement que comme une soumission à la volonté divine. Ce saut de la foi implique ce que Kierkegaard appelle une «suspension de l'éthique». Il constitue le seul moyen d'accéder à la sphère religieuse de l'existence. La croyance religieuse ne repose sur aucun fondement rationnel, mais seulement sur le désir de fuir l'angoisse et le désespoir.

L'insistance sur l'existence individuelle et sur la nécessité de l'examiner a conduit Kierkegaard à qualifier sa pensée d' «existentielle». Il a ainsi ouvert la voie à une postérité d'auteurs existentialistes.

Pour Kierkegaard, l'existence comportait trois sphères, chacune entraînant des conséquences. Choisir l'existence religieuse était le seul moyen d'atteindre le bonheur.

Kierkegaard se sert de l'exemple d'Abraham et d'Isaac pour montrer comment l'individu peut effectuer un saut de la foi, au-delà de toute rationalité, dans la sphère religieuse de l'existence. Abraham accepte l'ordre de Dieu, se soumet à la volonté divine, et par là il accède à la véritable liberté.

KARL HEINRICH MARX

NÉ en 1818 à Trèves	MORT en 1883 à Londres

PRINCIPAUX INTÉRÊTS   Politique, économie

INFLUENCÉ PAR   Hobbes, Adam Smith, Ricardo, James Mill, Hegel, Engels

A INFLUENCÉ   Lénine, Trotski, Adorno, Gramsci, Singer

ŒUVRES PRINCIPALES

Manifeste du parti communiste
Le Capital
Grundrisse

Le capitalisme divise la société en bourgeoisie et prolétariat. La bourgeoisie dispose du capital et le prolétariat de la force de travail. Les intérêts des deux classes étant directement opposés, Marx y voit une relation d'exploitation qui porte en elle une contradiction. Celle-ci conduit à un conflit de classe et celui-ci entraînera des changements historiques.

Né dans la ville rhénane de Trèves, Marx appartenait à une famille de la classe moyenne. Son père, avocat d'origine juive, était converti au protestantisme. Marx fit d'abord des études de droit à l'université de Bonn, puis à Berlin. C'est là qu'il découvrit la philosophie et rejoignit un groupe de jeunes hégéliens. Il s'agissait d'intellectuels, comprenant des théologiens et des philosophes, qui associaient les théories de Hegel avec la conviction que la société (notamment la société prussienne) était imparfaite. Ils critiquaient l'Église ainsi que le gouvernement de la Prusse, de sorte que Marx crut préférable de soutenir sa thèse de doctorat (sur Démocrite et Épicure) à l'université d'Iéna plutôt qu'à celle de Berlin.

Toutefois, ses convictions politiques de gauche rendaient impossible une carrière

En bref :

Nous ne subissons pas le monde passivement, mais nous pouvons agir sur lui – et c'est ce que nous devrions faire afin de nous libérer ainsi que les autres hommes.

universitaire, aussi se tourna-t-il vers le journalisme. Il devint rédacteur en chef de la *Rheinische Zeitung*. Lorsque le gouvernement eut interdit ce journal, Marx partit pour Paris, où il reprit ses travaux de philosophie tout en gagnant sa vie comme journaliste occasionnel. À cette époque il rencontra Friedrich Engels, qui lui fit connaître les difficultés de vie de la classe ouvrière et l'incita à étudier l'économie. À partir de ce moment, tous deux écrivirent ensemble jusqu'à la mort de Marx.

Les persécutions politiques et les troubles sociaux conduisirent Marx et Engels à aller de France en Belgique, puis à revenir en France et finalement à s'installer définitivement à Londres. Là, Marx participa à l'Association internationale des travailleurs (qui devint par la suite la Première Internationale). C'est au cours de cette dernière période de sa vie que Marx écrivit ses livres les plus importants et en particulier *Le Capital, critique de l'économie politique,* en trois volumes, un quatrième étant en projet. Le premier volume parut en 1867 ; les deux

Marx n'était pas marxiste

Le terme «marxiste» désigne ceux qui se servent du vocabulaire et des conceptions de Marx dans l'analyse de l'histoire et de la société (notamment du capitalisme). Il ne faut pas en déduire qu'ils sont toujours en accord avec ce que Marx a effectivement écrit. Marx lui-même a déclaré un jour qu'il n'était pas marxiste.

Marx et Engels ont été amis pendant près de quarante ans. Les intérêts industriels d'Engels dans le nord de l'Angleterre lui ont permis de porter assistance à Marx et à sa famille, qui ont vécu dans la pauvreté à Londres pendant plusieurs années.

LA NATURE HUMAINE

La nature humaine, si l'on met à part son désir fondamental et sa capacité de transformer le monde par le travail, dépend des conditions sociales et économiques, lesquelles évoluent dans le temps. Cependant les hommes peuvent modifier ces conditions. Ainsi, la propriété privée doit être transformée. Dans la situation présente, elle opère une division de la société en classes et aliène les individus en eux-mêmes et dans leur travail, altérant par là leur capacité à agir sur leur environnement. Les hommes deviennent non plus des fins, mais des moyens. En supprimant la propriété privée, le processus est inversé ; la division en classes hostiles est supprimée et les individus retrouvent leur liberté.

LE MATÉRIALISME HISTORIQUE

Les conditions sociales et économiques sont le produit des forces productives. Celles-ci changent au cours de l'histoire à mesure que les hommes comprennent mieux leur environnement social et agissent sur lui. Les différentes structures sociales – qui correspondent à des modes de production différents – à savoir le féodalisme, le capitalisme, le socialisme et le communisme se substituent l'une à l'autre en une évolution inévitable. Cette évolution provient d'une tension insoluble et donc d'un conflit entre les forces de production et les rapports de production. D'où une guerre des classes et une révolution. «L'histoire de toute société jusqu'à nos jours est l'histoire de la lutte des classes», Marx et Engels, *Manifeste du parti communiste*.

suivants furent publiés par Engels, après la mort de Marx, en 1885 et 1894, et les notes destinées au quatrième le furent par Kautski entre 1905 et 1910 sous le titre *Théorie de la plus-value*.

La santé de Marx déclina beaucoup au cours des dix dernières années de sa vie, malgré des séjours dans différentes stations thermales d'Europe (et une fois jusqu'en Afrique du Nord). La mort de sa femme puis celle de sa fille aînée contribuèrent à l'affaiblir. Lorsqu'il mourut, en 1883, il fut enterré au cimetière de Highgate, dans le nord de Londres.

Les écrits de Marx portent principalement sur l'économie, l'histoire et la politique. Son importance philosophique tient surtout à la façon dont ses théories ont été reprises par des philosophes politiques plus tardifs (on peut considérer les **Grundrisse**, publiées en 1941, comme son œuvre philosophique la plus intéressante). La pensée de Marx repose sur la théorie hégélienne de l'histoire comme dialectique, associée au refus de l'idéalisme, qui est remplacé par un matérialisme.

Jusqu'ici les philosophes n'ont fait qu'interpréter le monde de diverses façons, il s'agit maintenant de le transformer.

Thèses sur Feuerbach
Marx et Engels, 3, 7

De chacun selon ses capacités, à chacun selon ses besoins.

Critique du programme de Gotha
Marx et Engels, 19, 21

VICTORIA WELBY-GREGORY

NÉE en 1837	MORTE en 1912

PRINCIPAUX INTÉRÊTS   Langage, logique philosophique

INFLUENCÉ PAR   Darwin, Bergson, Schiller, Peirce

A INFLUENCÉ   Peirce, Ogden

En un sens, chacun d'entre nous est un explorateur-né. Notre seul choix : quel monde allons-nous explorer ? Notre seul doute : notre exploration en vaudra-t-elle la peine? [...] Et le plus paresseux d'entre nous s'interroge ; le plus stupide ouvre de grands yeux ; le plus ignorant éprouve de la curiosité ; tandis que le voleur explore activement la poche de son voisin ou pénètre par effraction dans ce «monde» que constituent la maison et le buffet de son voisin.

«Sens, signification et interprétation», in Mind, 1898

Fille de Charles et Emeline Stuart-Wortley, Victoria passa la plus grande partie de sa jeunesse à voyager. Elle se trouvait à Beyrouth lors de la mort de ses parents. Elle écrivait des poèmes et des pièces de théâtre, fonda la Société sociologique de Grande-Bretagne ainsi que l'École royale des arts de la couture.

En 1863, elle épousa un homme politique, William Welby-Gregory, et alla vivre au manoir de Denton, dans le Lincolnshire. Elle avait peu étudié, mais sa correspondance avec des penseurs de premier plan lui permit de s'instruire par elle-même. Vers la fin du XIXᵉ siècle, ses articles furent acceptés dans les meilleures revues universitaires, *Mind* et *The Monist*. En 1903, elle publia *Qu'est-ce que la signification?* suivi en 1911 par *Signifique et Langage*. Elle avait aussi fait paraître un ouvrage sur la réalité du temps, *Le Temps comme réalité dérivée* (1907).

C. S. Peirce rendit compte de *Qu'est-ce que la signification?* dans *The Nation*. Il s'ensuivit une correspondance de six ans, qui fut publiée sous le titre *Sémiotique et Signifique* (1977). Les deux philosophes partageaient de nombreuses idées et s'intéressaient aux mêmes sujets. Victoria avait également engagé une correspondance avec C. K. Ogden, dont les travaux sur la signification s'inspirèrent de ses théories.

L'intérêt que Victoria portait à la signification provenait de son goût pour la théolo-gie et l'interprétation des Écritures, comme le montre son premier livre, *Liens et Indices* (1881). Cela la conduisit au problème plus général de la nature du sens dans le langage, y compris (et peut-être tout particulière-ment) dans le langage ordinaire. La plus grande partie de son œuvre est consacrée à l'établissement de distinctions entre diffé-rents types de sens, sur les relations qu'ils entretiennent et sur leurs liens avec les valeurs morales, esthétiques, pragmatiques et sociales. Elle forgea le mot «signifique» pour les besoins de son analyse. Il avait, sur des termes comme «sémiotique» et «séman-tique», l'avantage de n'être encombré d'au-cun bagage théorique et d'indiquer un domaine précis, que les études existantes tendaient à ignorer.

Pour elle, il fallait distinguer entre trois grandes catégories : le sens, la signification et la significance, lesquels correspondaient à trois niveaux de conscience qu'elle désignait par une terminologie empruntée à l'astro-nomie, à savoir les niveaux planétaire, solaire et cosmique, et qu'elle mettait en relation avec la théorie évolutionniste de Darwin.

Note :

Lady Welby était la filleule de la reine Victoria et la servit comme demoiselle d'honneur.

CHARLES SANDERS PEIRCE

NÉ   en 1839 à Cambridge, É-U | **MORT**   en 1914 à Milford, États-Unis

PRINCIPAUX INTÉRÊTS   Métaphysique, logique, épistémologie, mathématiques

INFLUENCÉ PAR   Duns Scot, Reid, Hume, Kant, Bentham, Welby

A INFLUENCÉ   Welby, William James, Royce, Dewey, Popper, Wiggins, Haack

**ŒUVRES
PRINCIPALES**
*Études de logique
Collected Papers*

*Nous entendons par
vérité l'opinion qui, en
dernier ressort, est
destinée à être acceptée
par tous ceux qui
cherchent, et l'objet
représenté par cette
opinion est le réel.*

Collected Papers, 5, § 407

La première éducation de Peirce fut en grande partie assurée pas son père, qui était professeur d'astronomie et de mathématiques à Harvard. En 1855, il alla étudier la chimie dans cette université. Il y obtint une maîtrise de lettres, puis après une période où il travailla pour le Service géodésique des États-Unis, une licence de chimie. Malgré ces diplômes, il n'obtint jamais de poste universitaire. Durant quelque temps, il donna des conférences à Harvard sur la philosophie des sciences, tout en continuant à travailler pour le Service géodésique. C'est ainsi que se déroula son existence : un travail scientifique et mathématique associé épisodiquement à des cours de philosophie à temps partiel. En 1887, un petit héritage lui permit de se retirer à Milford, en Pennsylvanie. C'est là qu'il vécut avec sa seconde femme, dans de constantes difficultés financières, mais en continuant à écrire sans être vraiment reconnu. Il mourut d'un cancer en 1914.

Le moment clé de sa vie fut la création à Cambridge en 1871 du Club métaphysique, qui rassemblait de jeunes chercheurs (parmi lesquels se trouvait William James) pour traiter de questions philosophiques. C'est au sein de ce club que naquit le pragmatisme. James en attribua la paternité à Peirce, et Peirce à un jeune juriste du nom de Nicholas Green.

LE PRAGMATISME

Le pragmatisme est essentiellement une théorie de la signification et de la vérité, bien qu'il soit formulé de manière variée par ses divers partisans. La présentation qu'en faisait James était si différente de celle de Peirce que celui-ci voulait nommer sa théorie le « pragmaticisme » pour distinguer les deux. Dans la conception de Peirce, la signification d'un concept était la somme de ses conséquences pratiques. « Considérez quels effets, dont on pourrait supposer les implications pratiques, nous pensons que l'objet que nous concevons peut avoir. Ainsi, notre conception de ces effets constitue notre conception tout entière de l'objet », *Collected Papers*, 5, § 402.

LA LOGIQUE

Les écrits logiques de Peirce sont peut-être sa réalisation la plus étonnante et la plus originale, bien qu'ils soient présentés, comme l'ensemble de sa philosophie, de façon dispersée dans une foule d'articles. Il apporta une substantielle contribution à la théorie de la quantification, au calcul des propositions, à l'algèbre de Boole et à la logique trivalente. Il est bien connu pour son application des principes de l'algèbre de Boole au calcul des relations.

Dans le texte :
*Il est [...] facile de ne pas se tromper.
Il suffit d'être vague au degré requis.*

Collected Papers, 4, § 237

WILLIAM JAMES

| NÉ en 1842 à New York | MORT en 1910 à Chocorua, États-Unis |

PRINCIPAUX INTÉRÊTS Religion, métaphysique, épistémologie, psychologie

INFLUENCÉ PAR J. S. Mill, Peirce, Bergson

A INFLUENCÉ Husserl, Dewey, Russell, Wittgenstein, Quine, Putnam

---

ŒUVRES PRINCIPALES

La Volonté de croire

Le Pragmatisme

Les Formes multiples de l'expérience religieuse

Ainsi la conscience ne s'apparaît pas à elle-même découpée en morceaux. Des termes comme «chaîne» ou «train» ne la décrivent pas adéquatement telle qu'elle s'apparaît à elle-même au premier abord. Rien n'y est articulé; elle coule. Un «fleuve» ou un «courant», voilà les métaphores qui la décrivent le mieux.

Les Principes de la psychologie

James naquit dans une famille new-yorkaise aisée et cosmopolite. Son éducation, chez lui et dans divers établissements privés, fut coûteuse, de qualité variable et souvent interrompue par les brusques changements d'avis de son père. Quand il eut treize ans, la famille alla vivre en Angleterre et en France pendant trois ans puis retourna aux États-Unis, où elle se fixa durant un an à Newport (Rhode Island), avant de repartir pour l'Europe, en Suisse et en Allemagne. James assista aux cours de sciences et de mathématiques de l'Académie de Genève, qui devait devenir plus tard l'Université de Genève. Cette fois encore, il n'y resta qu'une année, son père ayant décidé de ramener la famille à Newport.

À l'âge de dix-neuf ans, suivant le désir de son père, il renonça à une carrière artistique et commença des études de médecine à Harvard. La même année, la guerre de Sécession éclata. Deux de ses frères s'engagèrent, mais son frère Henry (qui devait devenir le grand écrivain Henry James) et lui furent exemptés pour raison de santé. Au cours de sa deuxième année d'études, il saisit l'occasion de participer à une expédition scientifique au Brésil, mais il fut atteint d'une forme bénigne de variole et souffrit terriblement du mal du pays. De retour à Harvard, atteint de dépression, il partit en 1867 faire un voyage de deux ans en France, en Allemagne et en Suisse. Il voulait d'abord se soigner, mais il en profita aussi pour étudier la physiologie, la philosophie et la psychologie, nouvellement née.

En bref :

La vérité est ce qui est utile dans la pensée;
la morale est ce qui est utile dans l'action.

Il retourna ensuite à Harvard, où il obtint son diplôme de médecin en 1869, mais ne pratiqua jamais. Il souffrait toujours de dépression, en partie parce que sa vie ne suivait pas une direction claire. Puis, en 1872, le président de Harvard, qui était un ami de sa famille, lui proposa d'enseigner la physiologie, ce qu'il accepta. La première année d'enseignement l'épuisa, mais ensuite, pendant trente-cinq ans, il continua à enseigner à Harvard, passant rapidement de la physiologie à la psychologie et plus tard à la philosophie. Il fut le premier à enseigner la psychologie aux États-Unis. Il demeura à Harvard jusqu'en 1907, faisant parfois des conférences à l'étranger (notamment à Édimbourg et Oxford). Atteint d'une maladie de cœur, il mourut en 1910.

LE PRAGMATISME

James fut avec Peirce le fondateur du pragmatisme, et il fit beaucoup pour le populariser en l'opposant à l'idéalisme absolu de Hegel. Mais sa théorie n'est pas aussi claire que celle de Peirce. Il lui arrive de pousser ses thèses jusqu'au point où elles se discréditent. Comme lorsqu'il affirme que la vérité et la

Appliquez à chaque concept la question : «S'il est vrai, qu'apportera-t-il à tout un chacun ?» Ainsi vous serez mieux en mesure de comprendre ce qu'il signifie et de discuter de son importance.

Le Pragmatisme, un nom nouveau pour une vieille manière de penser

rectitude morale coïncident avec la commodité. C'est ce qui amena Peirce à se désolidariser de lui.

À la différence de Peirce, il tenait à faire une place à la religion dans sa théorie et adopta une position volontariste dans la tradition de Pascal et de **Kierkegaard**. Il pensait que, si la croyance religieuse n'avait pas de fondement rationnel, le désir de croire en avait un. Il y ajoutait cet argument pragmatiste : la religion est souhaitable (et vraie) en ce qu'elle «fonctionne», d'une certaine manière. De la même façon que les théories scientifiques doivent être considérées comme des instruments dont la valeur est jaugée selon leur utilité.

LE PARI DE PASCAL

Blaise Pascal (1623-1662) pensait que si quelqu'un acceptait de croire, le pire qui pouvait lui arriver était de se tromper et de se priver à jamais des plaisirs mondains, alors que dans le cas contraire il gagnait la béatitude éternelle. Et si quelqu'un rejetait la foi, il pouvait espérer au mieux une vie de plaisirs mondains tandis qu'il risquait des tour-

ments éternels. Il valait donc mieux parier sur la foi. James combattit ce pari dans son article «La Volonté de croire».

L'ESPRIT

La conception que James se fait de l'esprit et du corps relève d'une théorie du double aspect que **Bertrand Russell** devait appeler plus tard un *monisme neutre*. Il pense que le mental et le physique ne sont que deux aspects différents d'une même réalité sousjacente qu'il appelle de manière équivoque l'*expérience pure*. Nous disons «équivoque» parce que, en elle-même, elle n'est pas plus mentale que physique.

En ce qui concerne le mental, le point le plus remarquable de la conception de James est sa thèse (à laquelle le physiologiste danois Carl Lange était arrivé de son côté) selon laquelle les sentiments associés aux émotions ne causent pas les comportements physiques correspondants, mais sont causés par eux. Autrement dit : «Nous sommes tristes parce que nous pleurons, furieux parce que nous frappons, effrayés parce que nous tremblons», *Les Principes de la psychologie*.

Pour James, l'émotion du bonheur serait causée par des comportements, comme le fait de sourire, plutôt que le sourire soit causé par le bonheur.

FRIEDRICH WILHELM NIETZSCHE

NÉ en 1844 à Röcken

MORT en 1900 à Weimar

PRINCIPAUX INTÉRÊTS Éthique, métaphysique, épistémologie, esthétique, langage

INFLUENCÉ PAR Machiavel, Schopenhauer

A INFLUENCÉ Jaspers, Iqbal, Heidegger, Sartre

ŒUVRES PRINCIPALES

La Naissance de la tragédie

Ainsi parlait Zarathoustra

Par-delà le bien et le mal

La Généalogie de la morale

Ecce Homo

La Volonté de puissance

Tout ce qui a de la valeur dans notre monde n'a pas de valeur en soi, en fonction de ce qu'il est – la nature est toujours dépourvue de valeur, mais on lui en a attribué une à certaines époques, comme l'époque présente – et c'est nous qui la lui avons conférée.

Le Gai Savoir

Nietzsche naquit dans la petite ville prussienne de Röcken, près de Lützen. Son père, qui était pasteur luthérien, mourut quand Nietzsche avait quatre ans. Sa mère alla s'installer à Naumburg, ville toute proche, où elle demeura avec ses deux enfants. Après le lycée, Nietzsche partit à l'université de Bonn pour y étudier la théologie et la philologie, cette dernière l'intéressant particulièrement. Ensuite, il se rendit à l'université de Leipzig et c'est là qu'il découvrit l'œuvre de Schopenhauer, ainsi que la critique de la métaphysique matérialiste par les philosophes kantiens.

Un accident d'équitation ayant interrompu son service militaire, il retourna à Leipzig, où il noua des relations d'amitié avec Richard Wagner, amitié qui le marqua durablement. Vers cette époque, un autre ami le recommanda à l'université de Bâle et, en 1869, il fut chargé d'un cours de philologie classique. Il resta dix ans à Bâle, jusqu'à ce que sa santé l'oblige à renoncer à l'enseignement.

Pendant les dix années suivantes, il mena une vie errante, voyageant de ville en ville, pour des séjours de quelques mois, en Suisse, en Allemagne, en France et en Italie, mais retournant régulièrement chez sa mère, à Naumburg. En 1889, à Turin, il fut frappé de folie (la cause et la nature exacte de sa maladie ne sont pas éclaircies). Il ne s'en remit jamais. D'abord soigné dans différentes cliniques, il finit par retourner chez sa mère à Naumburg. Quand elle mourut, en 1897, la

En bref :

L'art rend supportable la contemplation de la vie en la recouvrant du voile de la pensée trouble.

Humain, trop humain

---

sœur de Nietzsche l'emmena vivre à Weimar et c'est là qu'il mourut à son tour, quelque temps plus tard. En tant qu'exécutrice testamentaire, seule sa sœur avait accès à ses papiers. Elle donna aux écrits de son frère un tour antisémite qui correspondait à ses propres convictions favorables à Hitler et au parti nazi.

La thèse pour laquelle Nietzsche est peut-être le plus connu est son refus de ce qu'il appelle la *morale de l'esclave*, c'est-à-dire la morale traditionnelle qui prend ses racines dans le christianisme et qu'il pense avoir été créée par la foule des faibles qui trouvaient intérêt à promouvoir des valeurs comme la pitié, l'humilité et la gentillesse. L'*Übermensch*, le surhomme, est un individu fort et créateur qui s'élève au-dessus de la morale de l'esclave pour créer de nouvelles valeurs et donner un sens nouveau à un monde rempli de paradoxes et de confusion.

FRANCIS HERBERT BRADLEY

| NÉ en 1846 à Clapham | MORT en 1924 à Oxford |

PRINCIPAUX INTÉRÊTS Histoire, éthique, métaphysique, logique

INFLUENCÉ PAR Kant, Hegel, Green

A INFLUENCÉ Collingwood, Russell

ŒUVRES PRINCIPALES

Études éthiques
Principes de logique
Apparence et Réalité

En bref, la connexion irrationnelle, de laquelle la doctrine du libre arbitre s'est écartée sous la forme de la nécessité extérieure, n'a réussi qu'en réapparaissant sous la forme du hasard.

Études éthiques

Né à Clapham, qui était alors un village du Surrey (et fait maintenant partie de Londres), Bradley était le fils d'un pasteur évangéliste. Il étudia d'abord à Cheltenham College, puis à Marlborough et enfin à University College à Oxford. En 1870, il obtint un poste de recherche au Merton College d'Oxford et le conserva toute sa vie. En son temps, il bénéficia d'une haute estime, aussi bien dans le monde universitaire qu'auprès du public. Il reçut de nombreux honneurs et fut le premier philosophe à être décoré (trois jours avant sa mort) de l'Ordre du mérite.

Cette grande considération ne dura pas longtemps après sa mort, car il fut critiqué et présenté de façon inexacte par des philosophes comme G. E. Moore, **Russell** et **Ayer**.

Bradley fut le plus important des philosophes hégéliens de Grande-Bretagne, lesquels se trouvaient pour la plupart à Oxford et comptaient dans leurs rangs T. H. Green (1836-1882), Bernard Bosanquet (1866-1923), J. McTaggart (1866-1925) et R. G. Collingwood (1889-1943). Largement inspirées par Hegel, les conceptions et les méthodes de ces philosophes empruntaient aussi à d'autres courants, en particulier à Kant. Par ailleurs, ils minimisaient volontiers leur hégélianisme.

L'IDÉALISME ABSOLU OU OBJECTIF

Bradley évitait et même refusait les qualificatifs d'hégélien ou d'idéaliste, mais il entrait à l'évidence dans ces catégories. Pour lui, l'Absolu – c'est-à-dire la réalité, la totalité de l'existence – transcende notre compréhension et notre expérience du monde, et en particulier les catégories et les descriptions au moyen desquelles nous nous efforçons de comprendre ce que nous vivons, catégories et descriptions qui comprennent l'espace, le temps et la cause, mais aussi toutes les propriétés et toutes les notions. Ainsi, l'Absolu est unité. Que pouvons-nous faire d'une entité qui ne contient ni relations ni différences ? Cela n'est pas clairement établi. Bradley diffère de Hegel en proposant une théorie non religieuse, voire athée, de l'Absolu.

Dans le texte :

La façon d'appréhender le monde que j'ai trouvée la plus défendable est de le considérer comme une expérience unique, supérieure aux descriptions qu'on peut en faire et contenant dans le sens le plus complet tout ce qui existe.

Apparence et Réalité

FRIEDRICH LUDWIG GOTTLOB FREGE

NÉ en 1848 à Wismar	MORT en 1925 à Bad Kleinen, Allemagne

PRINCIPAUX INTÉRÊTS Logique, mathématiques, langage

INFLUENCÉ PAR Leibniz, J. S. Mill, Lotze

A INFLUENCÉ Husserl, Russell, Wittgenstein, Carnap, Anscombe, Wiggins

ŒUVRES PRINCIPALES

Les Fondements de l'arithmétique

Recherches logiques

Votre découverte de la contradiction m'a causé la plus grande surprise et je dirais presque la plus grande consternation, puisqu'elle a ébranlé la base sur laquelle j'avais l'intention de construire l'arithmétique [...]. La situation est des plus sérieuses car, avec la perte de ma règle V, ce ne sont pas seulement les fondements de mon arithmétique, mais aussi les seuls fondements possibles de l'arithmétique qui semblent disparaître.

Lettre à Bertrand Russel

Le père de Frege avait créé une école pour filles où il enseignait avec sa femme. Frege lui-même suivit les cours du lycée local avant d'aller à l'université d'Iéna étudier la chimie, la philosophie et les mathématiques. Quand son père mourut, en 1866, sa mère prit la direction de l'école et continua à aider financièrement son fils. Après avoir passé deux ans à Iéna, Frege alla poursuivre ses études de mathématiques et de chimie à l'université de Göttingen, tout en suivant des cours de physique et de philosophie de la religion. Il passa son doctorat en 1873 avec une thèse sur les fondements de la géométrie.

L'année suivante, il obtint un poste à l'université d'Iéna, qu'il conserva jusqu'à sa retraite, en 1917. Pendant les cinq premières années, en tant que Privatdozent, il ne perçut aucun salaire et dut recevoir l'aide de sa mère, laquelle mourut en 1878. Malgré une lourde charge d'enseignement, il parvint à écrire sa première œuvre importante, *Begriffsschrift* (1879), que l'on peut traduire par *Notation conceptuelle*, et qui avait pour sous-titre, *Langue par formules de la pensée pure*.

De nombreux admirateurs de Frege sont troublés par certains aspects de sa personnalité, le moindre n'étant pas un détestable sectarisme qui s'appliquait aux étrangers en général (et aux Français en particulier), aux catholiques et aux juifs. Cela apparaît clairement dans son journal, moins dans son comportement. Il était calme et réservé, et fréquentait peu ses collègues.

En bref :

L'ambiguïté et les approximations peuvent convenir à la poésie, mais le langage destiné à la recherche de la vérité, et notamment le langage de la science, doit être clair et précis.

Après avoir pris sa retraite, il se retira à Bad Kleinen, où il continua à écrire jusqu'à sa mort. S'il n'obtint pas de renommée durant sa vie, il était persuadé que son œuvre serait reconnue et, quand il légua ses papiers à son fils adoptif, il lui écrivit : «Je crois qu'il y a ici des choses qui seront un jour estimées à un bien plus haut prix qu'elles ne le sont aujourd'hui. Veille à ce que rien ne se perde.» Il avait raison, mais malheureusement beaucoup de ses travaux non publiés – conservés à l'université de Münster – disparurent quand le bâtiment fut détruit par les bombardements anglo-américains au cours de la Seconde Guerre mondiale.

LOGICISME ET LOGIQUE

Frege était convaincu que les mathématiques et notamment la théorie des nombres faisaient partie de la logique. Conception que l'on appelle le logicisme. Dans cette perspective, les vérités mathématiques peuvent être déduites d'axiomes logiques. Malgré quelques travaux brillants et novateurs de Frege, qui furent repris par Russell, ce qu'on pouvait réa-

Frege a passé sa vie professionnelle au département de mathématiques de l'université d'Iéna. Son œuvre, en pensant à partir de nouvelles bases la logique et le langage, a profondément marqué la philosophie du XXe siècle, mais elle est demeurée méconnue jusqu'à ce que Bertrand Russell en ait pris connaissance.

liser de mieux était de réduire la théorie des nombres à la théorie des ensembles – mais la théorie des ensembles n'appartient pas à la logique. Quoi qu'il en soit, Frege parvint, dans ce domaine, à des résultats importants, mais il y connut aussi ses plus sérieux échecs.

Son intention était de présenter son programme logiciste dans ses *Grundsetze der Arithmetik (Les Fondements de l'arithmétique)*, dont le premier volume parut en 1893 ; mais en 1902, alors que le second volume était sous presse, Frege reçut une lettre de Russell qui lui signalait que le système axiomatique exposé dans le premier volume présentait un défaut : il pouvait conduire à une contradiction. Frege inséra un appendice dans le second volume pour expliquer le problème et modifier l'un des axiomes, mais cela avait pour conséquence que certains théorèmes ne pouvaient plus être déduits. Malgré cette déconvenue, qui le contraria beaucoup, l'œuvre de Frege est d'une importance considérable pour la philosophie des mathématiques et pour la logique mathématique. On peut en voir l'effet dans les travaux de nombreux mathématiciens, et surtout dans les *Principia mathematica* de Whitehead et Russell (1910-1913).

Si la logique n'avait pas été négligée au cours des deux millénaires précédents – pendant le Moyen Âge, elle fut l'un des sujets de prédilection des philosophes –, Frege apporta la première grande transformation de cette discipline depuis Aristote. Certes, le système de notation qu'il a inventé était peu pratique, et

il n'est plus utilisé, mais la logique moderne tire son origine de l'œuvre de Frege. Il a inventé le calcul des prédicats et l'usage des quantificateurs.

LA SIGNIFICATION

Chez Frege, l'étude de la logique venait en partie de son désir de créer une langue utilisable par les sciences – une langue dépourvue d'ambiguïté et échappant à toute imprécision. Sa contribution la plus connue à la philosophie du langage est son analyse de la signification en ses deux composantes : le sens *(Sinn)* et la référence *(Bedeutung)*, distinction qui est toujours au centre des conceptions modernes de la signification. La référence d'un terme est ce qu'il désigne, ainsi la référence de «Hesperus» est la planète Vénus. Le sens d'un terme est la *manière* dont il désigne son référent, dont il le présente. Le sens d'Hesperus implique que Vénus est conçue comme une étoile brillante, visible le soir. Cela explique pourquoi «Hesperus» et «Phosphorus» ont des significations différentes, même s'ils se réfèrent à la même chose, car «Phosphorus» désigne Vénus perçue comme une étoile brillante, visible le matin. Il ne s'agit pas d'un choix subjectif. Le sens n'est pas ce qu'un individu pense du référent, mais la façon dont il est conçu par la communauté linguistique. Je peux toujours associer «Phosphorus» à un réveil, parce que tous deux sont liés au fait de se lever tôt, mais cela n'a rien à voir avec son sens.

La planète Vénus est un bon exemple des deux composantes de la signification selon Frege : le sens et la référence. Hesperus et Phosphorus se réfèrent à la même chose, la planète Vénus, mais ils ont des significations différentes. Hesperus désigne Vénus comme une étoile du soir, tandis que Phosphorus désigne Vénus comme une étoile du matin.

Un nom correct (mot, signe, combinaison de signes, expression) exprime son sens et remplace ou désigne son référent. Au moyen d'un signe, nous exprimons son sens et désignons son référent.

«Sur le sens et la référence» in A. W. Moore (ed) **Signification et Référence**

Au xxᵉ siècle, faire un choix parmi les philosophes devient particulièrement difficile. Comme David Hume l'a dit du jugement esthétique, le principal critère reste l'épreuve du temps. Beaucoup de philosophes, considérés comme majeurs de leur vivant, n'ont ensuite pas été retenus comme tels. L'Histoire jugera, et réservera peut-être le même sort à certains de ceux dont nous parlons dans ces pages.

La division de la philosophie occidentale en différentes traditions - anglo-américaine et euro-

1859

1859

1872

1889

péenne - s'est renforcée durant le siècle passé à tel point qu'il est juste de dire que la plupart de ceux qui appartiennent à l'une influenceront peu ceux qui appartiennent à l'autre - bien qu'il existe certaines exceptions.

La situation se complique encore avec l'explosion des publications philosophiques, constituées de livres et, plus encore, de revues. Les universitaires doivent publier pour obtenir et garder leurs postes alors que les philosophes d'autrefois ne le faisaient que lorsqu'ils pensaient que leur travail valait la peine d'être rendu public : aujourd'hui, seule

1901   Mort de la reine Victoria

1902   Fin de la guerre des Boers

1903   Les frères Wright accomplissent le premier vol à Kitty Hawk. Création de la société Ford

1904   Début du conflit Russo-Japonais

XXᵉ SIÈCLE
1900–2000

1905   Les Japonais détruisent la flotte Russe. Fin du conflit Russo-Japonais. La Norvège et la Suède deviennent deux états séparés

1906   Grève générale en Russie ; création de la première Douma. San Francisco détruite par un tremblement de terre et un incendie. Les premiers travaillistes entrent au Parlement britannique. Mort d'Ibsen

1909   Création de l'Union Sud-Africaine

1911   Révolution chinoise conduite par Sun Yat-sen

1912   La Chine devient une république. Naufrage du *Titanic*. Déclenchement de la guerre des Balkans

1913   Traité de Bucarest ; la majeure partie de la Turquie occidentale est intégrée aux États balkaniques

1914   Assassinat de l'archiduc Ferdinand ; déclenchement de la Première Guerre mondiale. Batailles de Mons et de la Marne, première bataille d'Ypres

1916   Évacuation de la ville turque de Gallipoli. Bataille de la Somme. Formation du Sinn Fein en Irlande

1917   Révolution russe. Les États-Unis déclarent la guerre à l'Allemagne. La Déclaration Balfour reconnaît la Palestine comme «foyer national» juif

1917   Le Kaiser abdique ; l'Armistice est signé avec les Allemands le 11 novembre. Les femmes britanniques propriétaires, les veuves de propriétaires et les diplômées de l'université âgées de trente ans révolus ont le droit de vote

1919   Conférence de la Paix à Paris ; signature du traité de Versailles. Alcock et Brown traversent l'Atlantique en avion. L'Empire autrichien est démembré

1920   Première rencontre de la Société des Nations. Les Américaines obtiennent le droit de vote. Les femmes sont admises à Oxford

1921   La Grèce envahit la Turquie. Création d'un État irlandais indépendant

1922   Défaite des Grecs contre la Turquie. Marche sur Rome des fascistes menés par Mussolini. Découverte de la tombe de Toutankhamon

1905

1902

1923	Un tremblement de terre détruit Tokyo et Yokohama. Proclamation de la République turque
1924	Mort de Lénine. Premier gouvernement travailliste en Grande-Bretagne. Proclamation de la République grecque.
1926	Grève générale en Angleterre
1926	Lindbergh traverse l'Atlantique en solitaire
1928	En Grèce, Corinthe est détruite par un tremblement de terre. L'âge du droit de vote pour les femmes est abaissé à 21 ans en Grande-Bretagne
1929	Crash de Wall Street et début de la Grande Dépression
1930	Destruction du dirigeable R.101
1933	Hindenburg nomme Hitler chancelier d'Allemagne. Incendie du Reichstag
1936	Début de la guerre civile en Espagne. Accession au trône et abdication d'Edouard VIII
1938	L'Allemagne annexe l'Autriche. Accord de Munich
1939	Fin de la guerre civile en Espagne. Hitler envahit la Pologne ; la Grande-Bretagne déclare la guerre à l'Allemagne
1945	Reddition de l'Allemagne. Institution des Nation unies. Les États-Unis lâchent la bombe atomique sur Hiroshima. Les Japonais se rendent
1948	Gandhi assassiné. Proclamation de l'État d'Israël
1949	Fondation de l'OTAN. Proclamation de la République Populaire de Chine
1961	Opération de la Baie des Cochons. L'Allemagne de l'Est construit le mur de Berlin
1969	L'émeute de Stonewall à New York marque le début du mouvement pour les droits des homosexuels. Armstrong et Aldrin font les premiers pas sur la Lune
1973	Fin de la Guerre du Vietnam. Guerre du Kippour et début du conflit israélo-palestinien. L'OPEP relève le prix du baril de pétrole en guise de rétorsion contre l'implication de l'Occident dans la guerre du Kippour
1989	Émeute de Tienanmen pour la démocratie en Chine. Mikhail S. Gorbatchev nommé Président de l'Union Soviétique. En Chine, Deng Xiaoping démissionne. Chute du mur de Berlin
1990	En Afrique du Sud, Nelson Mandela est libéré. Fin de la Guerre Froide. L'Allemagne est réunifiée
1999	Nelson Mandela se retire. Début de la guerre du Kosovo ; l'OTAN envoie les Forces Alliées. Le Timor Oriental vote pour son indépendance de l'Indonésie

compte la chose imprimée. Inutile de préciser que le résultat est une masse de publications jargonneuses, vaines ou insignifiantes. On pourrait croire qu'il est facile de se distinguer lorsqu'on produit un travail de qualité dans cet océan de médiocrité, mais ce n'est malheureusement pas le cas. Trop souvent, les écrits brillants sont submergés par le reste – du moins, pour un temps.

LE POSITIVISME LOGIQUE

L'influence de Hegel est l'un des éléments déterminants du début du XXe siècle, en ce sens que les philosophes se sont érigés contre. Ce phénomène a conduit à la création de différents courants des

1910   1921

deux côtés de la ligne de partage, mais aucun n'a été plus extrême que le positivisme logique, qui s'est développé à Vienne durant les années 1920 et 1930, mais dont les racines remontent aux empiristes anglais, et particulièrement à Hume. Cet empirisme extrémiste était en contradiction avec lui-même, parce qu'il ne répondait pas à son propre principe de vérifiabilité : « La signification d'une affirmation dépend de sa vérification. » Ce qui signifie qu'une affirmation qui ne peut être empiriquement vérifiée n'a pas de sens. Les positivistes usaient de ce raisonnement pour attaquer des domaines tels que la théologie, la métaphysique, l'éthique et l'esthétique, mais il est clair que ce principe lui-même est invérifiable de manière empirique, et ne veut donc rien dire. Néanmoins, un nombre étonnant de gens continuent à tenir ce genre de raisonnement car le positivisme logique attire ceux qui cherchent un prétexte pour éviter la réflexion dans ces domaines-là.

LE DÉCLIN DE LA MÉTAPHYSIQUE

Le bon côté du positivisme logique est d'avoir attiré l'attention des philosophes sur la signification ; le côté négatif tient à ce que ces attaques ont eu des conséquences durables sur l'éthique et

Globalement, la période contemporaine a été un moment difficile à passer pour la philosophie. La tradition européenne et la philosophie anglo-saxonne ont connu plusieurs modes intellectuelles éphémères ; les Européens sont devenus plus verbeux et moins rigoureux tandis que les Anglo-saxons ont versé dans l'aridité, substituant l'expression technique à une pensée véritablement profonde. Certains auteurs pensent toutefois que le rapprochement de ces deux traditions redonnera de la force et une importance accrue à la philosophie. Pour l'instant, il est encore difficile de se prononcer.

1937

1940

1941

1945

la métaphysique (même si l'éthique s'en est remise plus vite). Désormais, il n'était plus acceptable de parler des «choses», il fallait parler des «mots», ou encore mieux, de modèles logiques formels. Mais cela a poussé des générations de philosophes à vouloir faire de la philosophie comme on fait des mathématiques. Leur habileté technique n'avait d'égale que l'ennui de leurs lecteurs (pour être juste, il faut dire que ce même effet peut aussi être obtenu sans symbolisme logique). Vers la fin du XXe siècle, tout cela s'était un peu calmé, et la métaphysique commença à être réhabilitée.

Sur le plan pratique : dans ce chapitre, nous ne mentionnons pas toujours les personnes influencées par les philosophes dont nous parlons. Les philosophes vivants, et ceux récemment disparus, contribuent à alimenter le débat d'idées davantage qu'ils ne sont des figures emblématiques auxquelles les penseurs actuels se réfèrent.

EDMUND GUSTAV ALBERT HUSSERL

NÉ en 1859 à Prostejov	**MORT** en 1938 à Fribourg

PRINCIPAUX INTÉRÊTS   Logique, mathématiques, épistomologie

INFLUENCÉ PAR   Descartes, Hume, Fichte, Kant, Brentano, James, Frege

A INFLUENCÉ   Heidegger, Sartre, Merleau-Ponty

**ŒUVRES
PRINCIPALES**

*Recherches
logiques,
Méditations
cartésiennes*

*La seule renaissance
[philosophique] vraiment
féconde ne consisterait-
elle pas à ressusciter
les* Méditations
cartésiennes *[...]?*

Méditations cartésiennes p.5

*Tomas Masaryk était
le mentor de Husserl
à Leipzig. Il avait été
l'étudiant de Franz Brentano
et ce fut lui qui conseilla
à Husserl d'aller à Vienne
pour étudier avec Brentano.*

Husserl est né dans la ville de Prostejov, en Moravie, qui faisait alors partie de l'Empire autrichien et appartient aujourd'hui à la République tchèque. Sa famille était juive et son père, fabriquant de vêtements, était assez aisé pour envoyer son fils à l'école, d'abord à Vienne puis plus près de chez eux, à Olomouc. En 1876, il commença à étudier les mathématiques, la physique et la philosophie à l'université de Leipzig ; il avait pour professeur Tomas Masaryk (qui deviendra plus tard le président de la Tchécoslovaquie). Au bout de deux ans, il partit continuer ses études à Berlin, trois ans durant, avant de revenir finalement à Vienne et d'y terminer son doctorat en mathématiques en 1883.

Après une brève période où il enseigna à Berlin, il retourna à Vienne pour étudier la philosophie auprès de Franz Brentano. Il enchaîna les postes d'enseignant, à Halle (de 1886 à 1901), Göttingen (de 1901 à 1916), avant d'obtenir une chaire à Fribourg, où il resta de 1916 jusqu'à sa retraite, en 1928. À chacune de ces différentes étapes correspond

En bref :

*Le philosophe doit être attentif
à l'essence des choses, en examinant
la manière dont nous faisons
l'expérience de nous-mêmes
et du monde.*

un travail philosophique : lorsqu'il se trouvait à Halle, il écrivit le premier volume de sa *Philosophie de l'arithmétique* et les deux premiers volumes des *Recherches logiques*, tout en trouvant également le temps de se marier... À Göttingen, il rédigea le premier volume d'*Idées directrices pour une phénoménologie pure et une philosophie phénoménologique*. Cette dernière période fut interrompue par la guerre, et par la disparition de son fils aîné, tombé à Verdun.

À Fribourg, il entra dans la dernière phase de sa vie professionnelle, écrivant - entre autres - les *Méditations cartésiennes* (d'après une série de conférences données à Paris en 1929) et le second volume des *Idées*. Il continua à travailler après avoir pris sa retraite officielle, mais les dernières années de sa vie coïncident avec l'avènement du parti nazi en Allemagne. Il fut souvent victime de l'antisémitisme à divers moments de son existence, à Prostejov ou ailleurs, bien que sa femme et lui-même aient été baptisés, et il dut subir diverses humiliations : on lui interdit par exemple l'accès à la bibliothèque de l'université de Fribourg et il vit son disciple et successeur,

Martin Heidegger, s'inscrire au parti national-socialiste (dans l'édition de 1941 de son livre intitulé *L'Être et le Temps*, Heidegger retira sa dédicace à Husserl). Il mourut de pleurésie en 1938 et ses notes furent récupérées par le Franciscain Herman Léo Van Breda, qui les apporta en Belgique, à Louvain, où fut créé le premier fonds d'archives Husserl, l'année suivante.

La réflexion d'Husserl se situe quelque part entre les philosophies anglo-américaine et européenne. Malgré sa tendance à un jargon prétentieux et souvent impénétrable, il manifestait une intelligence si vive de la pensée philosophique (aussi bien que mathématique et scientifique) et de l'argumentation qu'on en arrivait à oublier son style parfois nébuleux ; ses travaux se sont révélés assez substantiels pour influencer des générations de philosophes anglo-américains et s'imposer également à leurs homologues européens.

LES MATHÉMATIQUES

À ses débuts, Husserl expliquait les mathématiques en termes de processus psychologiques. Cette position a été sévèrement critiquée par **Frege** (qui a utilisé l'expression pertinente de « brouillard impénétrable ») avant que Husserl lui-même désavoue son approche initiale. Il n'accepta pourtant pas davantage la thèse de Frege, expliquant que la vérité de la formule « 2+2 = 4 », par exemple, découle de l'essence de 2 et de 4. Cette importance accordée à la notion d'essence est au cœur de sa philosophie, et il l'a appelée la phénoménologie.

LA CONSCIENCE

Au centre de la recherche de Husserl sur la nature de la pensée, se trouve une notion qu'il a reprise à l'un de ses maîtres, Brentano : *l'intentionnalité*. La principale caractéristique de la conscience (en ce qui la distingue de l'inconscience) est qu'elle relève toujours de l'intention. Nous pensons, craignons, désirons, réfléchissons, espérons, dans l'intention de quelque chose. La conversion d'informations sensorielles passives en une conscience active est atteinte grâce à ce qu'il appelle les *noemata* ; comme souvent chez Husserl (et ses successeurs), ce terme est confus, sans définition précise, bien qu'on puisse le traduire de manière assez fidèle par « contenu de la pensée ». Cela marque la distinction que fait Husserl entre ce contenu de la pensée et l'acte de penser ; de même en est-il pour le contenu de la perception et le fait de percevoir.

JOHN DEWEY

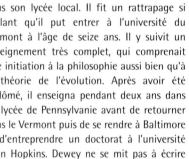

| **NÉ** en 1859 à Burlington | **MORT** en 1952 à New York |

PRINCIPAUX INTÉRÊTS   Éducation, épistémologie, éthique, psychologie

INFLUENCÉ PAR   Hegel, James, Pierce

A INFLUENCÉ   Les théoriciens de l'éducation, Wiredu

ŒUVRES PRINCIPALES

*La Reconstruction en philosophie,
Expérience et nature,
La Recherche de la certitude*

Dewey fit campagne en faveur des libertés civiques. Il était membre de plusieurs associations de défense des droits civiques. On le voit ici à la convention annuelle de la Ligue pour l'Action politique indépendante où il appelle à la création d'un «troisième» parti libéral, une alternative au système capitaliste existant.

Après des débuts scolaires guère prometteurs, Dewey choisit de s'inscrire dans la classe préparatoire pour l'université récemment ouverte dans son lycée local. Il fit un rattrapage si brillant qu'il put entrer à l'université du Vermont à l'âge de seize ans. Il y suivit un enseignement très complet, qui comprenait une initiation à la philosophie aussi bien qu'à la théorie de l'évolution. Après avoir été diplômé, il enseigna pendant deux ans dans un lycée de Pennsylvanie avant de retourner dans le Vermont puis de se rendre à Baltimore et d'entreprendre un doctorat à l'université John Hopkins. Dewey ne se mit pas à écrire tout de suite ; ses idées devaient plus aux gens qu'il connaissait qu'aux livres qu'il lisait. Pendant qu'il était à John Hopkins, ses trois influences majeures furent : le psychologue G. Stanley Hall, l'idéaliste hégelien George Sylvester Morris et le pragmatique **C.S. Pierce**. À ses débuts, Dewey était hégelien.

En bref :

Ce qui importe est la vie pratique, et la tâche de la philosophie est de rendre celle-ci plus facile et plus riche.

Il ne devint pragmatique qu'après plusieurs années passées à tâcher de réconcilier l'idéalisme avec la science empirique.

Dewey obtint son doctorat en 1884, puis passa les dix années suivantes à enseigner à l'université du Michigan (et pendant une courte période, à l'université du Minnesota), avant de partir pour l'université de Chicago en 1894. Pendant qu'il était dans le Michigan, il épousa Alice Chipman, qui encouragea son intérêt croissant pour les questions sociales ; deux autres rencontres l'entraînèrent dans cette même voie : le philosophe pragmatique et sociologue George Herbert Mead (1863-1931) et le philosophe social James Hayden Tufts (1862-1942). À Chicago, il fit d'autres rencontres déterminantes – surtout en ce qui concerne les sciences de l'éducation – : l'éducatrice Ella Flagg Young (1845-1918), dont il supervisa la thèse de doctorat et qui fut très impliquée dans le Laboratoire universitaire que Dewey venait de fonder et la réformatrice sociale (pressentie pour le prix Nobel de la paix) Jane Addams (1860-1935).

En 1904, après une série d'amers démêlés avec l'administration universitaire de Chicago,

L'attrait de la philosophie

... Lorsqu'il faut convaincre les hommes du bien-fondé de doctrines qui ne sont plus acceptées à cause de préjugés nés de la coutume et de l'autorité, et qu'on ne peut pas non plus vérifier de manière empirique, il n'y alors pas d'autre recours que d'en appeler à une pensée rigoureuse et à une démonstration stricte. C'est ainsi que la définition apparemment abstraite et l'argumentation ultra-scientifique, qui éloignent tant de gens de la philosophie, sont aussi ce qui constitue son principal attrait pour ceux qui s'y adonnent.

La Reconstruction en philosophie

Dewey partit pour Columbia. Parallèlement à de nombreuses publications universitaires, il commença à écrire pour un public plus large ; ses travaux furent recensés par des magazines. C'est ainsi que Dewey se fit connaître en dehors de la communauté universitaire, phénomène tout à fait inhabituel à l'époque. Sa notoriété dépassa bientôt les frontières de l'Amérique du Nord. Dewey voyagea en Turquie, au Mexique, en Afrique du Sud, au Japon, en Chine et en Union soviétique, donnant des conférences, visitant des écoles, rédigeant des comptes-rendus sur les systèmes d'éducation locaux et sur leurs institutions. Son audience fut particulièrement étendue en Chine, où ses théories de l'éducation sont toujours prises en compte.

Bien qu'il ait pris sa retraite en 1930, Dewey continua à voyager et travailler jusqu'à sa mort, en 1952 à New York.

L'INSTRUMENTALISME

La position philosophique de Dewey est partie de l'idéalisme hégélien pour aboutir à une forme de pragmatisme qu'il a baptisée «instrumentalisme». Ce terme provient de sa conception selon laquelle les idées et les opinions sont des instruments : leur nature réside dans la manière dont ils provoquent divers effets. Les idées ne sont en soi ni vraies ni fausses, mais efficaces ou pas (des jugements peuvent être vrais ou faux, mais cela dépend de leur validation). L'intérêt de Dewey pour la science, et l'importance qu'il accordait à l'expérimentation, se révèlent bien dans sa conviction que les idées (nées de l'expérience) produisent des jugements, dont les conséquences peuvent être évaluées par l'expérimentation. Ce «test» ne garantit pas la vérité des idées, mais indique leur efficacité. Ainsi le pragmatisme de Dewey est-il sensiblement moins relativiste que celui d'un Peirce ou de **James.**

UNE THÉORIE DE L'ÉDUCATION

Dewey pensait que la philosophie pouvait contribuer à une théorie de l'éducation. Il considérait l'éducation comme «un processus de formation fondamental, intellectuel et émotionnel, à l'égard de la nature et de ses semblables» (*Démocratie et éducation*). L'éducation ne consiste pas à apprendre comme un perroquet des faits désincarnés, mais doit former de meilleurs citoyens, en développant les dons et les prédispositions de chacun. Cela implique de privilégier la *pratique* plutôt que la théorie.

Dewey rejetait ce qu'il appelait la «théorie de l'éducation spectatrice», au profit d'un apprentissage actif. Il pensait qu'on devait encourager l'imagination des élèves et apprendre plus grâce à la pratique et à l'interactivité.

BERTRAND ARTHUR WILLIAM RUSSELL

NÉ en 1872 au pays de Galles	**MORT** en 1970 au Pays de Galles

PRINCIPAUX INTÉRÊTS Logique, mathématiques, épistémologie, métaphysique

INFLUENCÉ PAR Leibniz, Hume, Kant, Mill, Hegel, James, Bradley, Frege

A INFLUENCÉ Carnap, Wittgenstein, Ayer, Popper, Quine, Wiredu, Wiggins

ŒUVRES PRINCIPALES

*Les Principes des mathématiques,
Principia Mathematica
(avec A.N. Withehead),
Problèmes de philosophie,
Notre connaissance du monde extérieur,
Enquête sur le sens et la vérité*

À l'université de Cambridge, on appelle l'examen final des étudiants en licence le « tripode » (à cause du tabouret à trois pieds sur lequel les examinateurs ont coutume de s'asseoir).

En Bref :

« Trois passions, fort simples mais envahissantes, ont gouverné ma vie : le besoin d'amour, la recherche de la vérité et une douloureuse compassion pour ceux qui souffrent. »

Les parents de Russell étaient résolument libres-penseurs ; son grand-père (le premier comte Russell) avait été Premier ministre et son parain (laïque) était **John Stuart Mill**. Russell perdit ses parents alors qu'il était encore tout jeune ; son frère et lui furent pris en charge par leurs grands-parents paternels. Après avoir subi l'éducation très religieuse et sévère de ses tuteurs, il partit pour Cambridge, apprendre les mathématiques au Trinity College, où l'on encouragea son intérêt naissant pour la philosophie ; après avoir obtenu sa licence de mathématiques, il décida de passer le « tripode » de sciences morales. En 1895, il obtint un poste de chargé de cours pour six ans au Trinity College. C'est durant cette période qu'il voyagea et étudia la philosophie et l'économie à Berlin. Son intérêt pour les mathématiques et la logique fut exalté par sa rencontre avec le mathématicien italien Giuseppe Peano (1858-1932) à Paris en 1900, à la suite de quoi il se lança dans un vaste projet visant à démontrer que les mathématiques pouvaient être dérivés des principes de la logique. Avec A.N. Whitehead, il écrivit alors un ouvrage en trois volumes, *Principia Mathematica* (publié en 1910, 1912, 1913). Cette réflexion le conduisit à l'élaboration de son *Paradoxe de Russell*, qui contredisait Frege sur le terrain de la logique.

Par la suite, la vie de Russell fut constellée d'incidents et de scandales. En 1916, ses activités pacifistes lui firent perdre sa fonction à Cambridge ; il fut mis à l'index à la fois par ses pairs et par le gouvernement, et emprisonné pendant cinq mois. En prison, il rédigea son *Introduction à la philosophie mathématique* (1919). Après la guerre, il visita l'Union soviétique et fut très déçu par le socialisme tel qu'il y était compris et appliqué. Il partit ensuite pour la république populaire de Chine, et enseigna quelques temps à l'université de Pékin.

De retour en Angleterre, il fonda, avec sa deuxième épouse, une école progressiste puis enseigna dans diverses universités et lycées américains. Ses opinions très larges sur la liberté sexuelle et sa critique acerbe de la religion, exposées dans *Ce que je crois* (1925) et *Le Mariage et la Morale* (1929), lui attirèrent l'opprobre public et la révocation de ses fonctions au City College de New York ; il dut également démissionner de la Fondation Barnes.

En 1944, réintégré au Trinity College, il revint en Angleterre. Il avait reconsidéré sa position pacifiste et, comprenant le danger du nazisme, il soutint l'effort de guerre allié. Il fut décoré de l'ordre du Mérite en 1949 et reçut

Depuis le début des essais de la bombe H dans les années 1950, Russell a fait campagne contre le nucléaire. En 1960, il a créé le Comité des cent avec les membres les plus actifs du CND (Campagne pour le désarmement nucléaire). Le Comité a organisé des actions militantes non violentes, y compris de désobéissance civile. En 1961, il a été arrêté avec d'autres manifestants devant le ministère de la Défense britannique.

le prix Nobel de littérature en 1950. Après la guerre, ses convictions pacifistes le relancèrent dans l'action. Il milita contre la course à l'armement nucléaire, devenant le président de la Campagne pour le désarmement nucléaire et signant une pétition avec Albert Einstein. Après une manifestation, il fut de nouveau emprisonné, à 89 ans. Il continua jusqu'à la fin ses activités militantes et mourut au pays de Galles où il s'était retiré.

Russell doit sa notoriété à trois choses : son *Histoire de la philosophie occidentale* (1946), l'atomisme logique et la théorie des descriptions. Son livre initia beaucoup de gens à la philosophie, et ses deux théories ont une grande portée philosophique.

L'ATOMISME LOGIQUE

L'atomisme logique est présenté dans un article, «La philosophie de l'atomisme logique» (1918) : Russell explique que le langage peut être analysé selon des atomes signifiants fondamentaux – dont sont issues toutes les formulations. Cette analyse est élargie à l'analyse du monde, de telle manière que les atomes logiques correspondent à des atomes métaphysiques (état des choses ou des faits). Russell pense que ces atomes métaphysiques pourraient être empiriquement découverts, par une connaissance «perceptuelle» directe. Les atomistes doivent tous affronter le même problème : l'identification de leurs atomes. David Hume avait proposé de les qualifier grâce à la couleur ou à la forme ; Russell parla de *parcelle de rouge présent* ; Ludwig Wittgenstein, dont le *Tractatus Logico-philosophique* développait l'approche de Russell, acceptait quant à lui l'idée qu'il était impossible de donner une spécification aux atomes. L'atomisme logique influença le positivisme logique, bien que Russell comme Wittgenstein aient fini par abandonner cette théorie.

LA THÉORIE DES DESCRIPTIONS

On pourrait penser que pour connaître la vérité d'une proposition telle que : «Caligula était fou», il suffit de rechercher Caligula puis de déterminer s'il était fou ou non. Cette approche est valable jusqu'à ce qu'on soit confronté à une affirmation telle que : «Le roi de l'Ohio est fou». On peut chercher longtemps le roi de l'Ohio, on ne le trouvera évidemment pas. On ne peut par conséquent pas découvrir s'il est fou. En d'autres termes, on ne peut pas dire si cette proposition est vraie ou fausse ; donc selon Russell, elle est vide de sens. Pourtant, on comprend la proposition, alors que se passe-t-il ? L'approche de Russell était d'analyser de telles propositions pour en faire ressortir l'implication logique (en rupture avec la forme grammaticale). Ainsi «Le roi de l'Ohio est fou» est analysé de la manière suivante : «S'il y a une chose ayant la propriété d'être roi de l'Ohio, cette chose a la propriété d'être fou». Il suffit dès lors de rechercher cette chose possédant deux propriétés – être roi de l'Ohio et être fou - ; si on ne la trouve pas, on peut alors dire que la proposition est fausse, non pas vide de sens.

Nous avons tous tendance à penser que le monde doit être en conformité avec nos préjugés. Adopter un point de vue opposé implique un effort de réflexion, et bien des gens mourraient plutôt que de faire cet effort – d'ailleurs, c'est ce qui leur arrive.

L'ABC de la relativité

SIR MOHAMMAD IQBAL

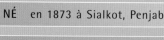

NÉ en 1873 à Sialkot, Penjab	**MORT** en 1938 à Lahore, Penjab

PRINCIPAUX INTÉRÊTS Métaphysique, épistémologie

INFLUENCÉ PAR Leibniz, Kant, Hegel, Nietzsche, Whitehead

A INFLUENCÉ La philosophie islamique moderne

ŒUVRE PRINCIPALE

Reconstruire la pensée religieuse de l'islam

Iqbal est mort neuf ans avant la création du Pakistan, où son anniversaire est aujourd'hui jour de fête nationale.

Iqbal est né au Penjab (alors intégré à l'Inde, aujourd'hui province du Pakistan) et a fait ses études au lycée de Sialkot, avant d'intégrer l'université de Lahore. Il y a étudié l'arabe et la philosophie. En 1899, il obtint sa maîtrise de philosophie. Il devint chargé de cours d'arabe à l'Oriental College de Lahore, mais ce sont ses poèmes qui le firent connaître dans les années qui suivirent. Il écrivit son premier livre (en ourdou), *Connaissance de l'économie*, en 1903.

En 1905, il voyagea à travers l'Europe pour poursuivre ses études de philosophie, d'abord à Cambridge puis à Munich, où il obtint son doctorat avec une thèse intitulée « Le Développement de la métaphysique en Perse ». De 1907 à 1908, il enseigna l'arabe à l'université de Londres tout en étudiant le droit. Il devint avocat en 1908. De retour à Lahore, tout en étant avocat à la Haute Cour de cette ville, il enseigna à temps partiel la philosophie et la littérature anglaise. En 1911, il devint professeur titulaire de philosophie au Government College de Lahore. Il fut anobli en 1923.

Il donna six conférences à Madras, à l'université Osmania de Hyderabad et à Aligarh, qui furent ensuite publiées sous le titre *Reconstruire la pensée religieuse de l'islam* (1930). Au début des années 1930, il voyagea beaucoup en Europe, participa à des conférences politiques internationales et rencontra des philosophes et des politiciens.

Dans le texte :

Exister dans la durée consiste à être soi, et être soi, c'est être capable de dire « Je suis ».

Reconstruire la pensée religieuse de l'islam

Il pensait qu'être musulman n'était guère facile, et caressait l'idée d'une communauté musulmane mondiale. Faute de quoi il croyait que le seul moyen pour les musulmans indiens de vivre en accord avec les principes de l'islam était de vivre dans un État indépendant. Il milita en ce sens (bien qu'une étude récente de sa correspondance révèle qu'il envisageait un Pakistan islamique faisant partie d'un État indien fédéral).

La philosophie d'Iqbal a subi l'influence de penseurs occidentaux tels que **Leibniz**, **Hegel** et **Nietzsche**. Ainsi a-t-il pu incarner la promesse d'un authentique renouveau d'une pensée philosophique islamique – qui reprendrait sa place en philosophie. Promesse qui demeure une promesse.

SARVEPALLI RADHAKRISHNAN

NÉ en 1888 à Tiruttani	MORT en 1975 à Mylapore, Madras

PRINCIPAUX INTÉRÊTS   Religion, éthique, métaphysique

INFLUENCÉ PAR   Platon, Plotin, Samkara, Kant, Hegel, Bergson

A INFLUENCÉ   Les intellectuels indiens

ŒUVRE PRINCIPALE

Philosophie indienne, Traditions orientales et pensée occidentale.

Le sentiment religieux doit constituer un mode [de] vie rationnel. Si jamais [l']esprit doit être chez lui en ce monde, et non un prisonnier ou un fugitif, les fondements [d]e la spiritualité doivent être profonds et préservés dignement. La religion doit s'exprimer dans une pensée raisonnable, [u]ne action constructive, et des institutions sociales justes.

Radhakrishnan est né dans une famille pauvre de brahmanes, en Inde du Sud. Il fut scolarisé près de chez lui, à Tiruttani puis Tirupati, avant d'intégrer le Madras Christian College, à dix-sept ans. Sa matière principale était déjà la philosophie : il obtint la licence puis la maîtrise à vingt ans. Il commença une thèse dont le sujet était «L'éthique dans le Vedanta et ses présupposés métaphysiques», ce qui allait constituer la tendance générale de sa philosophie future.

Chargé de cours au Madras Presidency College en 1909, il continua à étudier les textes sacrés et philosophiques de l'hindouisme et étendit ses connaissances à la philosophie occidentale. Il fut nommé professeur de philosophie à l'université de Mysore en 1918, l'année où il publia son premier livre, *La Philosophie de Rabindranath Tagore*. Il rédigea peu après un deuxième ouvrage, *Le Règne de la religion dans la philosophie contemporaine* (1920). En 1921, il fut nommé à la prestigieuse chaire de sciences morales de l'université de Calcutta. Les années suivantes, il donna de nombreuses conférences dans le monde entier et écrivit son livre le plus connu, *La Philosophie indienne* (en deux volumes, 1923 et 1927).

En 1929, Radhakrishnan partit pour Oxford, où il donna les Conférences d'Upton, sur les religions comparées, puis les Conférences de Hibbert, à Londres et Manchester. À son retour en Inde, il fut pendant cinq ans recteur adjoint de l'université d'Andhra, jusqu'en 1936, où il fut élu professeur de religions et d'éthiques orientales à l'université d'Oxford – une chaire spécialement créée pour lui. Il employa les trois années suivantes à donner des conférences de philosophie et à militer pour l'indépendance de l'Inde.

En 1939, il fut nommé membre de l'Académie britannique puis regagna l'Inde pour assumer le poste de recteur adjoint de l'université hindoue de Bénarès, dont il contribua à garantir l'existence et la prospérité. En 1947, l'Inde gagna son indépendance : Radhakrishnan s'impliqua dans l'élaboration du nouvel État, jusqu'à en devenir président de 1962 à 1967. Il se retira de la vie publique à l'âge de soixante-dix-neuf ans.

Radhakrishnan a produit un vaste corpus de littérature philosophique et religieuse. Sa position philosophique première s'est constituée autour de la tradition non dualiste de l'*advaita* hindouiste représentée par **Adi Samkara**, puis il s'en est progressivement détaché (ainsi que de la pensée traditionnelle hindouiste) pour se tourner vers l'idée d'un dieu unique et d'un moi personnel. Il s'est tourné vers un idéalisme conciliant la tradition européenne, en particulier hégélienne, avec une tradition dérivée des *Upanishad*.

Note :

L'anniversaire de Radhakrishnan est fêté en Inde comme le «Jour du Maître».

LUDWIG **WITTGENSTEIN**

NÉ en 1889 à Vienne	**MORT** en 1951 en Angleterre

PRINCIPAUX INTÉRÊTS   Mathématiques, linguistique, métaphysique, logique

INFLUENCÉ PAR   Augustin, Leibniz, Kierkegaard, James, Frege, Russell, Carnap

A INFLUENCÉ   Carnap, Popper, Anscombe, Dummett, Nagel, Kripke

ŒUVRES PRINCIPALES

Tractatus logico-philosophicus,

Investigations philosophiques,

De la certitude

Le Cercle de Vienne était un groupe de philosophes, de mathématiciens et de scientifiques qui élaborèrent un courant philosophique original connu sous le nom de «positivisme logique».

Ce dont on ne peut parler, il faut le taire.

Tractatus logico-philosophicus §7

En Bref :

La tâche de la philosophie consiste simplement à analyser nos énonciations de manière à découvrir celles qui sont vides de sens (c'est-à-dire sans référence).

Wittgenstein était le dernier de huit enfants d'une famille viennoise fortunée. Il fut éduqué chez lui par un précepteur jusqu'à l'âge de quatorze ans, puis passa trois ans à la Realschule de Linz, avant de partir faire des études d'ingénieur à Berlin. En 1908, il se rendit en Angleterre pour passer son doctorat en ingénierie aéronautique à l'université de Manchester. Cela le conduisit à approfondir sa connaissance des mathématiques et à étudier notamment les *Principes des mathématiques* de **Russell**. De retour en Allemagne, il travailla brièvement avec **Frege**, sur les conseils duquel il partit pour Cambridge en 1912 afin d'y étudier la philosophie des mathématiques et la logique sous l'égide de Russell.

Wittgenstein fit un séjour, court mais productif, dans une maison isolée en Norvège, où il rédigea l'essentiel de ce qui deviendra son œuvre majeure, le *Tractatus logico-philosophicus*, mais la guerre brisa son élan et il s'engagea dans l'armée austro-hongroise. Après avoir servi à divers postes, y compris sur le front russe, il fut muté dans l'artillerie en Italie, où il fut capturé et déporté dans un camp de prisonniers de guerre. En dépit des circonstances, il poursuivit sa réflexion philosophique et acheva le premier jet de son *Tractatus*. Il fut autorisé à l'envoyer à Cambridge, à l'intention de Russell. Le livre fut publié en 1922.

Avec le *Tractatus*, Wittgenstein pensait avoir résolu toutes les questions de la philosophie. Il retourna en Autriche, devint instituteur,

puis jardinier, avant d'opter pour l'architecture (il dessina une maison pour sa sœur). Durant cette période, il maintint le contact avec plusieurs philosophes, et fut introduit dans le Cercle de Vienne par Moritz Schlick. Au terme de nombreuses discussions, Wittgenstein comprit que son *Tractatus* n'était pas entièrement satisfaisant et, en 1929, il retourna à Cambridge pour reprendre ses études de philosophie. Il fut chargé de cours puis devint maître assistant au Trinity College.

Il passa près de cinq ans à Cambridge. Ses notes de cours firent l'objet d'un recueil qui sera publié après sa mort, en 1952, *Le Cahier bleu et le Cahier brun*. À l'occasion d'un séjour en Union soviétique, il retourna en Norvège, où il travailla sur ce qui deviendra les *Investigations philosophiques*, publiées en 1953. Il retourna de nouveau à Cambridge, y devint professeur de philosophie en 1939 et prit la nationalité britannique peu après. Hormis pendant une partie de la Seconde Guerre mondiale, où il s'engagea comme brancardier et technicien de laboratoire, il enseigna à Cambridge jusqu'en 1947, puis se

Le Club des sciences morales de l'université de Cambridge, en 1913. C'était alors un lieu d'effervescence intellectuelle. Russell (le cinquième à partir de la gauche, au premier rang) et G.E Moore (le troisième à partir de la droite, au deuxième rang) étaient très influents. Wittgenstein, qui fut l'élève et l'ami de Russell, était un membre actif de ce groupe.

retira pour écrire. En 1949, on découvrit qu'il souffrait d'un cancer de la prostate. Il passa ses deux dernières années à Cambridge, Oxford et Vienne. Ses travaux de 1949 à sa mort firent l'objet d'une publication posthume : *De la certitude* (1979).

LA THÉORIE DU TABLEAU

On peut diviser le travail de Wittgenstein en deux périodes principales : l'une marquée par le *Tractatus*, l'autre par les *Investigations philosophiques*. Le *Tractatus* est constitué de sept propositions numérotées, comprenant chacune des sous-propositions. Son orientation philosophique est celle de l'atomisme logique. Selon cette thèse, notre expérience et notre compréhension du monde pourraient être analysées jusqu'à ce qu'on atteigne des éléments simples. Le monde serait constitué de faits, et non d'objets. Cette idée trouve son prolongement dans la théorie du tableau de Wittgenstein, selon laquelle le langage parvient à donner des représentations du monde parce qu'il y a quelque chose de commun entre la logique des phrases et ce qu'elles dépeignent – des faits réels ou possibles. Tout ceci nous indique qu'un énoncé qui ne pourrait être analysé pour correspondre à des faits atomiques serait vide de sens.

LE LANGAGE PRIVÉ

Dans sa période « tardive », Wittgenstein adopte l'idée que la philosophie sert à expurger nos pensées et nos formulations, mais il croit aussi qu'il a considéré la linguistique de manière trop simpliste. Cela le conduit à passer d'une réflexion didactique sur *la façon dont nous devrions utiliser* le langage à un examen plus prudent de la *manière dont nous l'utilisons réellement*. L'un des passages les plus célèbres des *Investigations philosophiques* est l'argument selon lequel le langage privé – qu'*en principe* personne ne pourrait comprendre parce qu'il se réfère aux sensations intimes de celui qui l'emploie – est impossible. Les implications philosophiques sont immenses : cela anéantit l'espoir empiriste d'atteindre la connaissance au travers de l'expérience personnelle.

Le travail de Wittgenstein occupe une position inconfortable entre les traditions européennes et anglo-saxonnes. Comme les philosophes européens, il a tendance à proposer un enchaînement d'idées plutôt qu'une argumentation bien étayée ; mais la clarté et la simplicité de son style, de même que sa maîtrise de la logique, sont plutôt anglo-américaines. Wittgenstein est revendiqué par les deux traditions, bien que sa réputation parmi la philosophie anglo-saxonne soit sur le déclin.

Notre compréhension du monde peut être analysée jusqu'à un point ultime : les faits. On ne peut aller plus loin.

MARTIN HEIDEGGER

NÉ en 1889 à Messkirch	MORT en 1976 à Messkirch

PRINCIPAUX INTÉRÊTS   Métaphysique, poésie

INFLUENCÉ PAR   Les présocratiques, Kant, Kierkegaard, Nietzsche, Husserl

A INFLUENCÉ   Sartre, Adorno, Merleau-Ponty

ŒUVRE PRINCIPALE

L'Être et le Temps

J'ai vu [chez les nazis] la possibilité d'un retour à soi et d'un renouveau du peuple ainsi qu'un chemin qui lui permettrait de découvrir sa vocation historique dans le monde occidental.

«Le Rectorat 1933-34»

Le rien se néantise lui-même.

«Qu'est-ce que la métaphysique?»

Heidegger est né dans une famille catholique du sud-ouest de l'Allemagne et était destiné à devenir prêtre, son éducation ayant été prise en charge par l'Église – d'abord à Constance puis au lycée de Fribourg où il fut initié à la philosophie. Il entra au séminaire des jésuites mais n'y demeura que quelques semaines. Il étudia ensuite la théologie à l'université de Fribourg, mais sa santé fragile le contraignit à abandonner tout projet sacerdotal et il changea de cursus pour suivre des études de philosophie, de mathématiques et de sciences naturelles.

Heidegger obtint son doctorat de philosophie à Fribourg en 1913. Quand éclata la Première Guerre mondiale, il s'engagea dans l'armée mais ses problèmes de santé l'obligèrent à retourner à ses études. Il devint maître-assistant à Fribourg en 1915. L'année suivante, **Husserl**, dont il avait étudié la pensée, arriva à Fribourg. Après une brève période où il fut appelé à rejoindre les troupes sur le front occidental, il devint son assistant.

En 1923, il fut nommé maître-assistant à Marbourg. Bien que son enseignement soit très estimé, le fait de n'avoir pas encore publié lui portait préjudice. En 1927, il fit paraître une version inachevée de *L'Être et le Temps*. Cet ouvrage fut perçu comme un travail très important sur la métaphysique et lui valut d'obtenir une chaire à Marbourg. Mais il n'occupa ce poste que pendant un an. En 1928, Husserl prit sa retraite et Heidegger retourna à Fribourg pour lui succéder.

En 1933, un mois après avoir été nommé recteur de l'université de Fribourg, en 1933,

Note :

La première édition de **L'Être et le Temps** *était dédiée à son maître, Husserl. Dans la seconde édition, en 1941, Heidegger fit disparaître cette dédicace.*

il adhéra au parti national-socialiste. Il appliqua les réformes du nouveau pouvoir et prit ses distances avec Husserl. Après la guerre, et en dépit de sa justification, Heidegger fut démis de son poste et interdit d'enseignement jusqu'en 1949. Il passa le reste de sa vie à voyager, à donner des conférences et à écrire, avant de mourir en 1976.

Heidegger est peut-être le plus flagrant symbole de la division entre les traditions anglo-saxonne et européenne. Dans cette dernière, on lui accorde une importance considérable (et certains philosophes ont imité son style), tandis qu'il ne reçoit que peu d'écho dans la première.

RUDOLF CARNAP

NÉ en 1891 à Ronsdorf, Allemagne	**MORT** en 1970 en Californie

PRINCIPAUX INTÉRÊTS   Physique, logique, épistémologie

INFLUENCÉ PAR   Kant, Frege, Russell, Wittgenstein

A INFLUENCÉ   Wittgenstein, Quine, Popper, Ayer, Putnam

ŒUVRES PRINCIPALES

La Construction logique du monde,

La Syntaxe logique du langage,

Les Fondements logiques de la probabilité

La science est un système d'énoncés fondé sur l'expérience directe et contrôlé par la vérification expérimentale. Toutefois, la vérification scientifique ne s'applique pas à un énoncé isolé mais à un système entier ou à un sous-système de tels énoncés.

L'Unité de la science

Né à Ronsdorf, dans l'actuelle Rhénanie du nord-Westphalie, Carnap n'avait que sept ans à la mort de son père ; la famille déménagea à Barmen, où Carnap fut scolarisé. En 1910, il commença à étudier la philosophie, la physique et les mathématiques à l'université d'Iéna (où il travaillait sous l'égide de **Gottlob Frege**) et à Fribourg. Il voulait devenir physicien, mais sa carrière universitaire fut interrompue par la Première Guerre mondiale. Il passa trois ans dans l'armée, puis reprit ses études de physique à Berlin. Là, il rédigea un mémoire sur un sujet qui lui tenait à cœur depuis longtemps : l'espace et le temps. Ce sujet relevant davantage de la philosophie, il décida de s'engager dans cette direction. Son travail fut publié en 1922, sous le titre *L'Espace*.

Dès 1923, Carnap était en contact avec les membres du Cercle de Vienne. En 1926, il partit pour l'université de Vienne où l'attendait un poste de maître-assistant. Il devint bientôt un des principaux membres du groupe et fut l'un des trois auteurs du manifeste publié par le cercle en 1929. Les années précédentes, avait paru sa première œuvre importante, *La Construction logique du monde*, dans laquelle il présentait une variante positiviste de l'atomisme, où tout concept, du plus concret au plus abstrait, se formait chaque jour à partir de nos expériences immédiates. Il en résultait que tout concept sans relation avec l'expérience était dépourvu de sens.

En 1931, Carnap fut nommé professeur de philosophie naturelle à l'université allemande de Prague, où il écrivit son autre ouvrage majeur, *La Syntaxe logique du langage* (1934). De passage à Prague, **Willard van Orman Quine** lui rendit visite. Il devait beaucoup s'inspirer du travail de Carnap, et c'est lui qui – avec Charles Morris – aidera le philosophe allemand à émigrer aux États-Unis en 1935.

Carnap passa les seize années suivantes à professer dans diverses universités américaines, et devint citoyen américain en 1941. Dans les années 1940, il s'intéressa à la sémantique, qui devint le sujet de plusieurs livres, parmi lesquels : *Introduction à la sémantique* (1942), *La Formalisation de la logique* (1943) et *Signification et nécessité : étude de sémantique et de logique modale* (1947). Il continua à se pencher sur les fondements de la physique et sa dernière œuvre fut *Les Fondements logiques de la probabilité* (1950). Ce texte constituait un exposé rigoureux de la façon dont les théories scientifiques sont *confirmées* par l'expérience. Comme par le passé, il continua à s'intéresser à la logique inductive et travaillait sur ce sujet au moment de sa mort, en 1970.

En Bref :

Tout concept qui ne peut être réduit à ses éléments de base est vide de sens.

FENG YOULAN

NÉ en 1895 à Tanghe, Yunan	MORT en 1990 à Pékin

PRINCIPAUX INTÉRÊTS Métaphysique, éthique

INFLUENCÉ PAR Confucius, Aristote, Cheng Yi, Zhu Xi

A INFLUENCÉ —

ŒUVRES PRINCIPALES

Histoire de la philosophie chinoise,

Xin Li-xue

Xin Yuan-ren

Feng est surtout connu pour son Histoire de la philosophie chinoise, *mais il était l'un des philosophes les plus importants et les plus originaux de la Chine moderne.*

Né dans une famille relativement aisée, Feng Youlan connut les multiples guerres civiles et soulèvements de son époque. Il alla d'abord à l'université de Shanghai puis, n'y trouvant pas de professeur pour lui enseigner la philosophie et la logique occidentale, à celle de Pékin. En 1918, après qu'il eut obtenu son diplôme de philosophie, une bourse lui permit de se rendre à l'université de Columbia. Il retourna en Chine en 1923, termina son mémoire et obtint sa maîtrise de l'université de Columbia en 1925.

Les dix années suivantes, il enseigna dans de nombreuses universités chinoises, parmi lesquelles l'université Tsinghua de Pékin. Là, en 1934, il publia son ouvrage le plus connu, l'*Histoire de la philosophie chinoise*, en deux volumes. Il appliquait l'approche philosophique occidentale à la philosophie chinoise. Son livre devint un ouvrage de référence. En 1939, il publia son *Xin Li-xue* (la *Nouvelle philosophie rationnelle*), dans lequel il exposait un néoconfucianisme rationnel.

La guerre sino-japonaise poussa Feng à fuir Pékin avec les étudiants et les professeurs de plusieurs universités. Ils créèrent d'abord l'université temporaire de Hengshan puis l'université associative du sud-ouest de Kuming. En 1946, les universités rouvrirent à Pékin, mais Feng partit pour l'université de Pennsylvanie comme professeur associé. Alors qu'il était là-bas, il comprit que les communistes étaient en train de prendre le pouvoir en Chine. Ses opinions plus ou moins socialistes le portèrent à considérer cela avec optimisme et, de retour au pays, il se lança dans l'étude du marxisme-léninisme.

À méditer :

Il n'est pas nécessaire d'être religieux, mais il est nécessaire d'être philosophe. Lorsqu'on est philosophe, on obtient ce que la religion apporte de meilleur.

Mais le climat politique n'était pas tel qu'il l'avait espéré. Au milieu des années 1950, le régime critiquait ses travaux. Il dut revoir ses positions, renier la plupart de ses convictions initiales et réécrire son *Histoire de la philosophie chinoise* pour se plier aux préjugés de la Révolution culturelle. Il resta en Chine et survécut aux moments les plus difficiles ; après quoi il put enfin retrouver sa liberté de penser et d'écrire, qu'il exerça jusqu'à sa mort.

Feng a emprunté les notions métaphysiques fondamentales de la pensée traditionnelle chinoise, pour les analyser et les développer dans l'esprit de la philosophie occidentale. Il a pu bâtir ainsi une métaphysique néoconfucianiste rationaliste, en même temps qu'une théorie éthique offrant non seulement une théorie de la nature de la morale, mais aussi de la structure du développement moral de l'homme.

JEAN-PAUL SARTRE

| NÉ   en 1905 à Paris | MORT   en 1980 à Paris |

PRINCIPAUX INTÉRÊTS   Métaphysique, épistémologie, éthique, politique

INFLUENCÉ PAR   Kant, Hegel, Kierkegaard, Nietzsche, Husserl, Heidegger

A INFLUENCÉ   –

ŒUVRES PRINCIPALES

L'Être et le Néant,

L'existentialisme est un humanisme

Le garçon de café ne peut être immédiatement garçon de café, au sens où cet encrier est encrier, où le verre est verre [...] Mais précisément si je me le représente, je ne le suis point.

L'Être et le Néant

Son père étant mort lorsqu'il était très jeune, Sartre fut élevé par son grand-père maternel. En 1924, il entra à l'École normale supérieure dont il sortit diplômé en 1929. En 1931, il commença à enseigner dans divers lycées avant de prendre une année sabbatique pour se consacrer à l'étude de **Husserl** et **Heidegger** à Berlin. En 1938, il publia sa première œuvre littéraire, *La Nausée*. Appelé sous les drapeaux en 1939, il fut fait prisonnier en 1940 et relâché l'année suivante. De retour en France, il recommença à enseigner et entra dans la Résistance. Il continua à écrire et publia en 1943 son œuvre majeure, L'*Être et le Néant*.

Après la guerre, Sartre abandonna l'enseignement pour se consacrer à l'écriture. En même temps, il porta ses opinions sur le terrain politique. Sans jamais adhérer au parti communiste, il en était un sympathisant et se considérait comme un authentique marxiste. En 1956, la sanglante répression de la révolution hongroise par les soviétiques mit fin à ses illusions et il condamna le parti communiste français pour son allégeance à Moscou. Il continua néanmoins à se préoccuper de politique et développa une forme d'existentialisme socialiste qu'il exposa en 1960 dans *Critique de la raison dialectique*.

En 1964, le prix Nobel de littérature lui fut attribué (mais il le refusa) et, de fait, on peut considérer que sa production littéraire est plus importante que sa philosophie. On retiendra : *La Nausée* ; les trois volumes des

Chemins de la liberté ; l'Âge de raison ; Le Sursis ; La Mort dans l'âme. Et plusieurs pièces de théâtre : *Les Mouches ; Huis clos ; Les Séquestrés d'Altona* ; etc.

Durant les années 1960, il écrivit une étude en quatre volumes sur Flaubert, après quoi sa santé se détériora. Il continua pourtant à travailler à de nombreux projets, mais il devint aveugle et mourut d'un cancer en 1980.

Sartre reste considéré comme le père de l'existentialisme – un mode de pensée au quotidien et une philosophie dont on retrouve les prémices chez Søren Kierkegaard. Il considérait que l'existentialisme est complémentaire de l'apport politique du marxisme. Le premier met l'accent sur le libre arbitre de l'individu (et sur sa responsabilité), le second permet l'expression de cette liberté sur le plan politique.

Dans le texte :

Le pour-soi est [...] fût-ce à titre d'être qui n'est pas ce qu'il est et qui est ce qu'il n'est pas.

L'Être et le Néant

SIR KARL RAIMUND POPPER

NÉ en 1902 à Vienne	**MORT** en 1994 en Angleterre

PRINCIPAUX INTÉRÊTS Sciences, politique, épistémologie, spiritualité

INFLUENCÉ PAR Hume, Mill, Peirce, Carnap, Schlick, Russell, Wittgenstein

A INFLUENCÉ —

ŒUVRES PRINCIPALES

La Logique de la découverte scientifique,

La Société ouverte et ses ennemis,

Misère de l'historicisme,

Conjectures et réfutations : développement de la connaissance scientifique,

Le Moi et son cerveau

Pour autant qu'une formulation scientifique décrive la réalité, elle doit être réfutable : si elle ne l'est pas, elle ne décrit pas la réalité.

La Logique de la découverte scientifique

Popper est né à Vienne dans une famille juive de la classe moyenne ; son père était avocat. Popper passa son adolescence dans le climat profondément troublé de l'Autriche d'après-guerre et cette expérience devait affecter ses positions politiques. À part une année qu'il passa au conservatoire de Vienne pour étudier le piano, il suivit des cours de mathématiques, de physique et de psychologie à l'université de Vienne ; il obtint son doctorat de philosophie en 1928. Il était influencé par le Cercle de Vienne, mais n'adopta jamais l'ensemble de ses conceptions, comme l'a démontré son premier livre, *La Logique de la découverte scientifique* (1934).

De 1930 à 1936, Popper enseigna comme professeur de mathématiques et de sciences dans le secondaire, mais en 1937 il partit pour la Nouvelle-Zélande et enseigna pendant neuf ans au Canterbury University College de Christchurch. Durant cette période de conflit mondial, il écrivit son livre le plus connu, *La Société ouverte et ses ennemis* (1945), dans lequel il s'érigeait contre les dangers de certaines théories politiques, depuis Platon jusqu'à Marx.

En 1946, il gagna l'Angleterre pour devenir maître de conférences à la London School of Economics où il occupa le poste de professeur de logique et de méthodologie scientifique de 1949 jusqu'à sa retraite, en 1969. Pendant ces années, il publia plusieurs de ses textes les plus importants, dont *Misère de l'historicisme* (1957), traitant de philosophie politique, et

En Bref :

Toute connaissance humaine est conjecturale, qu'elle soit scientifique, politique ou philosophique – elle est produite par la créativité de l'esprit, et dépend du contexte de cette création.

Conjectures et réfutations (1963), un recueil d'articles. Il fut anobli en 1965.

Popper ne s'arrêta pas de travailler après sa retraite universitaire ; il continua non seulement de donner des conférences à travers le monde, mais aussi d'écrire des livres sur des sujets qui lui étaient familiers, tels que *La Connaissance objective* (1972), ou plus nouveaux, comme *Le Moi et son cerveau* (1977), qu'il écrivit en collaboration avec John Eccles.

LA POLITIQUE

Le thème principal que fustige Popper est l'*historicisme* : un principe selon lequel l'histoire humaine serait gouvernée par des lois historiques de la même manière que le monde de la nature est gouverné par des lois naturelles. Popper objecte qu'il n'est pas possible de prédire ainsi le cours de l'histoire, car lorsque des êtres humains sont impliqués, leurs décisions jouent un rôle crucial dans les événements ; et les causes de ces événements se trouvent alors mélangées aux raisons des hommes. Il explique que les théories histori-

Nous élaborons des théories pour comprendre le monde. Mais aucune somme d'observations empiriques ne peut vérifier une théorie de manière définitive, parce qu'il suffit d'une seule observation pour la réfuter. Une fois qu'une théorie est réfutée, une autre la remplace. La science ne démontre aucune théorie ; elle les accepte jusqu'à ce qu'on les ait réfutées.

cistes mènent au totalitarisme, à des sociétés « fermées » - dont les institutions sont figées et protégées de tout changement. Son souci est au contraire de défendre la notion de société « ouverte », dans laquelle les citoyens peuvent modifier les institutions et dans laquelle s'exerce la plus grande liberté possible de penser, de critiquer et d'expérimenter. Les théories politiques utopistes, qui tentent de changer la société dans un sens précis jusqu'à atteindre une sorte d'état idéal, doivent être rejetées en faveur d'une évolution politique progressive.

LE FALSIFICATIONNISME

Popper est connu comme un philosophe des sciences fort influent, à la fois sur les autres philosophes et sur les scientifiques eux-mêmes. Au cœur de son approche, on trouve la notion de falsification. Comme Hume, il pense que l'observation empirique n'est pas suffisante pour vérifier une théorie de manière concluante, parce qu'une seule observation contraire peut toujours la réfuter. La science avance non pas en accumulant les preuves de ses théories, mais en élaborant des conjectures hardies et imaginatives qu'elle tente ensuite de vérifier ou de réfuter. Une théorie peut être confirmée mais non vérifiée lorsqu'elle résiste à ces essais. Une conjecture audacieuse doit être réfutable. Elle permet de faire des prédictions susceptibles d'être vérifiées. Cela conduit à un corollaire important : une théorie authentiquement scientifique est susceptible d'être réfutée, et toute théorie qui n'est pas réfutable n'est pas scientifique.

Popper se servit de ce principe pour montrer que des systèmes de pensée comme l'astrologie, la psychanalyse et le marxisme sont de pseudo-sciences.

L'ESPRIT

Dans *Le Moi et son cerveau*, Popper s'associe à un neurobiologiste, John Eccles, pour présenter et débattre d'une théorie dualiste sur l'esprit et le corps. Popper fait un exposé des principales théories philosophiques, tandis qu'Eccles explique l'aspect neurobiologique du problème et les découvertes dans l'étude du cerveau. La dernière partie de l'ouvrage est constituée de leurs conclusions, sous forme d'une série de discussions qu'ils avaient enregistrées.

Selon Popper, il existe trois mondes se côtoyant dans l'expérience : le premier est celui des objets physiques ; le deuxième est constitué par la subjectivité de l'individu et par ses divers états mentaux ; le troisième comprend les productions de l'esprit humain - il est à la fois immatériel et objectif. Les objets du troisième monde, bien que créés par l'esprit, existent indépendamment de celui-ci. Le monde, et notamment la personne humaine, résulte d'une interaction complexe entre le mental et le physique.

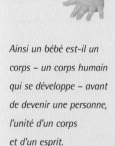

Ainsi un bébé est-il un corps – un corps humain qui se développe – avant de devenir une personne, l'unité d'un corps et d'un esprit.

Le Moi et son cerveau

WILLARD VAN ORMAN QUINE

NÉ   en 1908 à Akron

MORT   en 2000 à Boston

PRINCIPAUX INTÉRÊTS   Logique, linguistique, sciences, métaphysique

INFLUENCÉ PAR   James, Russell, Whitehead, Tarski, Carnap

A INFLUENCÉ   —

ŒUVRES PRINCIPALES

D'un point de vue logique,

Le Mot et la Chose,

La Théorie et sa logique,

Les Chemins du paradoxe,

Les Racines de la référence

Les manuels de traduction d'une langue dans une autre peuvent être constitués de différentes façons, toutes compatibles avec l'ensemble des règles du discours, mais incompatibles entre elles.

Le Mot et la Chose

Quine était le plus jeune fils d'un père ingénieur et d'une mère enseignante. Très tôt, il s'intéressa aux sciences et fut initié par son frère à l'œuvre de William James avant même d'entrer dans le secondaire. Alors qu'il étudiait les mathématiques à l'Oberlin College, dans l'Ohio, il découvrit les *Principia Mathematica* de **Russell** et Whitehead, ce qui le conduisit à s'inscrire en licence de logique mathématique. Il sortit diplômé d'Oberlin en 1930 et obtint une bourse pour Harvard, où il devait passer sa thèse de doctorat sous la direction d'Alfred Whitehead. Ce dernier le présenta à Russell, avec qui il entretiendrait une longue correspondance. Lorsqu'il obtint son doctorat, en 1932, il passa une année à voyager en Europe grâce à la bourse Sheldon d'Harvard, et rencontra les membres du Cercle de Vienne : **A. J Ayer**, Kurt Gödel, Moritz Schlick, mais surtout Alfred Tarski et d'autres spécialistes de la logique venus de Varsovie, ainsi que **Rudolf Carnap**, avec qui il étudia un bref moment à Prague.

À son retour aux États-Unis, on lui confia un poste de chargé de cours junior à Harvard. Il approfondit principalement la logique et devint en 1936 maître-assistant en philosophie (pour les départements de philosophie et de mathématiques). En 1941, il était maître de conférences. Sa carrière universitaire fut interrompue par la guerre, qu'il passa au service de décodage de la marine. Après la guerre, il retourna à Harvard, où il devint professeur en 1948. Dans les années 1950, il se fit connaître pour son travail sur la logique

En Bref :

Nous ne devrions accepter comme existantes que les choses qui sont nécessaires à la validité de nos explications.

philosophique, qui fit l'objet d'un recueil d'articles intitulé *D'un point de vue logique* (1953). On y trouvait un article de 1951, «Deux dogmes de l'empirisme», et un écrit récent : «Signification de la déduction existentielle». Le recueil fut publié alors que Quine était à Oxford en tant que professeur associé (1953 à 1954).

En 1956, Quine devint professeur de philosophie à Harvard et conserva ce poste jusqu'à sa retraite en 1978, après quoi il resta à Harvard en tant que professeur émérite. Il continua à travailler et à voyager jusqu'à sa mort.

LA LOGIQUE ET LA SCIENCE

La philosophie de Quine reconnaît deux influences majeures, le pragmatisme et le positivisme. Il les développa et les adapta de manière à les ajuster à ses propres idées, mais c'est Carnap qui exerça une influence prépondérante sur sa pensée. Néanmoins, l'article qui lui valut la notoriété, «Deux dogmes de l'empirisme», était dans une large mesure une critique de notions centrales chez Carnap et consistait à rejeter deux dogmes du positivisme logique : la distinction entre l'analytique et le synthétique, et le réductionnisme

La science prédit l'expérience à venir

En tant qu'empiriste, je persiste à croire au concept qui fait de la science un outil, dont le but ultime est de prédire l'expérience future à la lumière de l'expérience passée. Les objets physiques sont conceptuellement importés dans une situation en tant qu'intermédiaires appropriés – non par définition en termes d'expérience, mais simplement comme des postulats irréductibles comparables, épistémologiquement, aux dieux d'Homère

«Deux dogmes de l'Empirisme», in **D'un point de vue logique**

scientifique. Sur le premier point, Quine objectait qu'il n'existe pas de définition acceptable de l'«analycité» et que la distinction ne peut être maintenue. Il en résulte que les empiristes sont incapables d'établir la vérité d'énoncés qui ne peuvent être empiriquement vérifiés, tels que les énoncés mathématiques. Pour le second point, il faisait valoir que la science ne peut être réduite à des énoncés individuels, chacun vérifiable séparément ; selon lui, la science est comparable à un tout qui se construit ou s'effondre, à une toile élastique constituée de formulations qui effleurent nos expériences de manière périphérique. Il ne serait donc pas possible de réfuter un énoncé isolé. Cet «holisme radical» fut remplacé dans son travail ultérieur par un «holisme modéré» dans lequel il acceptait l'idée que des énoncés puissent être vérifiés séparément, et que ce n'était pas l'ensemble de la science qui était établi ou réfuté, mais des sous-ensembles significatifs de propositions scientifiques.

LE LANGAGE

Dans *Le Mot et la Chose*, Quine introduit une notion qui a été largement discutée : *l'indétermination de la traduction*. Selon cette thèse, quand on est confronté à une langue inconnue et qu'on n'a pas d'interprète, deux linguistes pourraient développer deux interprétations linguistiques contradictoires qui néanmoins correspondraient parfaitement aux faits observés (l'utilisation de la langue, les réponses aux interrogations, par exemple). Plus encore, il n'y aurait aucune raison de

choisir l'une ou l'autre. Malgré tout, la traduction est possible. Ce qui a des implications philosophiques, car cela infirme l'idée commune selon laquelle une formulation exprime une chose mais que deux phrases utilisées dans le même contexte pourraient vouloir dire la même chose, comme «il pleut» et, en allemand, «es regnet». Les deux formulations peuvent toujours être interprétées comme disant des choses différentes. L'opinion de Quine repose cependant sur l'hypothèse que la signification réside essentiellement dans le comportement de celui qui s'exprime.

L'ÉPISTÉMOLOGIE NATURALISÉE

C'est peut-être la plus absconse des notions élaborées par Quine. Elle implique la tentative de réduire notre connaissance à l'interaction entre des données, à savoir entre l'expérience et les opinions. L'individu est perçu comme une machine physique, qui réagit à des données. En d'autres termes, l'épistémologie est réduite à une psychologie physicaliste et behavioriste.

Quoi qu'on pense de ses théories, Quine a été extrêmement influent – sur ceux qui ont suivi son enseignement (**Donald Davidson** ou **David Lewis**) de manière directe, ou, indirectement, sur les lecteurs de son œuvre et sur le travail de ceux qui lui ont succédé (y compris ses détracteurs). Sans Quine, la philosophie moderne aurait un autre visage.

Alfred North Whitehead eut une influence considérable sur la philosophie des sciences, la logique et la métaphysique, aussi bien que dans des domaines tels que l'éthique et l'éducation. Il fut le professeur de Bertrand Russell à Cambridge et écrivit plus tard avec lui les Principia Mathematica. Alors qu'il enseignait à Harvard, il présenta Quine à Russell, avec lequel il correspondit pendant de nombreuses années.

Une formulation est dite analytique si elle est vraie ou fausse du point de vue exclusif du sens des mots qu'elle contient ; elle est dite synthétique si elle est vraie ou fausse en vertu de la manière dont le monde se présente.

Pour Quine, l'homme est une machine. Notre connaissance est le résultat du traitement de l'expérience et de la nature de nos croyances.

ALFRED JULES AYER

| **NÉ** en 1910 à Londres | **MORT** en 1989 à Londres |

PRINCIPAUX INTÉRÊTS Logique, métaphysique, épistémologie

INFLUENCÉ PAR Hume, Mill, Russell, Moore, Carnap, Schlick

A INFLUENCÉ —

ŒUVRES PRINCIPALES

*Langage, vérité et logique,
The problème of knowledge,
The central Questions of philosophy*

Le critère que nous utilisons pour évaluer l'authenticité de l'énonciation de faits apparents est le critère de vérifiabilité. Nous pensons qu'une phrase est factuellement signifiante pour une personne donnée si, et seulement si, cette personne sait comment vérifier l'énoncé – c'est-à-dire si la personne sait quelles observations la conduiront, sous certaines conditions, à accepter l'énoncé comme vrai ou à le rejeter comme faux.

Ayer fit ses études à Eton et à Christ Church. Il en sortit diplômé en 1932, voyagea à Vienne et rencontra les membres du Cercle de Vienne – rencontre qui infléchira le cours de sa vie universitaire. De retour à Oxford, il enseigna à Christ Church jusqu'à ce que la guerre éclate. Il s'engagea alors dans la Garde écossaise mais passa la majeure partie de son temps dans les services de renseignements. En 1944, il devint chargé de cours au Wadham College d'Oxford pendant deux ans puis fut nommé à la chaire de philosophie et de logique de l'University College d'Oxford. Il y resta pendant treize ans. En 1959, il fut nommé professeur de logique à Wykeham et chargé de cours au New College. Il fut anobli en 1970. En 1978, il prit sa retraite pour ne conserver que son statut de chargé de cours à Wolfson College jusqu'en 1983.

La notoriété d'Ayer prit son essor avec *Langage, vérité et logique* (1936), dans lequel il présentait le positivisme logique d'une manière persuasive et facile à lire. Il adoptait avec enthousiasme un positivisme strict, appliquant très rigoureusement le critère de vérifiabilité. Il ne se contente pas de déclarer vides de sens certaines assertions métaphysiques concernant la religion, l'éthique ou l'esthétique, mais de nombreux énoncés scientifiques (y compris sur les particules élémentaires) ne sont sauvés qu'en étant réinterprétés comme références à des phénomènes observables.

En poussant sa réflexion, Ayer a compris que le critère de vérifiabilité était trop flou pour constituer un critère de signification, et trop

réducteur pour couvrir le champ des connaissances humaines et de leurs activités (en fait, le principe de vérifiabilité est dépourvu de signification si on lui applique ses propres critères). Il le modifia pour permettre, par exemple, qu'un énoncé soit vérifiable par un observateur hypothétique, capable de voyager dans l'espace et le temps.

À la fin, Ayer adopta une position qui était plutôt un empirisme traditionnel qu'un positivisme logique (pourtant, *Langage, vérité et logique*, toujours réédité, persuade encore des générations d'étudiants que l'éthique et la métaphysique sont vides de sens). Il était de bien des manières un rationnel à l'esprit plus ouvert que nombre de ses contemporains, tels que **Quine** ; alors qu'il rejetait des opinions sans fondement solide (telles que la croyance en Dieu), il acceptait certaines croyances métaphysiques, telles que le dualisme de l'esprit, basé sur sa propre expérience. Vers la fin de sa vie, en effet, il vécut une expérience de mort imminente pour laquelle la science ne fournit encore aucune explication.

RICHARD MERVYN **HARE**

| **NÉ** en 1919 à Backwell | **MORT** en 2002 à Ewelme |

PRINCIPAL INTÉRÊT L'éthique

INFLUENCÉ PAR Mill, Moore

A INFLUENCÉ –

ŒUVRES PRINCIPALES

The Language of morals

Freedom and reason

Moral Thinking

Pour bien mettre en évidence l'extraordinaire nature du fanatisme d'un nazi, imaginons que nous sommes capables de lui [di]re la chose suivante [...] [no]us lui disons «Vous ne le [sa]vez peut-être pas, mais [no]us avons découvert que [v]ous n'êtes pas le fils de [vo]s parents, mais de deux [...]s; et la même chose est [v]raie pour votre femme.» [...] Ce nazi est-il alors susceptible de dire – [co]mme cela serait logique [...] «D'accord, envoyez-moi [...] avec toute ma famille à Buchenwald!»?

Freedom and reason

Hare se rendit au collège de Rugby avant de s'inscrire, en 1937, au Balliol College d'Oxford pour y suivre des études classiques. Malgré ses convictions pacifistes, il s'engagea dans l'artillerie royale en 1939. Il servit dans l'artillerie britannique des Indes jusqu'en 1942; il fut alors capturé par les Japonais et resta leur prisonnier de guerre pendant trois ans, d'abord à Singapour, puis dans un camp de travail, pour construire la ligne de chemin de fer entre la Birmanie et la Thaïlande. Cela devait le marquer à titre professionnel et personnel, renforçant sa conviction que la philosophie, et particulièrement l'éthique, a pour obligation essentielle de guider les choix des hommes, de les aider à vivre comme des êtres moraux – pas seulement dans le monde affable des philosophes professionnels, mais dans le monde impitoyable qui s'étend au-delà de l'université.

De retour en Angleterre en 1945, Hare acheva ses études et fut choisi pour être chargé de cours au Balliol College. Il y resta jusqu'en 1966, fut nommé professeur de philosophie morale puis enseigna au Corpus Christi College d'Oxford. En 1983, il prit sa retraite de ses différents postes et devint enseignant chercheur à l'université de Floride où il demeura jusqu'en 1994, faisant régulièrement la navette entre la Floride et son foyer de Ewelme, dans le comté d'Oxford.

Pour Hare, nos jugements moraux ne pouvaient être réduits à de simples paraphrases décrivant leurs objets, mais il n'était pas plus convaincu par la solution des critères émotivistes, qui ne faisaient qu'ajouter un élément émotionnel. Son travail fut influencé par l'approche du langage ordinaire en philosophie; il fondait ses théories sur l'utilisation courante des termes moraux. Il reconnaissait que le rôle premier des jugements moraux est de prescrire une ligne de conduite, et disait que ces prescriptions sont morales si elles ont une portée universelle; ceci étant, elles ne se réfèrent pas à un individu en particulier mais peuvent s'appliquer à tout agent de cette morale. Cette approche est connue sous le nom de *prescriptivisme*.

Hare est également connu pour sa défense d'une version de l'utilitarisme, et pour l'analyse de la pensée morale à deux niveaux qui en résulte. Il soutenait que les gens peuvent avoir deux types de réflexion morale : comme des «archanges», qui pensent de manière critique et prennent des décisions rationnelles en s'aidant directement d'un principe utilitariste; ou comme des «prolétariens», qui pensent de manière intuitive et agissent en accord avec leurs dispositions à suivre la loi. Dans la réalité, les gens sont capables d'allier les deux, même s'ils sont moins bons dans le premier cas.

Les derniers travaux de Hare incluent l'application des théories morales aux questions d'éthique pratique.

En Bref :

Les jugements éthiques sont des impératifs moraux qui s'appliquent à quiconque dans la situation appropriée.

DONALD HERBERT **DAVIDSON**

| **NÉ** en 1917 à Springfield | **MORT** en 2003 à Berkeley |

PRINCIPAUX INTÉRÊTS Linguistique, logique, épistémologie, métaphysique

INFLUENCÉ PAR Platon, Aristote, Spinoza, Kant, Whitehead, Frege, Quine

A INFLUENCÉ –

ŒUVRES PRINCIPALES

Actions et événements, Enquêtes sur la vérité et l'interprétation Paradoxes de l'irrationalité

Jones fit cela lentement, délibérément, dans sa salle de bains, avec un couteau, à minuit. Ce qu'il fit, ce fut de beurrer un toast. Nous sommes trop familiers avec le langage de l'action pour remarquer d'emblée une anomalie : le «cela» de «Jones fit cela lentement, délibérément...» semble se référer à une entité, sans doute à une action, qui peut ensuite être décrite de multiples manières.

Actions et événements

Davidson a commencé sa carrière universitaire d'une manière inhabituelle pour un philosophe, en étudiant l'anglais, la littérature comparée et les lettres classiques à Harvard. Pourtant, pendant sa seconde année, il suivit deux des cours de philosophie donnés par Alfred Whitehead, ce qui l'incita à suivre une autre voie. Après l'obtention de son diplôme en 1939, il s'inscrivit en philosophie ancienne et obtint sa maîtrise en 1941. Son travail de doctorat (sur le *Philèbe* de Platon) fut interrompu par la Seconde Guerre mondiale, qu'il passa pour l'essentiel dans la marine, en Méditerranée. À son retour, il termina sa thèse et obtint son doctorat en 1949. **Quine**, dont il avait suivi l'enseignement tout en passant sa licence, intéressa Davidson au point qu'il délaissa la littérature et l'histoire des idées au profit de recherches philosophiques et analytiques.

La carrière d'enseignant de Davidson débuta à New York au Queens College mais il partit pour l'université de Stanford en 1951, où il devait rester jusqu'en 1967. Pendant la pre-

mière partie de sa carrière à Stanford, il travailla avec Patrick Suppes sur la théorie de la décision, ce qui aura un impact considérable sur sa réflexion ultérieure. En 1963 il publia un article qui fut remarqué : «Actions, raisons et causes».

En 1967, Davidson se rendit à Princeton, où il demeura trois ans, puis il passa six ans à Rockefeller et cinq ans à l'université de Chicago. En 1981, il occupait une chaire à Berkeley, en Californie, où il resta jusqu'à sa mort soudaine (après une opération du genou), en 2003.

ESPRIT ET ACTION : LE « MONISME ANOMAL »

L'analyse de la réalité mentale chez Davidson est difficile à suivre, et il dut faire de gros efforts pour en surmonter les incohérences (qu'il attribuait à la matière même plutôt qu'à ses théories). Il était un fervent partisan du physicalisme, persuadé que la causalité ne concerne que les phénomènes physiques. Contrairement à Quine, il essayait toutefois de rendre son point de vue compatible avec l'idée que les données mentales ne peuvent pas être réduites à des données physiques. Ce qui

En Bref :

Les événements mentaux sont des événements physiques, mais cela ne nous autorise pas à appliquer les lois physiques au domaine mental.

Pour que nous puissions communiquer au moyen d'un langage, celui-ci doit être constitué d'un nombre limité d'éléments, même si le nombre potentiel d'expressions de ce langage est infini.

événement intentionnel dépendant d'une description : la contraction de certains muscles, le mouvement d'un couteau, le fait de beurrer un toast – tout ceci se rapporte au même événement, décrit différemment, mais constituant la même action.

signifie que, si ce qui est décrit comme un événement mental est impliqué dans une relation de causalité, cet événement doit en fait être physique, bien que sa description ne puisse être réduite à une description physique. Il en déduisait alors que les descriptions mentales ne peuvent pas figurer dans les lois scientifiques, et qu'il n'y a pas de loi scientifique sur la base de laquelle des événements mentaux (décrits comme tels) peuvent être expliqués et prévus. D'un autre côté, de tels événements sont assujettis aux contraintes de la rationalité, de la cohérence et de la logique ; faute de quoi ils ne parviennent pas à représenter le mental. Comme Davidson considérait qu'une seule sorte de chose existe réellement, il appela sa théorie le *monisme*, et comme les représentations mentales ne pouvaient être expliquées en termes de lois, il qualifia ce monisme d'*anomal*.

Pour Davidson, les raisons d'agir sont les causes de nos actes. Après tout, arguait-il, que pourrait-on signifier en disant que quelqu'un agit pour certaines raisons si ce ne sont pas ces raisons qui le font agir de la manière dont il agit ? Ceci se complique légèrement du fait de sa conception des actes. Un acte est un

LE LANGAGE

Les écrits de Davidson sur l'esprit et l'action constituent ce qui est probablement la partie la plus importante de son travail, mais ils sont étroitement liés à sa philosophie du langage. Il soutenait que les langues naturelles ont dû être construites grâce à un nombre d'éléments finis, de manière que ceux qui les pratiquent puissent les maîtriser. La tâche du philosophe du langage consiste à montrer comment le sens des phrases dans leur globalité dépend de la façon dont sont agencés les éléments qui les constituent. Son approche comprend deux parties principales : la théorie de la vérité (inspirée du travail du logicien polonais Alfred Traski, dont Davidson a repris la définition de la vérité dans le langage formel pour l'appliquer aux langages naturels), et une théorie de l'interprétation radicale (soit comment attribuer du sens à un langage jusqu'ici complètement inconnu). La première partie reprend l'idée de Frege selon laquelle le sens d'une formulation est donné par les conditions de sa vérité. La deuxième partie introduit le principe selon lequel notre interprétation d'un langage devrait estimer a maxima le nombre d'énoncés considérés comme vrais.

Alfred Tarski étudia et enseigna la logique et la philosophie à Varsovie avant de partir pour Berkeley, en 1942. Il eut une influence considérable dans le domaine de la logique. Davidson adapta sa théorie de la vérité aux langages formels logiques pour démontrer que les langues naturelles sont constituées d'un nombre limité d'éléments.

Il n'existe aucun langage, du moins tel qu'il corresponde à ce qu'ont supposé nombre de linguistes et de philosophes.

Enquêtes sur la vérité et l'interprétation

SIR PETER FREDERICK STRAWSON

NÉ	en 1919 à Londres	MORT	—

PRINCIPAUX INTÉRÊTS Linguistique, métaphysique, épistémologie, éthique

INFLUENCÉ PAR Leibniz, Hume, Kant, Wittgenstein, Russell, Ryle, Ayer

A INFLUENCÉ —

ŒUVRES PRINCIPALES

Études de logique et de linguistique,
Les Individus,
Analyse et métaphysique

Le concept de personne est logiquement antérieur à celui d'une conscience individuelle. Le concept de personne ne doit pas être analysé en tant que corps animé ou qu'âme dans un corps.

Les Individus

Né dans le quartier d'Ealing dans l'Ouest londonien, fils d'un proviseur de lycée, Strawson a suivi sa scolarité au Christ College de Finchley. On lui attribua une bourse pour aller au College St John à Oxford, ce qui, ajouté à une bourse d'État et à l'aide d'un bienfaiteur anonyme, lui permit de poursuivre son cursus. Il se destina d'abord à des études d'anglais mais la lecture du *Contrat social* de Rousseau lui fit choisir la philosophie, les sciences politiques et l'économie.

Il obtint sa licence en 1940, puis fut appelé à faire son service militaire dans l'artillerie royale. Il servit en Angleterre pendant les années de guerre puis dans l'armée d'occupation en Italie et en Autriche, jusqu'à sa démobilisation en 1946. À son retour, il passa un an en tant que maître assistant de philosophie à l'université de Bangor, dans le nord du pays de Galles, avant d'être nommé à la chaire John Locke d'Oxford. Ce poste lui valut d'être recommandé par Gilbert Ryle pour devenir maître de conférences à l'University College d'Oxford puis d'entrer au conseil d'administration de l'établissement l'année suivante.

Strawson resta à Oxford de 1948 à 1968. En 1950, il publia son premier article important, toujours d'actualité : «On refering» («Sur la référence»), dans lequel il critique la théorie des descriptions de Russell, remettant en question ses opinions sur les liens entre signification et vérité. En 1968, il obtint une chaire de philosophie et de métaphysique à Oxford,

En Bref :

La philosophie devrait s'intéresser aux choses telles que nous les connaissons, non à un monde abstrait et abstrus situé au-delà de notre expérience, ni à on ne sait quelle théorie formelle et artificielle.

ce qui le conduisit à devenir membre du conseil d'administration du Magdalen College. Il fut anobli en 1977.

LOGIQUE ET LANGAGE

Dès le début, Strawson travailla sur la logique et le langage, dans la tradition de l'étude du langage ordinaire qui prévalait à Oxford. Selon cette perspective, de nombreuses questions philosophiques émergent lorsqu'on extrait des mots ou des formulations de leur contexte linguistique habituel. Ces questions peuvent être résolues en effectuant une analyse prudente de l'usage de la langue de tous les jours. Dans son article «On refering», Strawson pense que Russell a mal compris l'usage de certaines expressions qu'il utilise comme modèles de référence (par exemple «l'actuel roi de France») et qu'il essaie de les faire coller à sa théorie, quitte à verser dans la paraphrase. De façon plus développée, Strawson explique dans son *Introduction to logical theory* (1952) que les conjonctions logiques de la logique formelle sont trop éloignées de l'usage ordinaire de la langue pour

Le procès de Nuremberg en 1945. Strawson soutient que notre concept de responsabilité est compatible avec l'hypothèse déterministe. Il pense que même si notre comportement est prédéterminé, nos rapports éthiques ne devraient pas en être affectés ; nous devons malgré tout considérer que les gens sont responsables de leurs actes.

permettre aux philosophes de comprendre et d'expliquer le langage.

LA MÉTAPHYSIQUE

En 1959, l'essai de Strawson *Les Individus* permit à la métaphysique de revenir au premier plan en philosophie, après avoir été délaissée par les positivistes logiques et leurs successeurs. Strawson qualifiait lui-même son approche de métaphysique *descriptive*, la distinguant ainsi de la métaphysique *révisionniste*. Cette dernière s'efforce en effet de *réviser* notre manière de penser le monde, affirmant que les apparences nous éloignent de la vraie nature de la réalité (comme **Descartes**, **Leibniz** et **Berkeley** le pensaient), tandis que la première s'efforce simplement de décrire notre façon de penser le monde, pour appréhender la structure de pensée lorsqu'elle s'applique aux corps matériels ou aux individus (il place **Aristote** et **Kant** dans ce courant). Ainsi, les écrits métaphysiques de Strawson ne rompent pas avec ses premiers travaux d'analyse conceptuelle et logique, comme il l'explique dans *Les Individus* : « L'intention n'en est pas différente, seuls la portée et le degré de généralité diffèrent. »

Par « individus », Strawson entend des particules « individuelles » élémentaires qui sont identifiables, c'est-à-dire qui existent dans l'espace et le temps. Ce qui les distingue des monades de Leibniz. Par ailleurs, certaines d'entre elles – les personnes – ont des propriétés mentales qui s'ajoutent à leurs propriétés physiques. Ce qui a conduit Strawson à un dualisme des propriétés. Une personne n'est pas faite de deux substances, comme chez Descartes. C'est une réalité unique possédant deux sortes de propriétés.

Strawson conçoit la métaphysique dans une perspective kantienne. Cela l'a amené à publier en 1966 une étude sur la *Critique de la raison pure* qui constitue l'un de ses livres les plus importants, *The Bound of sens (Les Limites du sens)*. Ce texte est bien davantage qu'un simple commentaire ; c'est une véritable discussion philosophique qui reprend le raisonnement de Kant à son origine.

L'ÉTHIQUE

Dans un article particulièrement important, « Freedom and resentment » (« Liberté et ressentiment », 1962), Strawson soutient que le fait de tenir les individus pour responsables de leurs actes est un aspect de la vie humaine que nous ne pouvons abandonner. Ainsi, la thèse métaphysique selon laquelle nos actes sont entièrement déterminés par des causes ne s'appliquerait pas au comportement éthique. Même si, par impossible, une telle affirmation était démontrée, les relations entre les individus ne pourraient pas être modifiées. C'est une nouvelle et inhabituelle version de ce qu'on appelle le *compatibilisme*, qui cherche à montrer que les notions morales de responsabilité, d'éloge, de blâme et de ressentiment sont compatibles avec l'hypothèse déterministe.

GERTRUDE ELIZABETH MARGARET ANSCOMBE

NÉE en 1919 à Limerick   **MORTE** en 2001 à Cambridge

PRINCIPAUX INTÉRÊTS   Éthique, religion

INFLUENCÉE PAR   Anselme, Thomas d'Aquin, Hume, Frege, Russell, Wittgenstein

A INFLUENCÉ   —

ŒUVRES PRINCIPALES

L'Intention,
Introduction
au Tractatus
de Wittgenstein

[...] Les intentions déclarées
du gouvernement sont [...]
illimitées. Ils n'ont pas dit :
«Quand nous aurons rendu
justice sur les points A, B
et C, nous arrêterons le
combat.» Ils ont parlé de
«balayer tout ce qui peut
s'apparenter à l'hitlérisme»
et de «construire un nouvel
ordre en Europe». Qu'est-ce
que cela veut dire sinon
que nos intentions sont si
illimitées qu'il n'y a pas de
point à partir duquel nous
ou les Allemands pourrions
dire à notre
gouvernement : «Cessez le
combat; vos exigences sont
satisfaites»?

The Justice of the Present
War Examined

Anscombe était la dernière d'une famille de trois enfants dont le père était professeur de sciences à Londres. Elle fut scolarisée à l'école Sydenham de Londres puis, en 1937, entreprit des études classiques au St Hugh's College d'Oxford. Au cours de sa première année, elle se convertit au catholicisme. Elle obtint sa licence en 1941 puis continua son cursus au Newham College de Cambridge.

À Cambridge, elle assista aux cours de **Wittgenstein**, et fut impressionnée par son approche de la philosophie. En 1946, elle retourna à Oxford grâce à une bourse de recherche. Elle resta néanmoins en relations avec Wittgenstein, et leur amitié devait durer jusqu'à la mort du philosophe, en 1951. Avec G.H. von Wright et Rush Rhees, elle s'occupa de l'œuvre de Wittgenstein après sa disparition et joua un rôle majeur dans la publication de ses ouvrages et dans leur traduction en anglais. Sa traduction des *Investigations philosophiques* fut publiée en 1953. Tout en continuant à traduire les textes de Wittgenstein, elle écrivit sur son œuvre. Elle collabora également à une traduction de Descartes.

Parallèlement à son travail sur d'autres penseurs, tels qu'Aristote, Anselme de Cantorbery, Thomas d'Aquin, Hume et Frege, Anscombe avait son originalité propre, et son ouvrage *L'Intention* (1957) fut considéré comme un travail exemplaire sur la philosophie de l'action. De la même manière, ses recherches en philosophie morale renouvelèrent la réflexion éthique sur la vertu et c'est elle qui créa le terme «*conséquentialisme*». En réalité, sa réflexion morale était à la source de ses travaux. C'est ainsi que *L'Intention* fut inspirée dans une large mesure par sa conviction que le président Truman s'était rendu coupable de crime de guerre en ordonnant l'utilisation de l'arme atomique contre les Japonais. Elle protesta lorsqu'il fut fait docteur *honoris causa* à Oxford.

En 1967, elle devint membre de la British Academy et, en 1970, elle retourna à Cambridge pour y enseigner la philosophie jusqu'à sa retraite, en 1986.

Dans le texte :

[...] Si quelqu'un pense véritablement, a priori, qu'on n'a pas à prendre en considération la question de l'éventuelle exécution d'un innocent, je ne veux pas débattre avec lui car son esprit est corrompu.

"Modern moral philosophy..."
Philosophy *(1958)*

JOHN BORDLEY RAWLS

| **NÉ** en 1921 à Baltimore | **MORT** en 2002 à Lexington |

PRINCIPAUX INTÉRÊTS Politique, éthique

INFLUENCÉ PAR Hobbes, Locke, Rousseau, Mill, Kant

A INFLUENCÉ –

**ŒUVRES
PRINCIPALES**

*Théorie
de la justice,*

*Libéralisme
politique,*

*Justice
et démocratie*

*Mon but est de présenter
une conception
de la justice
qui généralise
et conduise à un plus
haut niveau
d'abstraction la théorie
bien connue du contrat
social qu'on trouve
chez Locke, Rousseau,
et Kant.*

Théorie de la justice

Bien que né dans le Maryland, Rawls suivit d'abord des études à Kent School dans le Connecticut. Il entra à Princeton en 1939, obtint sa licence en 1943 et s'engagea juste après dans l'armée. Envoyé dans le Pacifique, il put constater les dégâts occasionnés par l'arme atomique et il publia par la suite une condamnation de l'action du gouvernement américain. Peut-être est-ce la raison pour laquelle il quitta l'armée et retourna à la vie civile.

Il revint à Princeton en 1946 pour terminer son doctorat de philosophie morale en 1950. Après deux ans passés à enseigner à Princeton, une bourse d'Oxford lui permit d'étudier un an à Christ Church. À son retour, il devint professeur à Cornell. Pendant cette période, il publia un article intitulé « La Justice comme équité », qui fut la base de ses travaux ultérieurs.

En 1960, il devint professeur au M.I.T, mais n'y passa que deux ans avant d'entrer à Harvard, où il restera quarante ans. Depuis Cornell, il avait travaillé sur ce qui deviendrait son *magnum opus*. Lorsqu'il publia *Théorie de la justice* en 1971, ce fut un succès presque immédiat, qui le propulsa sur l'avant-scène de la philosophie politique – et quel que soit le nombre des articles et des livres qu'il publierait ensuite, il serait toujours connu comme l'auteur de la *Théorie de la justice*. Ses travaux ultérieurs le conduisirent à modifier ses positions et à s'orienter politiquement plus à gauche (pour autant qu'on puisse donner une

étiquette politique simpliste à un penseur aussi complexe).

La réflexion de Rawls sur la justice repose sur deux principes : un principe d'égalité concernant les libertés élémentaires ; un principe de différence, admettant les inégalités sociales et économiques. Sur ce dernier point, il considérait que ces inégalités ne devraient être permises que pour profiter aux plus démunis ; et qu'elles devraient être liées à l'égalité des *chances*. L'équité de ces principes, soutenait Rawls, tient à ce qu'on les choisirait même si nous nous trouvions dans une « situation d'originelle ignorance » : si nous devions choisir le genre de société dans laquelle nous voudrions vivre, mais sans savoir quelle place nous y occuperions – étant ignorant de notre sexe, de notre appartenance sociale, de notre système de valeur, de nos talents et du reste –, nous opterions pour une société où règne un maximum d'équité. Donc, nous admettrions les deux principes de Rawls.

Dans le texte :

Toute personne bénéficie d'une inviolabilité fondée sur la justice qu'on ne peut outrepasser même pour le bien de la société dans son ensemble.

Théorie de la justice

THOMAS SAMUEL **KUHN**

| **NÉ** en 1922 à Cincinnati | **MORT** en 1996 à Cambridge |

| **PRINCIPAUX INTÉRÊTS**   Les sciences |

| **INFLUENCÉ PAR**   Koyré, Bachelard, Popper, Quine, Fleck |

| **A INFLUENCÉ**   – |

**ŒUVRES
PRINCIPALES**

*La Révolution
copernicienne*

*La Structure
des révolutions
scientifiques*

*La Tension
essentielle*

*D'une manière que je
ne suis pas capable
d'expliquer en détail,
les partisans
de paradigmes
concurrents semblent
évoluer dans des mondes
différents. [Et en agissant
ainsi,] les deux groupes
de scientifiques voient
des choses différentes
lorsqu'ils regardent
à partir du même endroit
dans une même direction.*

La Structure des révolutions
scientifiques

Kuhn étudia la physique à Harvard et obtint sa licence en 1943. Durant la Seconde Guerre mondiale, il resta d'abord à Harvard puis entra au service du Bureau américain de recherche scientifique et de développement en Europe. Après la guerre, il retourna à ses études de physique théorique à Harvard. Tout en préparant son doctorat, il enseignait à des non-scientifiques, ce qui l'amena à étudier l'histoire des sciences. Cette démarche modifia sa conception de la science au point qu'il s'orienta vers l'histoire et la philosophie des sciences. Finalement, il devint maître de conférences en histoire des sciences.

En 1956, Kuhn partit à Berkeley, où il publia son premier livre, *La Révolution copernicienne* (1957), une étude du développement de la cosmologie héliocentriste. Devenu professeur d'histoire des sciences en 1961, il publia son ouvrage le plus connu et le plus important, *La Structure des révolutions scientifiques* (1962). En 1964, il obtint une chaire de philosophie et d'histoire des sciences à Princeton. C'est là qu'il écrivit *La Tension essentielle* (1977), et en 1978 *The Black-Body Theory and the Quantum Discontinuity* (*La Théorie du «corps noir» et la Discontinuité quantique*), qui serait son dernier ouvrage. En 1983, après un an passé en tant que chargé de cours au New York Institute for the Humanities, il devint professeur de philosophie au M.I.T., jusqu'en 1991.

Dans *La Structure des révolutions scientifiques*, Kuhn montre la manière dont la science évolue, et non pas la façon dont on devrait la faire

Note :

La notion de paradigme est l'une des plus mal comprises en philosophie, étant appliquée à mauvais escient à toutes sortes de domaines non scientifiques (en particulier artistiques), où elle n'a pas de sens mais fait intellectuellement illusion.

évoluer. Il soutient que, pour venir à bout des problèmes qui leur sont posés, les scientifiques travaillent dans les limites d'une structure composée d'un ensemble de théories, de techniques, d'hypothèses et de modèles typiques – bref, d'un paradigme. Les questions qui ne peuvent être résolues – des anomalies – finissent par s'accumuler et la tension qui en résulte mène à une révolution scientifique, un changement aboutissant à un nouveau paradigme. Et ainsi de suite, d'un paradigme à l'autre.

Bien que pertinente à bien des points de vue, la théorie de Kuhn achoppait sur le terme de «paradigme», trop imprécis. Dans son article intitulé «Second thought on paradigms» («Retour sur la notion de paradigme»), Kuhn corrige ce défaut en employant l'expression «matrice disciplinaire» pour un sens élargi du «paradigme» (concernant les valeurs, opinions, techniques partagées par la communauté scientifique), et «modèle» dans un sens plus restreint (exemples théoriques et standards fournissant un modèle de solution).

VUE GÉNÉRALE
LA PHILOSOPHIE DES SCIENCES

Pendant plus de deux mille ans, la philosophie incluait ce que nous appelons aujourd'hui les sciences physiques. Les deux disciplines n'ont commencé à se séparer qu'au début de la période contemporaine. Cette division, toutefois, n'est pas complète. Les relations complexes entre les sciences, la philosophie et la philosophie des sciences suivent des lignes de partage floues et arbitraires. Un indice (ou peut-être une des raisons) de leur proximité tient au fait que de nombreux philosophes des sciences ont d'abord suivi une formation scientifique.

On peut distinguer de plusieurs façons les méthodes de la science et celles de la philosophie. La plus évidente est que la science se fonde sur la connaissance empirique et l'observation. Ce qu'on appelle l'*empirisme naïf* de la science veut que les scientifiques commencent par observer le monde; à partir de là, ils établissent des généralités susceptibles de donner lieu à des théories; puis ils évaluent ces théories en faisant de nouvelles observations. Ce raisonnement est naïf parce qu'il néglige le fait que la distinction entre l'observation et la théorie est loin d'être nette; toute observation est liée à des concepts et à des techniques qui peuvent dépendre de théories. Dans ces conditions, que peut-on considérer comme une observation valable? Faut-il se fier à ses seuls sens ou doit-on utiliser un outil quelconque? Un télescope? Un radiotélescope? Un microscope optique ou à balayage électronique?

Pour beaucoup de scientifiques, la philosophie n'a rien à voir avec la science. La plupart d'entre eux raisonnent ainsi parce qu'ils se fondent sur une variante du positivisme logique, le «critère de vérifiabilité»: n'a de sens que ce qui peut être empiriquement vérifié. Ils rejettent la philosophie sur la base d'une théorie discréditée depuis longtemps (et qui disqualifie également plusieurs domaines scientifiques). Néanmoins, une majorité de grands scientifiques se définissent eux-mêmes comme philosophes autant que comme scientifiques (par exemple, Darwin et Einstein); pour le moins, ils ont reconnu l'influence de la philosophie sur leur travail (**Popper** est souvent cité à cet égard).

De nombreuses questions sont soulevées par la philosophie des sciences: quelle est la nature de la science? En quoi les sciences diffèrent-elles des non-sciences? Quelles sont leurs interactions? L'histoire, l'économie, la sociologie et la psychologie sont-elles des sciences véritables? Qu'est-ce qui caractérise une démonstration scientifique satisfaisante? Comment la science progresse-t-elle? Comment élabore-t-on une théorie scientifique? En plus de toutes ces interrogations générales, émergent des questions spécifiques à certains domaines, en particulier la physique et, plus récemment, la biologie: quelle est la nature de l'espace et du temps? Quelles sont les implications métaphysiques de la théorie des quanta? Qu'est-ce que la vie? Quelles sont les différences entre les espèces originelles et celles que l'homme a génétiquement modifiées?

La philosophie des sciences se concentre aujourd'hui sur une question: Quelle est la valeur exacte d'une théorie scientifique? Est-elle susceptible de décrire le monde, ou n'est-ce qu'un simple outil? La science a-t-elle pour finalité d'atteindre la vérité sur l'essence du monde (observable ou non) ou ne doit-elle fournir que des éléments d'explication à réévaluer constamment? Dans le premier cas, on parle de «réalisme», dans le second, d'«instrumentalisme». Cette dernière notion est souvent reprise sous diverses formes, du positivisme logique pur et dur qui dénie tout sens aux formulations concernant ce qu'on ne peut observer, jusqu'à l'«empirisme constructif», plus élaboré, qui permet de tenter une description théorique du monde, mais dont seules les implications vérifiables sont retenues par la science.

Une des réponses les plus réalistes à l'instrumentalisme consiste à penser qu'«il n'y a pas de miracle». Dans la mesure où les théories scientifiques fournissent certaines explications satisfaisantes, il serait fort étonnant que toutes ces théories ne contribuent pas à laisser entrevoir au moins une partie de la vérité concernant la nature du monde.

SIR MICHAEL ANTHONY EARDLEY DUMMETT

NÉ en 1925 à Londres	MORT –

PRINCIPAUX INTÉRÊTS Logique, linguistique, épistémologie, métaphysique

INFLUENCÉ PAR Brouwer, Frege, Wittgenstein

A INFLUENCÉ –

Né à Londres, Dummett suivit les cours de l'école Sandroyd dans le Wiltshire puis du Winchester College. Il servit ensuite dans l'armée de 1943 à 1947. Après-guerre, il intégra Christ Church à Oxford, obtint sa licence en 1950 puis obtint une bourse pour étudier à All Souls College, toujours à Oxford. Il enseigna également la philosophie à mi-temps à l'université de Birmingham pendant un an (1950-1951). En 1962, il occupait le poste de maître de conférences en philosophie des mathématiques à Oxford. En 1979, il était nommé à la chaire de logique d'Oxford, qu'il ne quitta que lorsqu'il prit sa retraite, en 1992. Pendant toutes ces années, il visita de nombreuses universités à travers le monde. Accompagné de son épouse, il s'impliquait dans de grandes causes, s'engageant notamment contre le racisme ou sur la question de l'immigration. Il trouva également le temps de s'intéresser aux origines symboliques du tarot.

Dummett a contribué aux progrès de la philosophie dans de nombreux domaines : philosophie du langage, logique et métaphysique. Son premier ouvrage important fut publié en 1973 : *Philosophie de la logique*. Durant toute sa carrière, il continua à étudier l'œuvre de **Frege**, dont il demeure l'un des plus illustres disciples.

LE LANGAGE

Le langage est au cœur des recherches philosophiques de Dummett : il affirme que la

En Bref :

Ce qui est vrai est ce qui est prouvé ; ce qui est faux est ce qui est réfuté.

philosophie avant Frege s'est concentrée à tort sur l'épistémologie, au lieu de s'appuyer sur l'étude du langage. Ce point de vue est d'autant plus contestable que Frege lui-même semble n'avoir pas vu qu'il était concerné par ce sujet (il s'intéressait plutôt à la pensée et à la logique).

Pour Dummett, la controverse entre réalistes et antiréalistes révèle surtout de la sémantique, de l'étude de la signification dans le langage. Pour les réalistes, toute formulation signifiante est nécessairement vraie ou fausse (selon le *principe de bivalence*). Ainsi, un réaliste pourrait soutenir que la proposition «Ethelred le Malavisé eut une indigestion lors de son vingt et unième anniversaire» est forcément vraie ou fausse, bien qu'on n'ait aucun moyen de la vérifier. L'antiréaliste affirme en revanche qu'une formulation n'a de sens que si on peut la confirmer ou l'infirmer. Si on ne peut rien avancer pour réfuter ou confirmer un énoncé – comme dans l'exemple d'Ethelred –, c'est qu'il n'est ni vrai ni faux. Ce rejet du principe de bivalence caractérise aussi Dummett dans le domaine des mathématiques.

Le conflit entre le réalisme et l'antiréalisme est un conflit sur la nature du sens des formulations dont on discute.

Truth and other enigmas

LES MATHÉMATIQUES

Dummett est largement responsable de l'intérêt soutenu pour un courant antiréaliste en mathématiques : *l'intuitionisme*. Selon cette thèse, développée par le mathématicien Brouwer (1881-1966), les objets mathématiques ne sont pas réels et indépendants de nous comme dans le réalisme platonicien, mais sont construits par les mathématiciens. Ainsi, une formulation mathématique n'est que le compte-rendu de ce qu'un mathématicien a établi, et n'est vraie ou fausse que s'il en existe une preuve ou une réfutation. Si ce n'est pas le cas, la formulation n'a pas valeur de vérité – elle n'est ni vraie ni fausse.

Mais en fait, Dummett n'adopte pas la version brouwerienne de l'intuitionnisme, parce qu'elle repose sur les seules préoccupations et opérations issues de l'esprit des mathématiciens. Il reprend l'idée à son origine, soutenant que ce qui compte pour étayer la vérité d'un énoncé mathématique est d'en obtenir la preuve : c'est là une tâche dévolue aux mathématiciens.

Ce désaccord entre réalistes et antiréalistes a des implications directes et pratiques dans le domaine des mathématiques et de la logique. Par exemple, si la vérité de l'énoncé p implique la vérité d'un autre énoncé q et que la fausseté de p implique aussi la vérité de q, un réaliste peut en conclure que q est vrai alors qu'il n'y a ni preuve ni absence de preuve de la vérité de p, parce que le principe de bivalence nous indique que p doit nécessairement être vrai ou faux et que ces deux possibilités impliquent que q est vrai. En revanche, les antiréalistes, parce qu'ils rejettent ce principe, doivent continuer leur travail de réflexion et prouver que p est soit vrai, soit faux.

Dummett popularisa le terme d'«antiréalisme», un principe qu'il avait intégré à sa réflexion et qu'il utilisa pour résoudre diverses questions, dans des domaines très variés. Dans chaque débat étaient exposées la conception réaliste et celle des antiréalistes, qui suivaient chacune leur logique propre. Cette formulation évoquant un fait du passé, «Le roi Ethelred le Malavisé eut une indigestion à son vingt et unième anniversaire» doit être soit vraie, soit fausse pour un réaliste. Tandis que l'antiréaliste soutiendra que la vérité de cette formulation dépend de l'existence de la preuve qui la corrobore ou la réfute.

L'apprentissage du langage implique d'apprendre quelles justifications sont nécessaires pour former divers types de phrases. L'une des premières étapes consiste pour l'enfant à répondre aux assertions d'autrui ; plus tard, il apprendra à poser des questions concernant ces assertions, et à en faire la condition de son accord ou de son désaccord.

JACQUES DERRIDA

NÉ en 1930 à El-Biar, Algérie	MORT en 2004 à Paris

PRINCIPAUX INTÉRÊTS   Linguistique et langage, politique, épistémologie

INFLUENCÉ PAR   Marx, Rousseau, Saussure, Lévi-Strauss, Heidegger

A INFLUENCÉ   L'ensemble de la pensée poststructuraliste

ŒUVRES PRINCIPALES

De la grammatologie,

L'Écriture et la Différence,

La Dissémination,

Spectres de Marx

Le véritable sens provient des différences entre les signes, et ces différences elles-mêmes produisent de nouveaux signes.

Jacques Derrida est né en Algérie le 15 juillet 1930 dans une famille de Juifs séfarades. En 1942, il est victime des lois antisémites instaurées par le gouvernement de Vichy et expulsé de son lycée. Pendant sa prime jeunesse, il s'intéresse davantage au football qu'aux études et échoue au baccalauréat en 1947. Mais après trois années de classe préparatoire au lycée Louis-le-Grand à Paris, il réussit le concours d'entrée à l'École normale supérieure (au bout de la troisième tentative) en 1952 et y devient l'ami du philosophe Althusser. En 1956, il est reçu à l'agrégation et obtient une bourse de *special auditor* lui permettant d'aller étudier à Harvard. De 1960 à 1964, il enseigne la philosophie générale et logique à la Sorbonne puis à l'ENS, où il restera jusqu'en 1984. Il donna de nombreuses conférences aux États-Unis (notamment en Californie et à New York) et reçut vingt et une fois le titre

En Bref :

En déconstruisant les hypothèses et les procédés qui se situent derrière l'écriture et la parole, nous pouvons avancer au-delà d'eux et trouver de nouvelles manières de penser le monde.

de docteur *Honoris Causa*. Il mourut le 9 octobre 2004 à Paris.

LANGAGE ET DIFFÉRENCE

Peu de penseurs ont été interprétés de manière aussi déformée et abusive que Derrida, tant par ses héritiers que par ses détracteurs. Ses théories et ses idées ne peuvent se comprendre que dans le contexte social et intellectuel de son époque. Dans les années 1960, la philosophie française était dominée par la linguistique du théoricien suisse Ferdinand de Saussure. Pour ce dernier, le langage est un système dont la clef n'est pas la compréhension des mots eux-mêmes mais les *différences* qui existent entre eux. Un mot pris isolément, ou un signe, ne veut rien dire en soi ; mais c'est la façon dont il diffère des autres signes, à la fois par sa forme (le *signifiant*) et par son concept (le *signifié* : le sens du mot), qui lui donne sa signification. Un changement arbitraire de signifiant –

LANGAGE NATUREL ET ÉCRITURE

[...] La prétendue dérivation de l'écriture [...] n'a été possible qu'à une condition : que le langage « originel », « naturel » n'ait jamais existé, qu'il n'ait jamais été intact, intouché par l'écriture, qu'il ait toujours été lui-même une écriture.

De la grammatologie

par exemple la transformation de « chat » en « chas » – introduit un changement de sens fondamental.

Ainsi, l'intérêt de Saussure se concentrait sur les structures profondes qui gouvernent le sens plutôt que sur le langage dans sa superficialité. Inspirés par des découvertes scientifiques comme le décodage de l'ADN, d'autres penseurs tels que l'anthropologue Claude Levi-Strauss ont étendu l'analyse linguistique de Saussure à d'autres systèmes – par exemple les formes de parenté ou les structures politiques – en soutenant qu'on pouvait les lire comme des structures linguistiques. Ce « structuralisme » a constitué l'ensemble théorique contre lequel Derrida a réagi.

Les changements apportés par Derrida ont consisté à montrer que les différences de signifiants n'avaient *pas de fin* : tout énoncé renvoie à un autre que lui, par ce que Derrida appelle un « jeu infini » de décalages. Il n'y a rien de définitif ni de fixe dans le langage, mais en même temps, parce que nous avons besoin de mots pour nous exprimer, nous faisons comme si - et nous mettons un frein à ce « jeu infini » dans la vie de tous les jours. Cette tension entre une dynamique de changement et la façon dont on peut la retenir est appelée la « différance » par Derrida.

LA DÉCONSTRUCTION

Derrida n'était pas impliqué dans le seul débat universitaire. Il souhaitait s'ériger contre ce qui poussait des penseurs tels que J.-J. Rous-

seau ou Lévi-Strauss à défendre une vision parfois terriblement bipolaire du monde, et à réfléchir en termes de culpabilité/innocence ou authenticité/artifice. Les auteurs en question n'étaient d'ailleurs pas toujours conscients de ces clivages employés pour défendre leurs idées. En faisant une analyse textuelle approfondie de ces auteurs, Derrida s'efforça d'en révéler des hypothèses cachées, « déconstruisant » ainsi leur structure pour tenter d'ouvrir les esprits à de nouveaux modes de pensée.

Il faut « déconstruire » : abattre des murs pour ouvrir de nouveaux espaces.

L'œuvre de Derrida a souvent été critiquée. Il a été dénigré par les uns (à droite) et récupéré par d'autres (à gauche). Il a déchaîné les passions, et le titre honorifique qui lui a été décerné en 1992 par l'université de Cambridge a déclenché un véritable tollé parmi les philosophes, qui reprochaient – entre autres – à ses travaux leur manque de rigueur et de clarté. Mais Derrida ne souhaitait pas s'adresser qu'aux universitaires, il voulait aussi toucher les « gens ordinaires », comme le démontrent ses engagements et ses efforts pour aller au-delà des clivages artificiels et maladroits qui minent la politique contemporaine.

VUE GÉNÉRALE
LA PHILOSOPHIE AFRICAINE

Le philosophe kenyan Henry Odera Oruka discerne quatre «orientations» dans la philosophie africaine : l'ethnophilosophie, la sagesse philosophique, la philosophie idéologico-nationaliste et la philosophie professionnelle. En réalité, il serait plus juste de dire qu'il s'agit de propositions pour établir des catégories, car les limites entre elles sont fluctuantes.

L'ethnophilosophie s'attache à recueillir la tradition orale et à l'enregistrer pour en conserver la trace. Ce traitement de la philosophie africaine consiste à la considérer comme un ensemble de croyances éparses, donnant une vision éclatée du monde – où la question de propriété communautaire prévaut sur l'activité de l'individu.

La sagesse philosophique est une sorte de version individualiste de l'ethnophilosophie, où l'on enregistre les croyances de certains membres spécifiques d'une communauté. L'hypothèse de départ est la suivante : en dépit du fait que la plupart des sociétés exigent de leurs membres qu'ils se conforment à diverses croyances et divers comportements communs, quelques individus parviennent à se démarquer pour atteindre un très haut niveau de compréhension de leur culture et du monde ; de tels hommes sont appelés «sages». Dans certains cas, la pensée du sage transcende la simple connaissance – il devient alors le sujet privilégié de la sagesse philosophique.

Le problème est que toute réflexion, tout questionnement ne relève pas nécessairement de la philosophie. La pensée des sages qui constitue la sagesse philosophique pourrait ne pas appartenir à la philosophie africaine, si elle n'était enregistrée par d'autres sages. À cet égard, la seule différence entre l'anthropologie ou l'ethnologie non-africaine et la philosophie africaine semble dépendre de la nationalité du chercheur.

La difficulté avec l'ethnophilosophie comme avec la sagesse philosophique tient à la distinction entre philosophie et histoire des idées. Quel que soit l'intérêt des croyances véhiculées par des peuples comme les Akan ou les Yoruba, et quel que soit l'intérêt qu'y porte un philosophe, on parle toujours de croyances, pas de philosophie. Pour y parvenir, il faut pouvoir dire : «Ma philosophie est vivante et rend vivant.»

La philosophie idéologico-nationaliste pourrait être considérée comme un cas particulier de la sagesse philosophique, dans laquelle on ne prend pas pour sujets d'étude des sages, mais des idéologues. Elle pourrait également se définir comme une sorte de philosophie politique. On aborde les mêmes problèmes à chaque fois : on doit retenir la distinction entre idéologie et philosophie, entre des ensembles d'idées et un mode de raisonnement spécifique.

La philosophie professionnelle considère que la philosophie est un mode de pensée, de réflexion et de raisonnement particulier ; que ce mode de pensée est relativement nouveau dans la plupart des pays d'Afrique ; enfin, que cette philosophie africaine doit évoluer dans un cadre donné par les Africains eux-mêmes et s'appliquer (mais peut-être pas exclusivement) à des questions propres à l'Afrique.

Les ethnophilosophes tentent de montrer que la philosophie africaine est spécifique, quitte à s'attarder davantage sur l'aspect «africain» et à délaisser la «philosophie». Leurs principaux rivaux sont les philosophes professionnels, qui pensent que la philosophie africaine doit évoluer en dehors du seul apport philosophique des Africains, quitte à s'attarder davantage sur la notion de «philosophie» et à délaisser l'aspect «africain». Mais on peut aussi ne rien négliger de la «philosophie africaine» dans sa totalité, comme l'ont déjà brillamment prouvé de nombreux philosophes issus de ce continent, parmi lesquels : Kwame Anthony Appiah, Kwame Gyekye, **Kwasi Wiredu**, Oshita O. Oshita, Lansana Keita, Peter Bodunrin et Chukwudum B. Okolo.

KWASI WIREDU

| NÉ en 1931 à Kumasi, Ghana | MORT – |

PRINCIPAUX INTÉRÊTS   Logique, épistémologie, métaphysique, politique

INFLUENCÉ PAR   Platon, Hume, Kant, Russell, Dewey, Ryle, Strawson

A INFLUENCÉ   –

ŒUVRES PRINCIPALES

Philosophy and an african culture,

Cultural universals and particulars : An african perspective

Pour que l'ensemble d'une pensée puisse être légitimement associé à une ethnie donnée, un peuple, à une région ou une nation, il est suffisant qu'elle soit ou qu'elle devienne, à cet égard, une tradition vivante. Il importe peu qu'elle soit issue d'un brassage endogène ou qu'elle ait fait des emprunts, en partie ou en totalité, à d'autres peuples.

"On defining african philosophy"

Wiredu suivit l'enseignement secondaire de l'école Adisael de 1948 à 1952 ; c'est alors qu'il découvrit la philosophie – avec les *Dialogues* de **Platon** et l'œuvre de **Bertrand Russell**. Il entra en licence à l'université de Legon, au Ghana, et obtint son diplôme en 1958. Il poursuivit ses études à Oxford, à l'University College, et fut licencié en philosophie en 1960. À Oxford, il eut pour professeurs Gilbert Ryle, **Peter Strawson** et Stuart Hampshire, qui dirigea sa thèse sur «Connaissance, vérité et raison». Après quoi il enseigna la philosophie à l'université de Keele (dans le Nord du comté de Stafford) pendant un an, avant de retourner à l'université du Ghana en 1961. Il y professa pendant vingt-trois ans, prit la direction du département de philosophie en 1971 et devint titulaire de la chaire en 1981, un an après la publication de son premier ouvrage, *Philosophy and an african culture.*

Il a passé les années suivantes à voyager aux États-Unis, donnant des cours dans de nombreuses universités : à UCLA (1979-1980) ; Richmond, en Virginie (1985) ; Carleton College, dans le Minnesota (1986) ; Duke, en Caroline du Nord (de 1994 à 1995 et de 1999 à 2001). Mais aussi en Afrique, à l'université d'Ibadan, au Nigéria (en 1984). En 1985, il a été chargé de cours au Centre international pour étudiants Woodrow-Wilson puis au National Humanities Center (établissement privé pour les chercheurs en sciences humaines), en Caroline du Nord, l'année suivante. Depuis 1987, il est professeur de philosophie à l'université de Tampa, en Floride.

Wiredu soutient qu'il est important de faire la distinction entre les croyances populaires et les opinions universelles qui imprègnent toute culture, et la philosophie. Ainsi, il est opposé à l'ethnophilosophie et à son approche de la sagesse africaine ; semblable «philosophie folklorique», comme il l'appelle, peut constituer une partie de la véritable philosophie, mais seulement si on lui adjoint une argumentation rigoureuse et une analyse critique. Sa pensée est solidement ancrée dans le camp des philosophes de la tradition universitaire, parmi lesquels il est un des plus brillants dans son domaine, la philosophie africaine contemporaine.

En accord avec sa conception de la pratique philosophique, la méthodologie de Wiredu consiste à soumettre à l'analyse et à l'argumentation (très influencées par le pragmatisme de **Dewey** et les recherches sur le langage de Ryle et **Strawson**) la linguistique si riche et les particularismes culturels de son propre peuple, pour discuter de sujets tels que la vérité ou les droits de l'homme. Le résultat est une philosophie complète à bien des égards, qui peut intéresser n'importe quel autre penseur, de quelque culture qu'il soit. En même temps, la pensée de Wiredu relève d'une philosophie essentiellement africaine.

En Bref

Wiredu représente la culture africaine, mais sa philosophie ne concerne pas seulement l'Afrique.

DAVID WIGGINS

NÉ en 1933 à Londres	MORT —

PRINCIPAUX INTÉRÊTS   Métaphysique, logique, éthique

INFLUENCÉ PAR   Aristote, Leibniz, Hume, Frege, Peirce, Russell, Quine, Davidson

A INFLUENCÉ   —

ŒUVRES PRINCIPALES

Identity and spatio-temporal continuity,

Sameness and substance

Needs, values and truth

Sameness and substance renewed

[...] Les concepts classificateurs que nous appliquons à l'expérience déterminent ce que nous pouvons y trouver. Mais cette formulation doit être comprise de la manière – certes peu exaltante – suivante : la taille des mailles d'un filet ne détermine pas quels poissons sont dans la mer mais quels sont ceux qu'on pourra attraper.

In subject, thought and context

Né à Londres, Wiggins fut envoyé à l'école St-Paul et poursuivit des études classiques au Brasenose College d'Oxford. Après un premier contact peu enthousiaste avec la philosophie, il se laissa finalement séduire. En 1957, il s'engagea dans le service civil mais abandonna au bout d'un an pour bénéficier d'une bourse d'études à Princeton. En 1959, il devint maître-assistant au New College d'Oxford avant d'être nommé «fellow» l'année suivante. Il devait rester à Oxford jusqu'en 1967 puis fut professeur de philosophie au Bedford College de Londres. En 1981, il reprit son poste de «fellow» à Oxford. Huit ans plus tard, il était nommé professeur de philosophie au Birbeck College de Londres. En 1993, il regagnait Oxford où l'attendait une chaire de professeur de logique au New College ; il y resta jusqu'à sa retraite, en l'an 2000.

Wiggins n'a jamais suivi la tendance du moment. À plusieurs reprises, il a tracé sa route dans l'ombre en tant que professeur et philosophe, pendant que d'autres faisaient de brillantes – mais éphémères – apparitions au firmament de la philosophie. L'éclat de ces «stars» finissait par s'éteindre pendant que Wiggins, inébranlable, poursuivait sa réflexion et son travail. Il aborde des domaines très variés mais ses recherches philosophiques restent métaphysiques et portent sur la nature des choses, sur le monde et notre existence – sur la manière dont les objets «sont articulés ou isolés ou trouvés ou conduits ou formés ou modelés en ce monde».

Dans le texte :

Plus sont grands les obstacles que la nature ou que les autres mettent sur notre route, plus la perspective est vraiment désespérée, et moins la plupart d'entre nous montreront avoir resssenti quelque chose. [...] Finalement, le fait de montrer son ressenti dépend en partie de l'attente d'un résultat ; et l'attente dépend des résultats précédents.

Needs, values and truth

Wiggins propose une combinaison de nominalisme (ou de conceptualisme) et de réalisme : bref, une sorte de réalisme conceptualiste. Il soutient que, si nous choisissons comment nous conceptualisons la réalité, nous ne choisissons pas les éléments qui doivent être conceptualisés. Nous établissons des lignes de partage entre ces éléments mais nous ne le faisons pas arbitrairement : il y a une manière juste ou fausse de le faire. Dans le domaine de l'éthique, il associe de même subjectivisme et réalisme, proposant une théorie morale objectiviste selon laquelle les jugements moraux sont subjectivement conditionnés par le sens que donne un seul but : la vérité. Par exemple, sur la question de l'esclavage, il n'y a rien d'autre à penser sinon qu'il s'agit de quelque chose d'injuste et d'intolérable.

THOMAS NAGEL

NÉ en 1937 à Belgrade	MORT –

PRINCIPAUX INTÉRÊTS   L'épistémologie, l'éthique, la politique

INFLUENCÉ PAR   Kant, Wittgenstein, Strawson, Rawls, Wiggins, Kripke

A INFLUENCÉ   –

ŒUVRES PRINCIPALES

Le Point de vue de nulle part,

Questions mortelles,

Égalité et partialité,

Nigel a également écrit une introduction à la philosophie destinée aux jeunes lecteurs et intitulée Qu'est-ce que tout cela veut dire ? *(1987)*

Nagel obtint sa licence de philosophie en 1958. Il avait d'abord suivi ses études à l'université Cornell puis au Corpus Christi College d'Oxford où il passa sa maîtrise. Il intégra Harvard et passa son doctorat en 1963. Il enseigna d'abord à Berkeley en Californie, de 1963 à 1966, puis à Princeton jusqu'en 1980, passant du statut de professeur assistant à celui de titulaire. Il était encore professeur assistant quand il publia son premier livre, *The Possibility of altruism* (*La Possibilité de l'altruisme*, 1970). Son deuxième ouvrage – *Questions mortelles* (1979) – parut un an avant qu'il n'aille à l'université de New York, où il est professeur de philosophie et où il occupe une chaire de professeur de droit.

Le travail de Nagel est certainement la plus pertinente réflexion contemporaine qui se soit élevée contre le physicalisme, le fonctionnalisme et toute théorie éliminant la notion de conscience au profit d'une vision neurobiologiste réductrice. Il défend l'irréductibilité des concepts mentaux mais également – ce qui s'avère plus important – de la réalité de faits subjectifs qui permettent de faire l'expérience du monde d'un point de vue personnel. Il considère qu'il ne s'agit pas là d'une simple réflexion, mais de l'essence même de la conscience. Ainsi, la conscience est l'intuition par un individu de sa propre existence. Ce fait indéniable représente le plus grand des défis pour le monisme, le réductionnisme et pour toutes les théories qui soulignent l'importance de la différence entre les phénomènes physiques, qui peuvent être cernés, et les phénomènes subjectifs, qui ne le peuvent pas. Sans cette notion de

conscience, les théories monistes présentent un intérêt moindre, voire s'annulent d'elles-mêmes ; mais si elles la prennent en compte, ces théories sont sans espoir. La pensée de Nagel a été résumée dans l'un de ses plus célèbres articles intitulé «Qu'est-ce que cela fait d'être une chauve-souris ?» (1974), qu'on retrouve dans *Questions mortelles*.

Les recherches de Nagel dans les domaines de la morale et de la philosophie politique relèvent aussi d'une approche réaliste et kantienne, trouvant dans la conscience de soi les conditions nécessaires à la moralité et à l'altruisme qui fondent la responsabilité politique et la notion de justice. Les êtres conscients ont la capacité de prendre du recul et de réfléchir sur eux-mêmes, sur leurs actions, leur existence et sur le monde. Nagel s'intéresse en particulier au caractère rationnel et à la marge d'autonomie que cela implique – à la manière dont la pensée et les choix répondent à des exigences pratiques et rationnelles. Comme Kant, il s'est élevé contre tout relativisme réducteur en matière de morale ou de théorie politique.

Dans le texte :

De la même manière qu'il y a des exigences rationnelles concernant la pensée, il y a des exigences rationnelles concernant l'action ; et l'altruisme en fait partie.

The Possibility of altruism

SAUL AARON KRIPKE

NÉ en 1940 à New York	MORT –

PRINCIPAUX INTÉRÊTS   Logique, linguistique, métaphysique, épistémologie

INFLUENCÉ PAR   Mill, Frege, Russell, Wittgenstein, Wiggins

A INFLUENCÉ   –

ŒUVRES PRINCIPALES

La Logique des noms propres,

Règles et langage privé

Si la douleur est produite par le cerveau, elle ne peut exister si on ne la ressent pas comme telle.

Né à New York, Kripke a grandi à Omaha, dans le Nebraska. Il a fait ses études à Harvard où il a passé sa licence en 1962. Il était considéré comme un jeune prodige qui publiait des articles sur la logique avant même d'avoir atteint ses vingt ans. Lorsqu'il entra en licence, on lui confia le poste de chargé de cours junior, qu'il assuma jusqu'en 1966 (il enseigna aussi comme professeur assistant à Princeton), puis donna des conférences à Harvard entre 1966 et 1968. Il devint professeur associé à l'université Rockefeller en 1968, obtint le statut de professeur titulaire en 1972, mais partit pour Princeton en 1976 où on le nomma professeur émérite en 1997. Il est également professeur de philosophie à la cité universitaire de la ville de New York, membre de l'American Academy of Arts and Sciences, et aussi de la British Academy.

L'importance du travail de Kripke se révèle dans trois domaines en particulier : le sens, la métaphysique et la logique modale, au travers de son interprétation iconoclaste des idées de Wittgenstein. Contrairement à la plupart de ses contemporains, une grande partie de ses travaux n'ont pas été publiés ou n'existent que sous la forme d'enregistrements sonores ou de manuscrits.

LE SENS, LA LOGIQUE MODALE ET L'ESPRIT

Dans *La Logique des noms propres* (1972), rédigée d'après une série de conférences données à Princeton, Kripke critique la théorie descriptive de la référence développée par **Frege** et **Russell**. Selon cette théorie, un nom se réfère à un objet dans la mesure où le nom est une description qui correspond à l'objet. À l'instar de **J. S. Mill**, Kripke refuse d'admettre cette thèse. Il propose à la place une « théorie causale de la référence », selon laquelle un nom fait référence à un objet par toute une chaîne de connexions causales avec cet objet.

Kripke introduit également la notion de « désignation rigide ». Une expression référente (un nom) est un désignateur rigide qui se réfère à un objet nommé dans tous les mondes possibles où cet objet existe ; c'est un désignateur non rigide ou faible s'il se réfère à des objets différents situés dans des mondes différents. Les descriptions précises sont généralement des désignateurs faibles alors que les noms propres sont des désignateurs rigides. Des expressions telles que « l'auteur de *Scrapple from the apple* » et « Charlie Parker » se réfèrent à la même personne, mais Parker aurait pu ne pas écrire *Scrapple from the apple*. Ainsi, la première formule situe l'homme en question dans un monde possible où il aurait pu ne jamais exister, tandis que dans la seconde il est toujours identique à lui-même.

Dans l'enregistrement de *Jazz at Massey Hall*, daté de 1953, Charlie Parker est appelé « Charlie Chan ». Il est vrai que Charlie Parker possède aussi cette identité, qu'on ne doit pas confondre avec celle de l'acteur contem-

porain spécialiste des arts martiaux, « Charlie Chan ». Mais cette différence ne peut être établie que grâce à l'expérience. Il existe donc certaines vérités qu'on ne peut appréhender que de manière empirique.

On distingue deux approches principales pour désigner l'essence d'un objet. Pour la première : l'essence peut être la matière par laquelle nous choisissons de désigner l'objet, sans constituer toutefois la représentation de l'objet lui-même (thèse adoptée par **Quine**). Pour la seconde : l'essence est une propriété de l'objet (ou un ensemble de propriétés) que l'on peut découvrir empiriquement ; c'est ce que soutient Kripke. Alors que l'essence d'une chose est sa structure moléculaire, l'essence d'un individu est son origine. Ainsi, l'essence de l'eau est H_2O ; celle d'un être humain est le résultat de la fécondation d'un ovule spécifique par un spermatozoïde spécifique.

Kripke soutient que certains états tels que la douleur possèdent aussi une essence ; en l'occurrence, ce qui constitue la douleur (son essence) est la sensation de douleur. On peut établir un lien entre métaphysique et langage : si « douleur » et « état d'esprit » sont des désignateurs rigides, c'est que ces expressions ont une essence identique ; les objets qu'ils désignent sont par conséquent d'essence identique. En revanche, s'il existe un état d'esprit sans sentiment de douleur – ou vice versa –, il n'y a pas nécessairement d'identité donc pas d'identité du tout. Le

physicalisme, qui identifie la douleur à un état ou une fonction physique, est donc faux.

WITTGENSTEIN

Kripke a publié le texte d'une série de conférences données à Princeton sous le titre : *Wittgenstein : langage privé et jeux de langage*. Il s'agit moins d'un commentaire sur l'œuvre (dernière période) de **Wittgenstein** qu'un travail philosophique qui accompagne sa pensée depuis son point de départ en se concentrant sur certains arguments. L'éclairage apporté s'avère surprenant et original. Kripke reprend notamment la notion de langage privé et essaie de démontrer qu'elle constitue l'application particulière de principes généraux. Le résultat de ce travail a été si controversé que certains critiques ont appelé plaisamment « Kripkenstein » le sujet de ce livre.

[La théorie des noms] est vraiment une belle théorie. Le seul défaut que je lui trouve est probablement commun à toutes les théories philosophiques. Elle est fausse.

La Logique des noms propres

DAVID KELLOGG LEWIS

| NÉ en 1941 à Oberlin | MORT en 2001 à Princeton |

PRINCIPAUX INTÉRÊTS   Logique, métaphysique, épistémologie, éthique

INFLUENCÉ PAR   Leibniz, Hume, Ryle, Quine, Strawson

A INFLUENCÉ   –

ŒUVRES PRINCIPALES

Convention,
Counterfactuals,
On the plurality
of worlds
Parts of classes

[...] Chaque monde est actuel à lui-même et, de ce fait, tous les mondes sont au même niveau. Ce qui ne veut pas dire que tous les mondes sont actuels – il n'y a aucun monde pour lequel c'est vrai, pas plus qu'il n'y a de temps lorsque tous les temps sont présents..

On the plurality of worlds

Les parents de Lewis étaient tous deux universitaires, l'un était professeur de gestion, l'autre, d'histoire médiévale. Il fréquenta le lycée d'Oberlin où il montra des dispositions pour la chimie, ce qui le conduisit à s'inscrire au Swarthmore College. Après sa licence, il passa une année à Oxford et assista aux cours magistraux donnés par Ryle, Grice, **Strawson** et Austin. Lorsqu'il retourna à Swarthmore, il décida d'étudier la philosophie. Après la licence, en 1964, il entra à Harvard pour y préparer sa thèse de doctorat sous la direction de **Quine**.

En 1966, il fut nommé assistant à UCLA. La même année, il publia sa thèse : *Des conventions : étude philosophique*, dans laquelle il utilise les concepts de la théorie des jeux pour faire l'analyse linguistique des codes conventionnels. En 1970, il est professeur associé à Princeton ; il devient professeur titulaire en 1973, année de la publication de l'un de ses ouvrages les plus importants : *Counterfactuals (Contre-Factuels)*, dans lequel il élabore une analyse novatrice de la conditionnalité des faits, qui s'appuie sur une théorie à laquelle on l'associera le reste de sa vie – le réalisme modal. *On the plurality of worlds (Sur la pluralité des mondes*, 1986) est constitué en partie de conférences qu'il avait données à Oxford en 1984. Il y développe sa version du réalisme modal et défend sa théorie des mondes possibles point par point. Il est resté à Princeton jusqu'à sa mort en 2001.

Dans le texte :

« Le survenir humain [...], la doctrine selon laquelle tout ce qui existe au monde est une grande mosaïque de faits particuliers assemblés localement, juste une petite chose et puis une autre. »

Introduction aux **Philosophical Papers**

Lewis était un voyageur infatigable, qui aimait particulièrement se déplacer en train et nourrissait une tendresse particulière pour le continent australien, son pays de cœur.

Lewis s'intéressait à de nombreux domaines en philosophie, comme en témoignent les cinq recueils constitués à partir des articles qu'il avait publiés : il y parle d'éthique, de politique, de métaphysique, d'épistémologie, de logique, de langage... mais également d'univers parallèles, de l'esprit et du voyage dans le temps, se référant à **Anselme** ou à **Mill**. Quel que soit le thème abordé, il l'évoque avec rigueur, sincérité et clarté. Un trait marquant de sa personnalité concerne son comportement envers les autres philosophes, y compris ceux qui ont critiqué son travail : on aura du mal à trouver un livre ou un article attaquant ses opinions qui ne contienne pas également un mot de remerciement à Lewis pour l'aide apportée... Ce qui

La philosophie et l'homme de la rue

Il n'est pas exigé d'une théorie philosophique qu'elle soit en accord avec quoi que ce soit que l'homme de la rue affirmerait de manière désinvolte, ignorante, et dépourvue de toute réflexion.

On the plurality of worlds

Une théorie philosophique ne devrait pas être défendue par un quidam prenant la parole dans la rue, car il n'est pas informé et donc incapable de modifier son point de vue au terme d'une argumentation théorique.

lui importait – ce qu'il aimait – était le débat d'idées, l'argumentation, la philosophie. Pas de gagner ou de prouver qu'il avait raison. Il représentait le philosophe idéal ; il est toujours largement considéré comme le meilleur de sa génération – peut-être du xxᵉ siècle.

LES MONDES POSSIBLES

Lewis reste célèbre pour son réalisme modal. Comme il le souligne dans la préface de *On the plurality of worlds*, son réalisme n'est pas à prendre dans le sens contemporain du principe de bivalence, des limites de la connaissance, de la vérité ou de la sémantique. C'est une réflexion sur l'évocation d'autres mondes possibles (quand on dit par exemple «Est-ce que nous vivons dans le meilleur des mondes possibles ?», «Il y a un monde possible où les kangourous n'ont pas de queue», etc.). On ne parle pas d'une construction mentale ou linguistique mais bien de mondes qui seraient aussi réels que le nôtre. Notre monde est spécial parce que nous y existons (Lewis parle de *monde actuel*) mais il n'est pas plus réel qu'un autre. Les habitants des autres mondes diraient aussi que leur monde est l'«actuel», et ils auraient raison autant que nous ; car «actuel» se rapporte à «ici» et «maintenant».

Bien que des formulations comme «J'aurais pu être un combattant» s'expliquent par ce qui serait possible dans un autre monde, il n'est pas dit que nous n'existons pas aussi dans un autre monde que celui-ci ; ou plutôt, nous pourrions avoir des alter ego dans d'autres mondes – des gens qui nous ressembleraient essentiellement. Ces autres nous-mêmes seraient si proches de nous qu'ils se trouveraient spatio-temporellement et causalement isolés les uns des autres, rendant ainsi irréalisable le voyage entre ces mondes.

Lorsque les philosophes et autres universitaires parlent du «monde», ou encore, des «mondes possibles», ils veulent dire «l'univers» ou «les univers possibles», plutôt que notre monde en tant que tel ou qu'une autre planète.

SUSAN HAACK

NÉE en 1945 à Burnham	MORTE –

PRINCIPAUX INTÉRÊTS   Logique, linguistique, épistémologie, métaphysique

INFLUENCÉE PAR   Francis Bacon, Peirce, Russell, Strawson, Quine, Austin

A INFLUENCÉ –

ŒUVRES PRINCIPALES

Deviant logic, Philosophy of logics, Evidence and inquiry, Manifesto of a pasionate moderate, Defending science – within reason

Aussi tentant qu'il soit de sur-réagir au pragmatisme vulgaire de Churchland à propos du but de la recherche, je reconnais qu'il serait souhaitable que les épistémologues accordent plus d'attention qu'ils ne le font généralement au non-dit, au savoir-faire et aux connaissances tacites.

Evidence and inquiry

Susan Haack a suivi le programme d'éducation professionnelle du College St Hilda d'Oxford, obtenant sa licence en 1966 puis sa maîtrise de philosophie. On lui accorda ensuite une bourse pour aller étudier trois ans à Cambridge (à New Hall), où elle termina son doctorat. En 1971, elle était maître-assistant à l'université de Warwick puis maître de conférences en 1976, avant de devenir professeur en titre en 1982. Depuis 1990, elle enseigne à l'université de Miami, où elle a été nommée «Cooper Senior Scholar» en lettres et sciences; elle y est également professeur de philosophie et de droit.

La force de Susan Haack tient à son style clair et incisif, à ses textes souvent ironiques et pleins d'humour. Elle est très attachée à un idéal philosophique d'investigation honnête, et supporte mal la vacuité des modes intellectuelles (elle s'amuse parfois à les disséquer pour mieux les ridiculiser) autant que l'aridité d'une philosophie trop universitaire. Elle s'est fait un nom avec ses deux premiers livres traitant de logique: *Deviant logic* en 1974, et *Philosophy of logics* en 1978; mais sa contribution philosophique la plus importante porte sur l'épistémologie, qu'elle aborde pour la première fois dans *Evidence and inquiry* (*Preuve et investigation*, 1993).

Ses recherches en épistémologie se concentrent sur le «fondhérentisme». Cette théorie comporte deux aspects, combinant des éléments de fondationisme et de cohérentisme. Ayant évalué chacune de ces deux notions

Dans le texte :

Je me souviens d'un titre dans le journal de l'université de Warwick, qui disait : " Succès majeur dans le domaine de la recherche en physique à Warwick " ; le texte ne parlait pas d'une percée accomplie par nos physiciens, mais des fonds alloués à leur recherche.

Manifesto of a passionate moderate

épistémologiques (traditionnellement rivales), Susan Haack en conclut qu'elles ont toutes deux leurs forces, et elle essaie de développer une approche reconnaissant la pertinence de l'expérience dans la justification empirique sans pour autant privilégier les croyances de base de l'une plutôt que de l'autre. Son explication, «*multidimensionnelle*», utilise l'analogie des mots croisés : la réponse correcte à une énigme donnée dépend d'autres réponses croisées ou d'autres réponses potentielles. Cette analogie est développée et articulée de manière à présenter une théorie de la connaissance aussi riche que sophistiquée.

VUE GÉNÉRALE
LA PHILOSOPHIE MORALE

La philosophie morale peut être divisée en deux catégories : la méta-éthique et l'éthique normative. Cette dernière s'étend à deux autres domaines : l'éthique appliquée et un domaine mal défini, se situant entre le raisonnement très abstrait de la méta-éthique et l'éthique appliquée à des questions individuelles. Dans la philosophie occidentale en particulier, l'intérêt des philosophes se porte traditionnellement sur la méta-éthique et sur l'éthique normative la plus abstraite. L'éthique appliquée a pris de l'importance vers le milieu du XXᵉ siècle, mais constitue désormais une des plus importantes orientations de la philosophie, en terme de recherche, d'enseignement et de publications, et pour laquelle les dotations financières sont les plus importantes.

LA MÉTA-ÉTHIQUE

Elle désigne « l'analyse des concepts éthiques de base (analyse conceptuelle) ; mais aussi l'analyse de leur nature, de leur signification et de leur valeur morale (métaphysique et épistémologie) ». Pour exemple d'analyse conceptuelle : selon **R. M. Hare**, la valeur morale d'un concept se reconnaît à son caractère *universalisable* ; si l'on dit : « Marie n'aurait pas dû voler cette banque », ce jugement n'est moral que s'il implique : « Personne (à la place de Marie) ne devrait voler cette banque ». Pour l'aspect métaphysique et épistémologique de la méta-éthique, on peut se référer à **Platon** : nous devons découvrir par nous-mêmes les valeurs morales authentiques. **David Wiggins** a concilié ces deux approches : nous découvrons par nous-mêmes les valeurs morales, mais notre compréhension n'est pas indépendante de nos aptitudes conceptuelles et de notre sensibilité.

L'essentiel du débat en méta-éthique se situe entre ceux qui soutiennent l'objectivité des valeurs morales et ceux qui affirment leur caractère subjectif. Dans chaque camp, d'autres divisions viennent encore compliquer et élargir le débat. J'opterais, en ce qui me concerne, pour une version objectiviste : les valeurs morales sont objectives, applicables à n'importe quel être sensible, capable d'empathie, partageant notre sensibilité. De tels êtres ont en commun les mêmes réponses morales fondamentales et les mêmes aptitudes cognitives, à la fois issues de notre connaissance et de ce que nous ressentons (la peur ou la souffrance),

des émotions que nous identifions chez autrui, et de notre capacité de raisonnement (par exemple, pour étendre la faculté d'empathie au-delà de ce qui est évident ou immédiat, afin d'agir opportunément).

L'ÉTHIQUE NORMATIVE ABSTRAITE

Elle a pour objet d'établir des normes éthiques permettant des prises de décision, comme lorsqu'on dit : « Il faut agir ainsi pour éviter d'infliger d'inutiles souffrances. » Cette démarche est adoptée par **J. S. Mill** et son principe *utilitariste* : « une action est juste dans la mesure où elle tend à favoriser le bonheur ; elle est mauvaise si elle tend à empêcher le bonheur. » Ceci ne nous dit pas ce que « juste » signifie (ce que fait la méta-éthique) ni comment agir en certaines situations (ce que fait l'éthique appliquée). L'éthique normative abstraite fournit plutôt une méthodologie générale pour agir de manière juste.

L'ÉTHIQUE APPLIQUÉE

Il s'agit d'essayer de résoudre des questions telles que : L'avortement, l'euthanasie ou le suicide sont-ils moralement défendables ? Comment doit-on traiter les animaux ? Y a-t-il des guerres justes ? Quelles sont les conséquences éthiques du clonage humain ? **Peter Singer** s'est penché sur ces questions. Il soutient que nous ne devrions pas tuer les animaux pour nous nourrir, et que les pays riches devraient accueillir plus de réfugiés qu'ils n'y consentent. Bien qu'il fournisse une argumentation solide pour étayer ses opinions et qu'il n'hésite pas à en débattre, Singer ne travaille pas sur la nature de l'éthique. Quand on répond à des questions d'éthique appliquée, cela suppose qu'on a déjà pris position sur le plan de la méta-éthique et peut-être aussi sur celui de l'éthique normative abstraite (l'argumentation de Singer s'appuie sur l'utilitarisme) ; en ce domaine, la confusion et le désaccord peuvent être liés à une mauvaise analyse méta-éthique. L'éthique appliquée tend à nuancer l'opinion dans des domaines comme la politique ou la philosophie sociale.

PETER SINGER

NÉ en 1946 à Melbourne	MORT —

PRINCIPAUX INTÉRÊTS Éthique, politique

INFLUENCÉ PAR Hegel, Bentham, Mill, Marx, Hare

A INFLUENCÉ —

ŒUVRES PRINCIPALES

Democracy and desobedience,

La Libération animale,

Questions d'éthique pratique,

Comment vivre avec les animaux ?

Une gauche darwiniene,

L'égalité animale expliquée aux humains

Le spécisme – le mot n'est pas attrayant, mais je n'en trouve pas de meilleur – n'est rien d'autre qu'une discrimination ou un préjugé privilégiant les intérêts des membres d'une espèce au détriment des membres d'une autre espèce.

La Libération animale

Les parents de Singer étaient des Juifs autrichiens qui quittèrent Vienne en 1938 pour émigrer en Australie. Son père s'enrichit dans l'importation de café et de thé, tandis que sa mère pratiquait la médecine. Singer intégra l'université de Melbourne, étudia l'histoire, la philosophie et le droit, et obtint sa licence en 1967. Deux ans plus tard, il travaillait sur une thèse intitulée : *Pourquoi devrais-je être moral ?* Grâce à une bourse d'études, il passa sa maîtrise de philosophie à Oxford en 1971. Il occupa le poste de maître de conférences dans cet établissement jusqu'en 1973. En même temps, il rédigeait une thèse sur la désobéissance civile sous la direction de **R. M. Hare** (publiée sous le titre de *Démocratie et désobéissance,* en 1973).

Après Oxford, il partit enseigner à l'université de New York pendant seize mois. Il continua ses recherches et écrivit un deuxième livre, *La Libération animale* (1975). Il repartit pour Melbourne où il s'installa, tout en donnant de fréquentes conférences à travers le monde. Il fut chargé d'enseignement à l'université La Trobe puis professeur de philosophie à l'université Monash. Depuis 1999, il occupe la chaire de bioéthique au University Center for Human Values, à Princeton.

Les intérêts philosophiques de Singer se concentrent sur l'éthique et la politique ; il se préoccupe presque exclusivement, dans ces deux domaines, de questions appliquées : la condition animale, l'avortement, l'euthanasie. C'est pourquoi il est l'un des philosophes

En Bref :

Vivre en manifestant compassion et estime à l'égard des autres n'est pas seulement juste sur le plan moral, c'est aussi une récompense pour soi.

contemporains les plus connus, mais aussi l'un des plus controversés. Il a été particulièrement influent sur la question de l'éthique animale.

LA CONDITION ANIMALE

La publication en 1975 de *La Libération animale* marque un tournant dans sa carrière. Pour Singer, les hommes ont toujours maltraité les animaux sans qu'aucune justification morale explique ce comportement. Au cœur de la morale se trouve l'idée qu'on ne doit pas injustement faire souffrir ; seules quelques exceptions sont moralement pertinentes. On ne peut pas condamner la souffrance infligée aux membres d'une espèce tout en fermant les yeux à la souffrance subie par les membres d'une autre. De la même manière, on ne doit pas faire de distinction de race ou de sexe. Le fait (si ç'en est bien un) que les animaux ne disposent pas de notre réflexion intellectuelle et de notre compréhension morale n'est pas pertinent ; on n'a pas davantage le droit de faire souffrir un chien qu'un bébé.

La Libération animale n'est pas seulement une étude philosophique, car elle évoque quantité de faits tels que l'expérimentation animale ou le sort des animaux d'élevage. Mais on n'y

Les Droits des animaux

Si un être peut souffrir, il n'y a aucune justification morale à refuser de prendre cette souffrance en considération. Peu importe la nature de cet être, le principe d'égalité nécessite que sa souffrance soit considérée de la même manière que la souffrance de n'importe quel autre être – pour autant qu'on puisse faire d'approximatives comparaisons.

La Libération animale

Aucune justification morale n'autorise les hommes à être cruels envers les animaux.

trouve pas les fondements théoriques de la position éthique adoptée par Singer, bien qu'il soit fait référence à **Jeremy Bentham** et à l'utilitarisme : ce qui fait qu'une action est moralement mauvaise tient à ses conséquences nuisibles, à la souffrance provoquée. Singer ne s'étendra sur l'origine utilitariste de sa réflexion que dans ses travaux ultérieurs.

Le livre de Singer a eu un impact énorme, pas seulement sur des individus – beaucoup de gens sont devenus végétariens – mais aussi sur la société. On pense désormais que la condition animale est digne d'attention et constitue une cause morale respectable. Avant Singer, on considérait que la protection des animaux ne pouvait intéresser que quelques originaux.

VIE ET MORT

La notoriété de Singer est largement due à ses opinions sur l'avortement, l'euthanasie et l'infanticide. Il soutient que le fœtus, le nourrisson et les invalides sévères n'ont pas la capacité d'anticiper et de concevoir leur avenir ; c'est pourquoi il serait moralement acceptable, *en certaines circonstances*, de mettre fin à leurs vies. Le conditionnel est important

car il contribue à établir une distinction entre euthanasie active ou passive. Singer présente de nombreux et rigoureux arguments pour cerner cette délicate position éthique, mais au lieu de discuter de ses conclusions avec lui, beaucoup de ses détracteurs (y compris des philosophes) préfèrent la polémique, voire la violence. Singer a été accusé d'appartenir à l'extrême droite et d'être néo-nazi. On a essayé (parfois avec succès) de faire annuler ses conférences ou de briser sa carrière.

Lorsque ses adversaires tentent de débattre, ils le font souvent avec des arguments fallacieux ou simplistes montrant qu'ils ont mal compris la pensée de Singer – ce qui s'avère d'autant plus curieux qu'il est l'un des auteurs les plus limpides qui soient en philosophie et qu'il est compréhensible par un large public.

Les Américains favorables à l'avortement défendent la liberté individuelle mais esquivent la question du statut moral du fœtus. Singer soutient que l'avortement ne peut pas se réduire au droit de choisir ; nous devons établir que le fœtus n'est pas digne de protection. Selon la thèse controversée de Singer, dans certaines circonstances, le fœtus ne mérite pas de protection.

LECTURES CONSEILLÉES

OUVRAGES GÉNÉRAUX

Dictionnaires

A. Lalande, *Vocabulaire technique et critique de la philosophie*, PUF
Grand dictionnaire de la philosophie, Larousse
Dictionnaire des philosophes, Encyclopaedia Universalis
Dictionnaire des philosophies, Encyclopaedia Universalis

Introductions à la philosophie

Alain, *Éléments de philosophie*, Gallimard
Karl Jaspers, *Introduction à la philosophie*, 10/18
Robert Spaemann, *Notions fondamentales de morale*, Champs Flammarion
Alain de Botton, *Les Consolations de la philosophie*, Presses Pocket

Histoires de la philosophie

Diogène Laërce, *Vie et doctrine des philosophes illustres*, Le livre de poche
Émile Bréhier, *Histoire de la philosophie*, 3 vol., PUF
Bryan Magee, *Histoire illustrée de la philosophie*, Le Pré aux Clercs
Brice Parain et al., *Histoire de la philosophie*, 3 vol., Coll. La Pléiade, Gallimard

Textes classiques

Les Penseurs grecs avant Socrate, recueil traduit par J. Voilquin, G. F.
Les Présocratiques, Coll. La Pléiade, Gallimard
Platon, *Apologie de Socrate, Criton, Phédon*, G. F.
Le Ménon, G. F.
Phèdre, le Banquet, G. F.
La République, G. F.
Aristote, *Éthique à Nicomaque*, G. F.
Aristote, *Les Politiques*, G. F.

Les Stoïciens, Coll. La Pléiade, Gallimard
Épictète, *Entretiens*, tome I, II, III, IV, trad. J. Souilhé, Les Belles Lettres
Épictète, *Manuel*, trad. M. Meunier, G. F.
Marc-Aurèle, *Pensées pour moi-même*, G.F.
Sénèque, *Œuvres*, Coll. Bouquins, Laffont
Plotin, *Ennéades*, G. F.
Augustin, *Les Confessions*, Coll. La Pléiade, Gallimard
Boèce, *La Consolation de la philosophie*, Les Belles Lettres
Abélard, *Histoire de mes malheurs*, Vrin
Machiavel, *Œuvres*, Coll. La Pléiade, Gallimard
Machiavel, *Le Prince*, G. F.
Descartes, *Discours de la méthode*, édition E. Gilson, Vrin
Descartes, *Méditations métaphysiques*, PUF
Descartes, *Règles pour la direction de l'esprit*, Vrin
Arnauld et Nicole, *La Logique ou l'Art de penser*, G. F.
Hobbes, *Léviathan*, Sirey
Hobbes, *De Cive*, Vrin
Spinoza, *Traité de la réforme de l'entendement*, Vrin
Spinoza, *Traité théologico-politique*, G. F.
Spinoza, *L'Éthique*, G. F.
Locke, *Deux traités du gouvernement civil*, Vrin
Malebranche, *Œuvres*, 2 vol., Coll. La Pléiade, Gallimard
Berkeley, *Principes de la connaissance humaine*, G. F.
Leibniz, *Traité de métaphysique, correspondance avec Arnauld*, Vrin
Montesquieu, *De l'esprit des lois*, G. F.
Hume, *Enquête sur l'entendement humain*, G. F.

Hume, *Enquête sur les principes de la morale*, G. F.
Rousseau, *Discours sur l'origine de l'inégalité parmi les hommes*, G. F.
Rousseau, *Le Contrat social*, G. F.
Rousseau, *L'Émile*, Coll. La Pléiade, Gallimard
Kant, *Prolégomènes à toute métaphysique future*, Vrin
Kant, *Critique de la raison pure*, PUF
Kant, *Critique de la raison pratique*, PUF
Kant, *Anthropologie du point de vue pragmatique*, Vrin
Kant, *Fondements de la métaphysique des mœurs*, Delagrave
Hegel, *L'Esprit du christianisme et son destin*, Vrin
Hegel, *Esthétique*, Aubier
Hegel, *Phénoménologie de l'esprit*, Aubier
Hegel, *Introduction à la philosophie de l'histoire*, Vrin
Mill, *La Liberté*, Gallimard
Kierkegaard, *Ou bien, ou bien*, Gallimard
Kierkegaard, *Étapes sur le chemin de la vie*, Gallimard
Nietzsche, *Œuvres*, tome I, Coll. La Pléiade, Gallimard
Nietzsche, *Ainsi parlait Zarathoustra*, Mercure de France
Nietzsche, *Le Crépuscule des idoles*, Mercure de France
Nietzsche, *Par-delà le bien et le mal*, Aubier
Nietzsche, *Le Gai Savoir*, Gallimard
Nietzsche, *Ecce homo*, Gallimard
Frege, *Écrits logiques et philosophiques*, Seuil
Husserl *La Crise de l'humanité européenne et la philosophie*, Hatier
Husserl, *La Philosophie comme*

science rigoureuse, PUF
Heidegger, Être et temps,
Gallimard
Heidegger, Chemins
qui ne mènent nulle part,
Gallimard
Heidegger, Essais
et conférences, Gallimard
Sartre, L'existentialisme
est un humanisme, Nagel
Sartre, Les Mots, Gallimard
Sartre, L'Être et le Néant,
Gallimard
Sartre, Critique de la raison
dialectique, Gallimard
Sartre, L'Idiot de la famille,
Gallimard

Epistémologie et philosophie des sciences
Althusser, Louis, Philosophie
et philosophie spontanée
des savants, Maspéro
Carnap, Rudolph,
Les Fondements philosophiques
de la physique, Colin
Gould, Stephen, Et Dieu dit
«Que Darwin soit», Seuil
Kuhn, Thomas, La Structure des
révolutions scientifiques, Seuil
Popper, Karl, La Connaissance
objective, Flammarion
Popper, Karl, La Société ouverte
et ses ennemis, 2 vol., Seuil
Popper, Karl, La Logique de la
découverte scientifique, Payot
Popper, Karl, Conjectures
et réfutations, la croissance
du savoir scientifique, Payot
Popper, Karl, La Quête
inachevée, Calman-Lévy
Putnam, Hilary, Réalisme à
visage humain, Seuil
Rifkin, Jeremy, Le Siècle
biotech, Pocket
Russell, Bertrand, Problèmes
de philosophie, Payot

Logique et philosophie du langage
Anscombe, Gertrude,

L'Intention, Gallimard
Ayer, Alfred, Langage, vérité
et logique, Flammarion
Ayer, Alfred, Wittgenstein ou
le génie face à la
métaphysique, Seghers
Derrida, Jacques,
De la grammatologie, Minuit
Derrida, Jacques, L'Écriture
et la Différence, Seuil
Hadot, Pierre, Wittgenstein
et les limites du langage, Vrin
Quine, Willard van Orman,
Le Mot et la Chose,
Flammarion
Saussure, Ferdinand de, Cours
de linguistique générale, Payot
Searle, John, Les Actes
de langage, Hermann
Searle, John, Sens et
expression, Minuit
Strawson, Peter, Les Individus,
Seuil
Strawson, Peter, Études de logique
et de linguistiques, Seuil
Strawson, Peter, Analyse et
métaphysique, Vrin
Wittgenstein, Ludwig, Tractatus
logico-philosophique, Gallimard
Wittgenstein, Ludwig, Le Cahier
bleu et le Cahier brun,
Gallimard

Philosophie morale et politique
Gusdorf, Georges, Traité
de l'existence morale, Colin
Habermas, Jürgen, L'Espace
public, Payot
Nagel, Thomas, Le Point de vue
de nulle part, L'Éclat
Nagel, Thomas, Égalité et
partialité, PUF
Rawls, John, Libéralisme
politique, PUF
Rawls, John, Théorie de la
justice, Seuil
Singer, Peter, Questions
d'éthique pratique, Bayard
Singer, Peter, La libération
animale, Grasset

TRADITIONS NON OCCIDENTALES
Philosophie africaine
Wiredu, J. E., La Vérité
comme opinion,
in Conséquence 1 (1974)
Wiredu, J. E., D'une orientation
africaine en philosophie,
in Conséquence 1 (1974)

Philosophie chinoise
Les Philosophes taoïstes,
Coll. La Pléiade, Gallimard
Cheng, Anne, Histoire
de la philosophie chinoise,
Points-Seuil
Granet, Marcel, La Pensée chinoise,
Albin-Michel
Mou, Zongsan, Spécificités de la
philosophie chinoise, Cerf

Philosophie indienne
Droit, Roger-Pol, L'Oubli de l'Inde,
Points-Seuil
Zimmer, Heinrich, Les Philosophies
de l'Inde, Payot

GLOSSAIRE

A POSTERIORI

Connaissance qui ne peut être acquise que par l'expérience. *(Voir a priori)*

A PRIORI

Connaissance indépendante de l'expérience. *(Voir a posteriori ; empirique)*

ANALYTIQUE

Un jugement est dit analytique s'il est vrai ou faux sur le seul critère du sens des mots qu'il contient. *(Voir synthétique)*

ANTIRÉALISME

On distingue plusieurs formes d'antiréalisme : il peut s'étendre à tous les domaines ou seulement à certains (par exemple, à l'éthique). Les antiréalistes considèrent soit que les propositions se rapportant à tel domaine ne sont ni vraies ni fausses, soit que les objets ou événements relevant de ce domaine n'existent pas. *(Voir réalisme)*

ATOMISME

À l'origine, théorie selon laquelle le monde physique est composé d'atomes – de particules fondamentales, invisibles, obéissant à divers arrangements. Cette théorie peut s'appliquer au langage. Selon l'*atomisme logique*, le langage est constitué d'unités de sens simples et fondamentales qui correspondent aux faits simples et fondamentaux formant le monde.

CARTÉSIEN

Qui appartient à Descartes. S'applique soit aux arguments, thèses et méthodes de Descartes, soit à ceux de ses épigones.

COGNITIF

Dans le domaine mental : processus associé à la compréhension, la croyance, la connaissance. Dans celui de l'expression linguistique : proposition qui peut être vraie ou fausse (par opposition à celle qui pose une question ou donne un ordre).

COHÉRENTISME

Le cohérentiste considère que la vérité d'un ensemble de propositions dépend de leur cohérence, c'est-à-dire de la façon dont elles s'accordent et s'étaient mutuellement. *(Voir fondationisme)*

COMPATIBILISME

Théorie, d'un déterminisme modéré, pour laquelle la responsabilité morale, la louange ou le blâme sont compatibles avec l'idée d'un monde entièrement déterminé, où chaque fait, physique ou mental, est soumis à une cause.

CONCEPTUALISME

Théorie selon laquelle les idées générales qui nous servent à organiser notre connaissance sont des instruments intellectuels forgés par notre esprit et n'existent pas en dehors de lui. *(Voir nominalisme ; réalisme)*

CONTINGENT

Ce qui pourrait ne pas être, qui n'obéit pas à une nécessité. Une proposition qui est vraie de manière contingente aurait pu être fausse et *vice-versa*.

DUALISME

Théorie selon laquelle la réalité est formée de deux substances indépendantes et de nature absolument différente ; par exemple, l'âme et le corps. *(Voir monisme ; physicalisme ; idéalisme)*

ÉMOTIVISME

Théorie méta-éthique selon laquelle ce qui paraît être un jugement moral n'est que l'expression des émotions du locuteur, et par conséquent n'est ni vrai ni faux. *(Voir subjectivisme)*

EMPIRIQUE

Une vérité est empirique quand sa validation dépend de l'expérience. *(Voir a priori ; a posteriori)*

EMPIRISME

Théorie selon laquelle toute connaissance (à l'exception des relations entre les concepts, comme en logique) s'appuie sur l'expérience.

EPISTÉMOLOGIE

Examen critique des méthodes et des principes de la connaissance scientifique.

EXTERNALISME

Philosophie de l'esprit et du langage. Nos représentations mentales, tout comme le sens des mots dans le langage, proviennent, non de notre intériorité, mais du monde extérieur.

FONDATIONISME

Théorie qui fonde la connaissance du monde extérieur sur un système de croyances qui n'a pas à être justifié ; ce système peut être a priori ou a posteriori. *(Voir cohérentisme ; positivisme)*

FONCTIONNALISME

Théorie physicaliste selon laquelle les états mentaux sont définis par leurs causes et leurs effets sur le comportement.

IDÉALISME

Philosophie qui considère l'esprit ou l'idée comme première par rapport à la matière. La seule chose que nous puissions connaître est la pensée, et la connaissance de la pensée est connaissance du monde. **Leibniz**, **Berkeley** et **Hegel** ont développé cette thèse. *(Voir physicalisme)*

MATÉRIALISME

Théorie selon laquelle la matière est première par rapport à l'esprit ou à l'idée. Il n'y a pas dans l'homme divorce entre deux principes, la matière et l'esprit, mais une unité qui en fait un être homogène.

MODALITÉ

En logique, la modalité d'une proposition *p* est la façon dont elle est vraie. On peut dire que *p* est nécessaire, possible, passée, future, admise ou obligatoire. Les logiciens s'intéressent surtout aux « modalités logiques », comme la nécessité ou la possibilité.

MONDE

Tout ce qui existe. Il en résulte que le monde n'est pas un objet séparé, mais la totalité des objets (ou, selon certaines acceptions, la totalité des faits ou des événements).

MONISME

Toute doctrine qui considère que le monde est régi par un principe fondamental unique. *(Voir idéalisme ; physicalisme)*

NÉCESSAIRE

Ce qui ne peut pas ne pas être, ou dont la non-existence est impossible. *(Voir contingent)*

NOMINALISME

Dans la philosophie médiévale, théorie selon laquelle seuls les individus existent, les termes généraux ou *universaux* étant de simples noms. *(Voir réalisme)*

PARADOXE

Raisonnement dans lequel, à partir de prémisses considérées comme vraies, on aboutit à une conclusion absurde ou contradictoire. Les paradoxes sont importants parce qu'ils signalent l'existence d'une erreur, généralement dans l'une des prémisses du raisonnement.

PHYSICALISME

Thèse métaphysique selon laquelle la nature de toute entité existante est physique. Rien n'existe en dehors de la réalité physique, pas même l'esprit. Tout fait doit recevoir une explication physique.

POSITIVISME

Empirisme radical, selon lequel toute véritable connaissance, ou du moins la plus haute forme de connaissance, c'est-à-dire la science, vient de l'expérience sensorielle. Une telle connaissance est positive en ceci qu'elle est fournie par l'expérience et n'a nul besoin des justifications métaphysiques ou théologiques. Le *positivisme logique* va plus loin que cet empirisme radical : il indique qu'un énoncé n'a pas de sens s'il n'est pas vérifiable empiriquement et s'il ne respecte pas les critères de la logique formelle.

PRAGMATISME

École philosophique américaine s'appuyant sur une théorie de la signification (et de la vérité, pour les pragmatistes les plus récents). La signification d'un concept, ou la vérité d'un énoncé, tient tout entière dans ses implications pratiques.

PROPOSITION

Énoncé formé d'un assemblage de symboles et de mots, auquel on peut attribuer une valeur de *vrai* ou *faux*, dans certaines conditions.

RÉALISME

Dans la philosophie médiévale, thèse (opposée au nominalisme) selon laquelle les universaux existent indépendamment de notre pensée. Le réalisme reconnaît l'existence d'une réalité indépendante de tout observateur, objective et absolue. *(Voir antiréalisme ; physicalisme ; relativisme ; subjectivisme)*

RELATIVISME

Thèse selon laquelle, au moins dans certains domaines, la vérité est relative à la culture, à la société ou à tout autre système symbolique.

SUBJECTIVISME

Un jugement est subjectif lorsqu'il reflète les passions, les préjugés et les choix personnels d'un sujet. Les théories subjectivistes vont du simple *émotivisme* jusqu'à l'idée que nos jugements moraux sont universels (parce que les hommes ont pour la plupart des réactions identiques face aux mêmes actions ou événements), mais que cette universalité est contingente et susceptible de changements.

SUBSTANCE

C'est l'une des principales notions de la métaphysique et, en tant que telle, elle a reçu de nombreuses acceptions. Voici les trois principales, qui sont d'ailleurs liées : la substance est « ce qui se tient sous » les propriétés d'une chose. Ou bien ce qui existe indépendamment de tout autre chose. Ou enfin l'essence d'une chose.

SYNTHÉTIQUE

Un jugement est dit synthétique s'il est vrai ou faux selon qu'il correspond ou non à ce qu'est le monde. *(Voir analytique)*

TOURNANT LINGUISTIQUE

Dans la tradition anglo-américaine, de nombreux philosophes n'étudient plus ce qui est, ce que nous savons de la réalité, ou encore nos obligations morales, mais les mots dont nous nous servons pour en parler.

UTILITARISME

Doctrine qui juge la moralité d'une action d'après la quantité de bonheur qu'elle produit chez les autres (mais pour juger de la moralité d'une personne, nous devons tenir compte de ses motivations).

INDEX

CRÉDITS

L'éditeur remercie les sociétés suivantes pour les photos et illustrations reproduites dans cet ouvrage :

(g = gauche ; c = centre ; h = haut ; b = bas ; a/p = arrière plan)

6, 7, 61h, 63h, 85, 131h, 142b Bettmann/CORBIS ; 8 Science Museum, London/HIP/TOPFOTO ; 9 The Image Works/TOPFOTO ; 10a/p Wolfgang Kaehler/CORBIS ; 13h CM Dixon/HIP/TOPFOTO ; 24b Ted Spiegel/CORBIS ; 26b Stock Montage/GETTY IMAGES ; 27 Araldo de Luca/CORBIS ; 39hg, 51b, 53g, 78a/p, 116a/p Archivo Iconografico, S.A./CORBIS ; 42a/p, 113h, 169h The British Library/HIP/TOPFOTO ; 51h Christine Osborne/CORBIS 55, 67, 69, 73, 83h, 109, 111, 118, 127, 179 TOPFOTO ; 65 Otto Rogge/CORBIS ; 71h Gianni Dagli Orti/CORBIS ; 89 Stapleton Collection/CORBIS ; 95, 96b, 99h, 105h, 121b, 135h, 136a/p Hulton Archive/GETTY IMAGES ; 97 Karen Huntt/CORBIS ; 121h Fotomas/TOPFOTO ; 123h HIP/TOPFOTO ; 139cd, 178 Robert P. Matthews, Princeton University ; 140b Scheufler Collection/CORBIS ; 141h Austrian Archives/CORBIS ; 143 Todd Pearson/CORBIS ; 145 Jimmy Sime/Central Press/GETTY IMAGES ; 149h Trinity College Library, Cambridge ; 157h Hulton-Deutsch Collection/CORBIS ; 163h Yevgeny Khaldei/CORBIS ; 177 Herman Leonard/ArenaPAL ; 183h Les Stone/CORBIS ; 183b David Reed/CORBIS

REMERCIEMENTS DE L'AUTEUR
Merci à tous ces philosophes, et tout particulièrement à Andrea Christofidou pour son aide et son soutien.